KB047816

이것만 알자!

이것만 알자!

초등 과학

5학년

특징

See

개념을 읽는 게 아니라
보면서 익힐 수 있게
시각적으로
만들었어요.

Easy

초등 5학년에서
알아야 할 **과학 개념**
46개만 뽑아
쉽게 알 수 있어요.

Fun

재미있는 퀴즈나
게임 형식의 문제로
놀이처럼 즐기면서
개념을 확인할 수 있어요.

Link

중학교와 초등학교의
연결고리를 찾고,
연계된 중학교 개념을
미리 볼 수 있어요.

구성

하나. 쉽고 재미있게 개념 공부하기

1 단원 도입

숨은 그림 찾기 활동을 하며 단원 내용을 미리 살펴봐요.

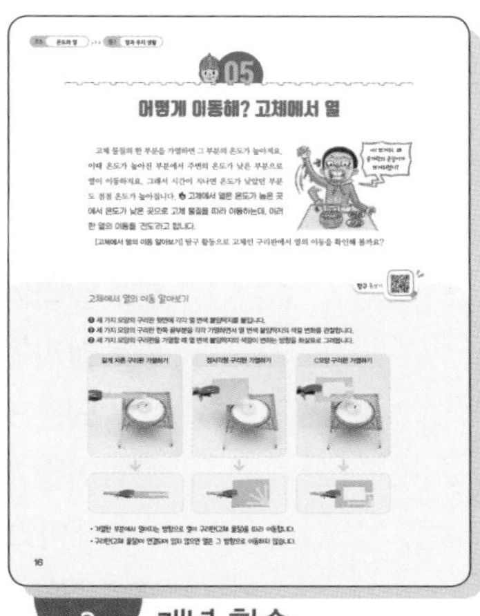

2 개념 학습

재미있는 개념 제목과 초등과 중등 개념 연결고리도 넣었어요. 그리고 생생한 탐구 동영상 QR 코드도 있어요.

3 개념 퀴즈

공부한 개념을 퀴즈 또는 게임 형식으로 즐기면서 확인해요.

둘. 개념 잡는 문제 풀고 중학교 개념까지 엿보기

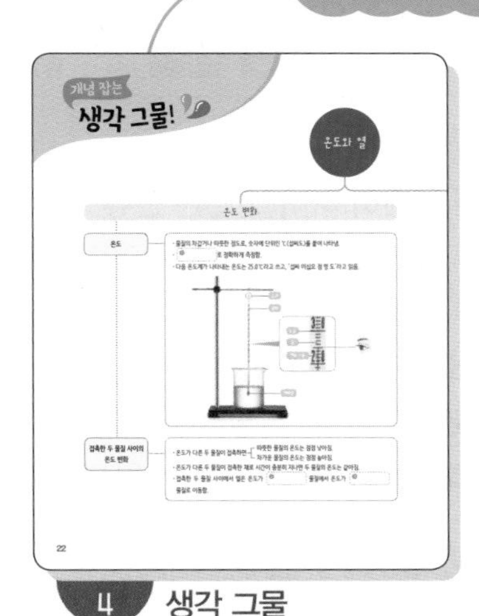

4 생각 그물

빈칸을 채우며 개념 확인하고 잘 이해했는지 확인해요.

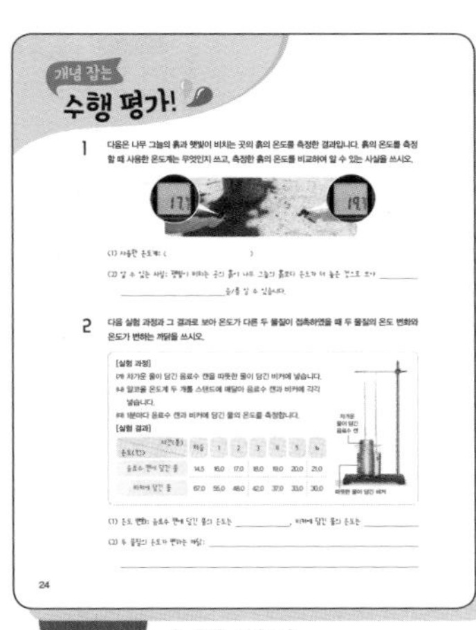

5 수행 평가

답을 쓰며 개념 평가하고 실력을 점검해요.

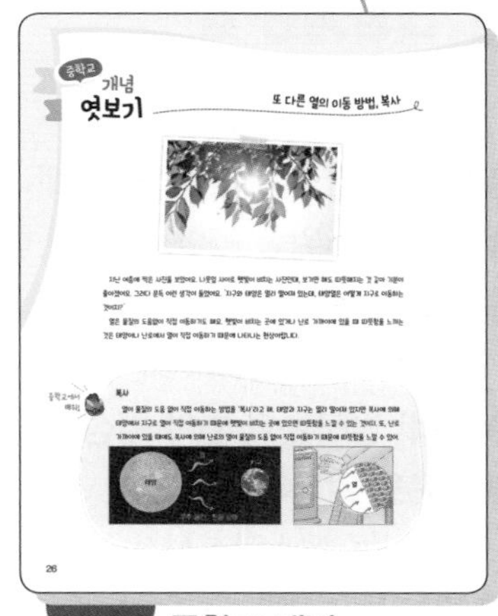

6 중학교 개념

초등과 연결된 중등 개념을 엿보며 과학에 대한 흥미와 자신감을 키워요.

특별 부록 **[용어 찾아보기]** 모르는 용어를 찾아요! **[단원 평가]** 잘 공부했는지 확인해요!

차례

초등 5학년에서 꼭 알아야 할
과학 개념 46개를 확인해요.

5 생물과 환경 89쪽

6 날씨와 우리 생활 113쪽

7 물체의 운동 137쪽

8 산과 염기 157쪽

특별 부록

탐구심 강한 용감이와 똑똑한 용용이의

신나는 탐험 이야기

먼 옛날 기사를 꿈꾸는 용사 '용감이'와 그의 단짝 드래곤 '용용이'가 살고 있었어요.
어느 날 깊은 산속을 지나던 두 친구가 불빛에 이끌려 동굴 속에 들어가게 되었는데,
놀랍게도 그 동굴은 과거와 현재를 잇는 시간 탐험의 통로였어요.
과거에서 현재로 시간 탐험을 하게 된 용감이와 용용이에게 어떤 일이 벌어질까요?

이름: 용감이
성격: 탐구심이 강하고 용감하다.
특기: 용용이 가르치기, 무엇이든 직접 해 보기
취미: 탐험하기
이름: 용용이
성격: 꼼꼼하고 똑똑하다.
특기: 비행 연습하기, 용감이 챙기기
취미: 관찰하기

1

5-1 2단원

온도와 열

이 단원을
들어가기 전에
온도와 열을 나타낸 그림입니다.
집안에 숨은 그림을 찾아보세요.
비커
망치
화분
다리미
사다리
온도계
옷걸이
정답과 해설은
2쪽에 있어!

앗! 차갑거나 따뜻한 온도

물질의 차갑거나 따뜻한 정도는 '온도'로 나타내요. 온도를 사용하면 사람마다 다르게 느끼는 차갑거나 따뜻한 정도를 정확하게 나타낼 수 있습니다. **온도는 숫자에 ℃(섭씨도)라는 단위를 붙여 나타내요.**

공기의 온도는 기온, 물의 온도는 수온, 몸의 온도는 체온이라고 한답니다.

온도를 정확하게 측정해야 하는 경우 예

- 분유를 탈 때
- 비닐 온실에서 배추를 재배할 때
- 갓난아기의 목욕물 온도가 적절한지 확인할 때
- 병원에서 환자의 체온을 측정할 때
- 튀김을 요리하기 위해 기름의 온도를 확인할 때
- 어항 속 물의 온도가 물고기가 살기에 적절한지 확인할 때

▲ 비닐 온실에서 배추가 잘 자라는 온도: 20 ℃

▲ 새우튀김을 요리할 때 적당한 기름 온도: 180 ℃

어떻게 사용해? 온도계

온도를 정확하게 측정하기 위해 온도계를 사용합니다. 생활에서 자주 사용하는 몇 가지 온도계의 사용법을 알아봐요.

귀 체온계(체온 측정)

체온계의 끝을 귀에 넣고 측정 버튼을 누르면 온도 표시 창에 체온이 표시됩니다.

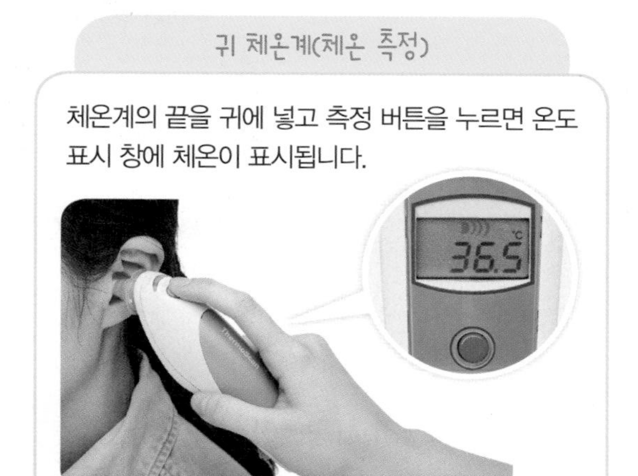

적외선 온도계(주로 고체 물질의 온도 측정)

온도계로 물질의 표면을 겨누고 측정 버튼을 누르면 온도 표시 창에 물질의 온도가 나타납니다.

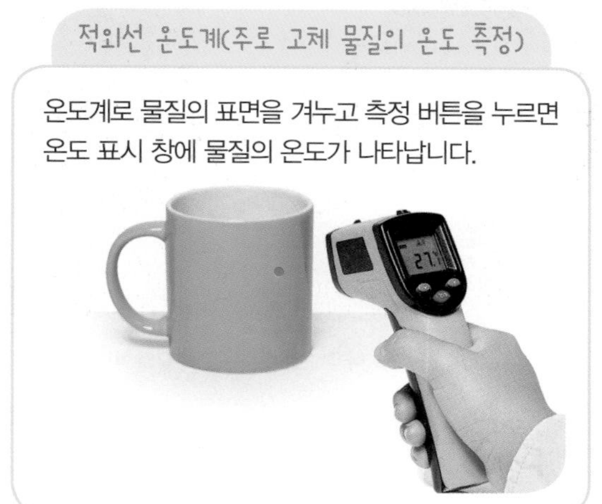

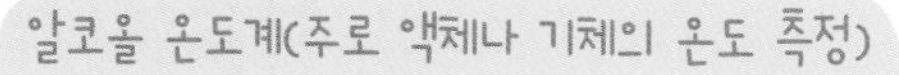

알코올 온도계(주로 액체나 기체의 온도 측정)

❶ 온도를 측정하려는 물질에 온도계의 액체샘을 넣습니다.
❷ 액체샘에 있는 빨간색 액체가 몸체 속의 관을 따라 위로 올라가거나 아래로 내려갑니다.
❸ 빨간색 액체의 움직임이 멈추면 액체 기둥의 끝이 닿은 위치에 눈높이를 맞춰 눈금을 읽습니다.

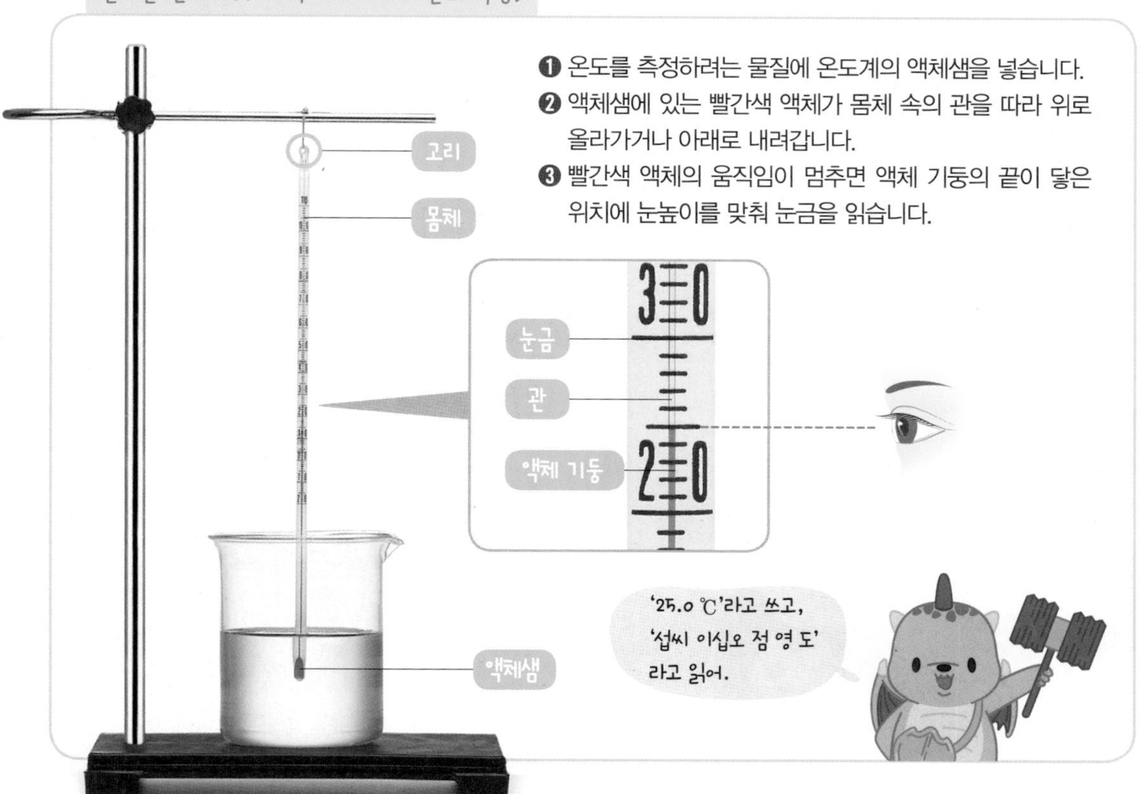

선택해. 쓰임새에 맞는 온도계!

물질의 온도는 물질이 놓인 장소, 측정 시각, 햇빛의 양 등에 따라 다르기 때문에, 다른 물질이라도 온도가 같을 수 있고 같은 물질이라도 온도가 다를 수 있어요.

▲ 나무 그늘의 흙과 햇빛이 비치는 곳의 흙의 온도 비교(같은 물질의 온도가 다른 예)

온도를 정확하게 측정하려면 쓰임새에 맞는 온도계를 선택하여 사용해야 합니다.

04

접촉하면 이동해, 열!

온도가 다른 두 물질이 접촉하면 따뜻한 물질의 온도는 점점 낮아지고, 차가운 물질의 온도는 점점 높아져요. 두 물질이 접촉한 채로 시간이 충분히 지나면 두 물질의 온도는 같아집니다. 이처럼 **접촉한 두 물질의 온도가 변하는 까닭은 '열의 이동' 때문입니다. 접촉한 두 물질 사이에서 열은 온도가 높은 물질에서 온도가 낮은 물질로 이동합니다.**

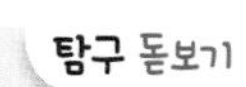
탐구 돋보기

온도가 다른 두 물질이 접촉할 때 나타나는 두 물질의 온도 변화 측정하기

❶ 차가운 물이 담긴 음료수 캔을 따뜻한 물이 담긴 비커에 넣습니다.
❷ 알코올 온도계 두 개를 스탠드에 매달아 음료수 캔과 비커에 각각 넣습니다.
❸ 1분마다 음료수 캔과 비커에 담긴 물의 온도를 측정합니다.

시간(분) / 온도(℃)	0	1	2	3	4	5	6	7	8
음료수 캔에 담긴 물	14.5	16.0	17.0	18.0	19.0	20.0	21.0	22.0	23.0
비커에 담긴 물	67.0	55.0	48.0	42.0	37.0	33.0	30.0	24.0	23.0

온도가 높은 비커에 담긴 물에서 온도가 낮은 음료수 캔에 담긴 물로 열이 이동합니다.
음료수 캔에 담긴 물의 온도는 점점 높아집니다.
비커에 담긴 물의 온도는 점점 낮아집니다.
두 물의 온도는 같아집니다.

재미있는 개념 퀴즈!

1

아빠가 아기를 돌보는 모습입니다. 온도를 정확하게 측정하지 않아도 되는 때는 언제인지 골라 번호를 쓰세요.

❶ ▲ 아기와 놀 때

❷ ▲ 분유를 탈 때

❸ ▲ 목욕물을 준비할 때

❹ ▲ 아기가 열이 날 때

2

다음 초성을 보고, 각각의 온도를 나타내는 말을 쓰세요.

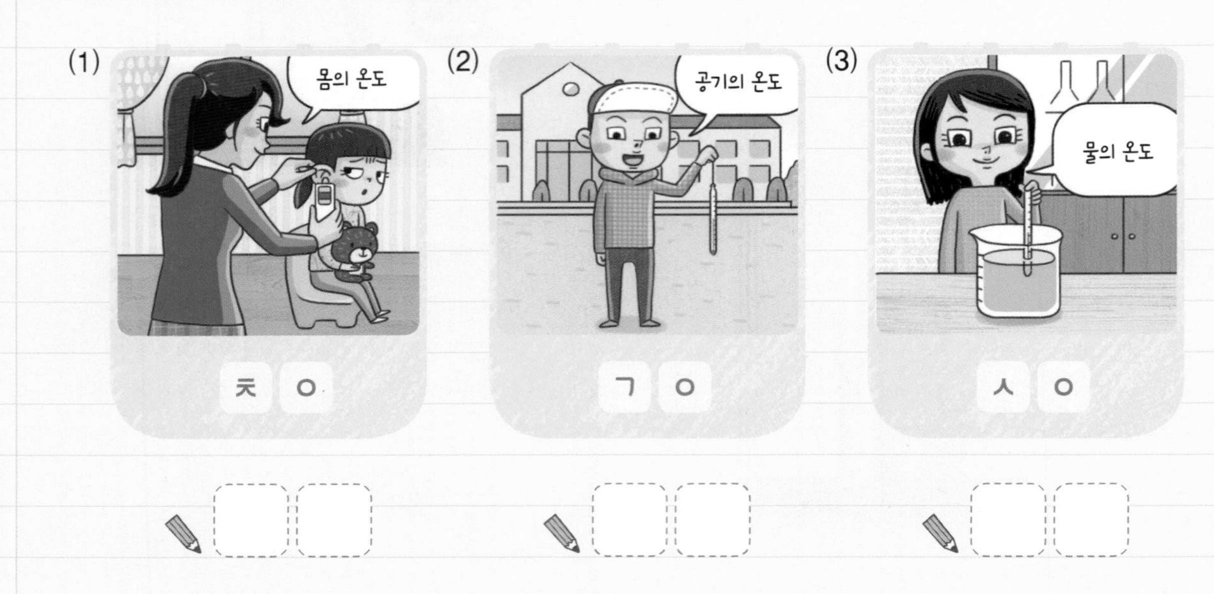

3 다음 힌트를 보고, 비밀번호를 쓰세요.

힌트

- 비밀번호는 여섯 자리 수입니다.
- 온도는 소수 첫째 자리까지 읽습니다.
- 첫 번째 온도계와 두 번째 온도계의 온도를 나타내는 숫자를 나란히 붙여 쓰면 비밀번호가 완성됩니다.

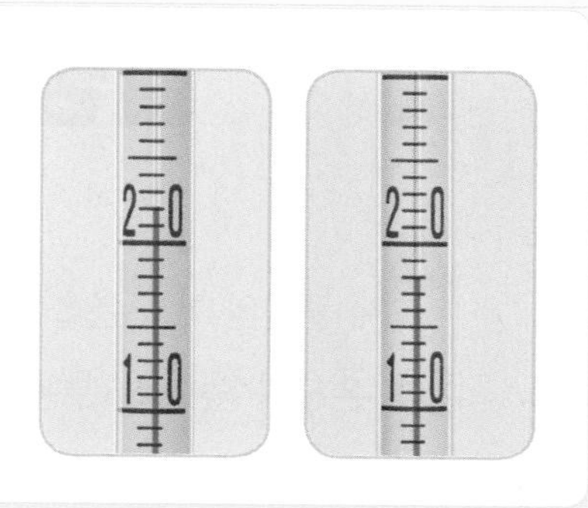

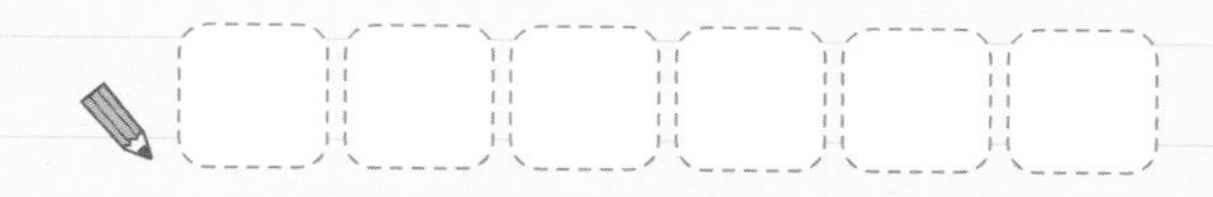

4 엄마가 준호에게 적은 힌트 쪽지입니다. ❶~❸에 알맞은 말을 차례대로 쓰세요.

❶ 에 담긴 ❷ 를 먹고, 꺼내 놓은 ❸ 을 냉동실에 넣어 놓거라.

힌트 각각의 카드에 있는 두 물체 중에서 온도가 높아지는 물체를 골라 카드 번호와 같은 빈칸에 적어 보렴.

❶ 컵, 뜨거운 물

❷ 따뜻한 물, 우유

❸ 얼음, 생선

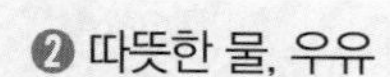

❶ , ❷ , ❸

어떻게 이동해? 고체에서 열

고체 물질의 한 부분을 가열하면 그 부분의 온도가 높아져요. 이때 온도가 높아진 부분에서 주변의 온도가 낮은 부분으로 열이 이동하지요. 그래서 시간이 지나면 온도가 낮았던 부분도 점점 온도가 높아집니다. **고체에서 열은 온도가 높은 곳에서 온도가 낮은 곳으로 고체 물질을 따라 이동하는데, 이러한 열의 이동을 '전도'라고 합니다.**

아! 뜨거워. 왜 숟가락의 손잡이가 뜨거워졌지?

[고체에서 열의 이동 알아보기] 탐구 활동으로 고체인 구리판에서 열의 이동을 확인해 볼까요?

탐구 돋보기

고체에서 열의 이동 알아보기

❶ 세 가지 모양의 구리판 윗면에 각각 열 변색 붙임딱지를 붙입니다.
❷ 세 가지 모양의 구리판 한쪽 끝부분을 각각 가열하면서 열 변색 붙임딱지의 색깔 변화를 관찰합니다.
❸ 세 가지 모양의 구리판을 가열할 때 열 변색 붙임딱지의 색깔이 변하는 방향을 화살표로 그려봅니다.

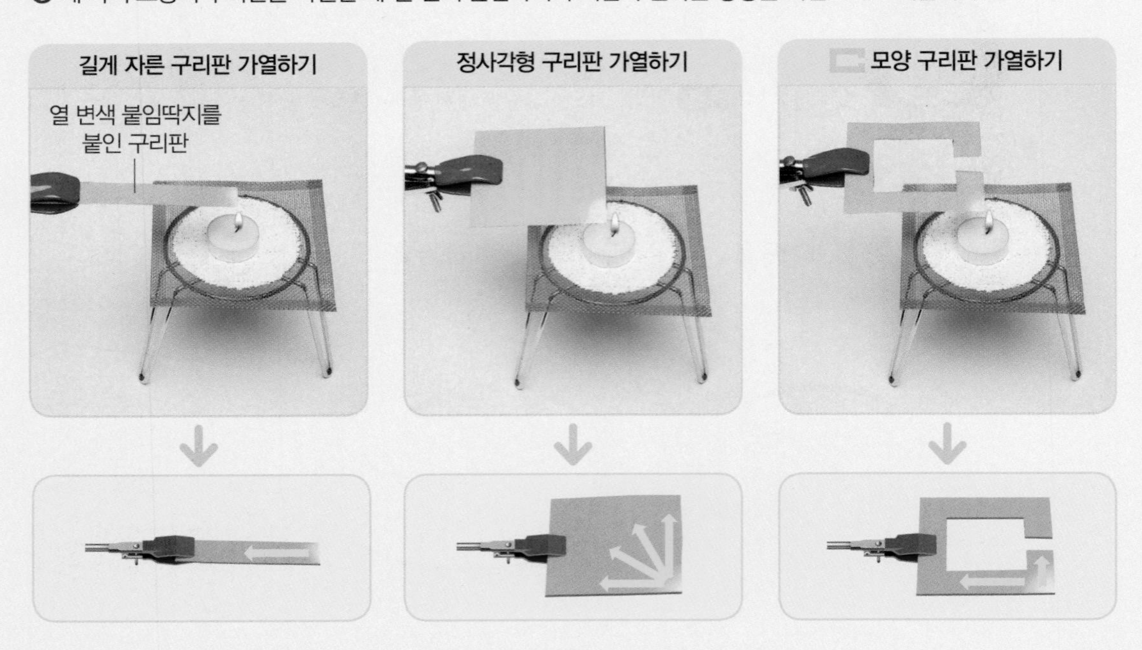

• 가열한 부분에서 멀어지는 방향으로 열이 구리판(고체 물질)을 따라 이동합니다.
• 구리판(고체 물질)이 연결되어 있지 않으면 열은 그 방향으로 이동하지 않습니다.

고체 물질의 종류에 따라 열이 이동하는 빠르기는 다릅니다. 유리나 나무보다 금속에서 열이 더 빠르게 이동하며, 금속의 종류에 따라서도 열이 이동하는 빠르기가 다르지요. **[고체 물질의 종류에 따라 열이 이동하는 빠르기 비교하기]** 탐구 활동으로 구리판, 유리판, 철판에서 열이 이동하는 빠르기를 비교해 봐요.

탐구 돋보기

고체 물질의 종류에 따라 열이 이동하는 빠르기 비교하기

버터가 녹는 빠르기 비교하기

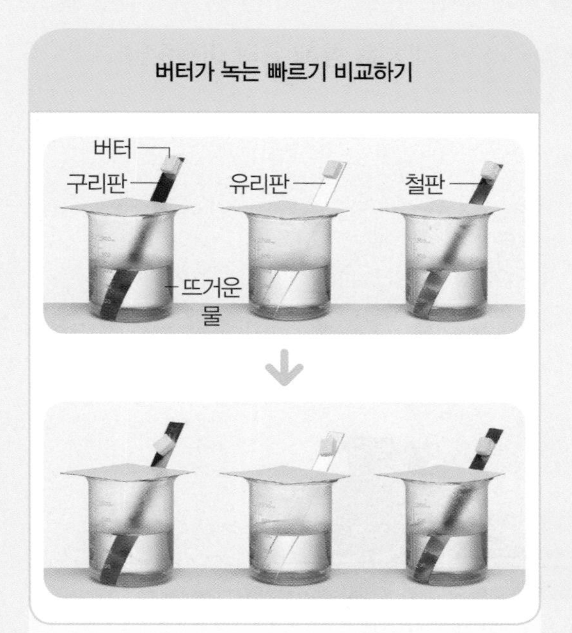

구리판 → 철판 → 유리판 순서로 버터가 빨리 녹습니다.

열 변색 붙임딱지의 색깔이 변하는 빠르기 비교하기

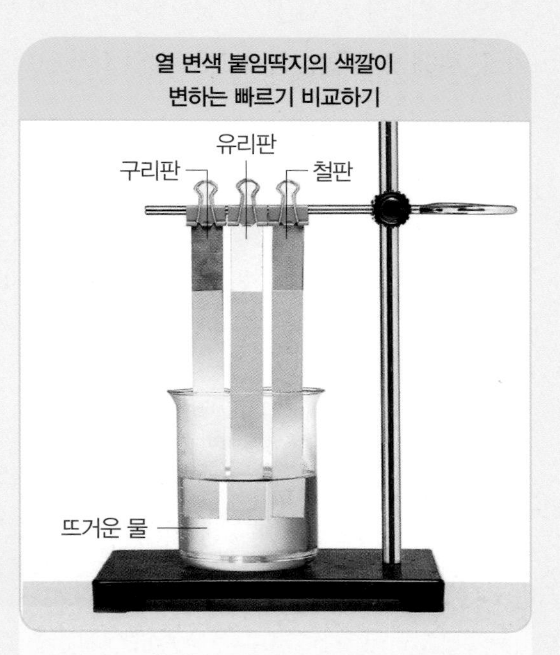

구리판 → 철판 → 유리판 순서로 열 변색 붙임딱지의 색깔이 빨리 변합니다.

우리 주변에는 주전자처럼 고체 물질의 종류에 따라 열이 이동하는 빠르기가 다른 성질을 이용한 물건이 많습니다.

고체 물질 사이를 막아 열이 매우 느리게 이동하게 하기도 하는데, 이처럼 **두 물질 사이에서 열의 이동을 줄이는 것을 '단열'이라고 해요.** 집의 벽이나 바닥, 지붕 등에 단열재를 사용하면 여름이나 겨울에 적절한 실내 온도를 오랫동안 유지할 수 있답니다.

주전자의 손잡이는
열이 잘 이동하지 않는
나무나 플라스틱으로 만들어.
주전자의 바닥은
열이 잘 이동하는
금속으로 만들어.

어떻게 이동해? 액체에서 열

물이 담긴 주전자를 가열하면 주전자의 바닥에 있는 물의 온도가 높아져요. 온도가 높아진 물은 위로 올라가고 위에 있던 물은 아래로 밀려 내려오게 됩니다. 이 과정이 반복되면서 시간이 충분히 지나면 물 전체가 따뜻해져요. 이처럼 **액체에서는 온도가 높아진 물질이 위로 올라가고, 위에 있던 물질이 아래로 밀려 내려오는 이동 과정인 '대류'를 통해 열이 이동한답니다.**

▲ 주전자에 담긴 물(액체)을 가열할 때 열의 이동

[액체에서 열의 이동 알아보기] 탐구 활동으로 온도가 높아진 액체의 움직임을 확인해 봐요.

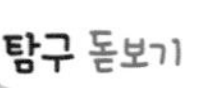
탐구 돋보기

액체에서 열의 이동 알아보기

❶ 사각 수조의 네 꼭짓점 부분에 받침대를 놓고, 사각 수조에 차가운 물을 넣어 받침대 위에 올려놓습니다.
❷ 스포이트를 사용하여 수조 바닥에 파란색 잉크를 천천히 넣습니다.
❸ 파란색 잉크의 아랫부분에 뜨거운 물이 담긴 종이컵을 놓고 파란색 잉크의 움직임을 관찰합니다.

▲ 스포이트를 사용해 파란색 잉크를 넣는 모습

▲ 뜨거워진 파란색 잉크가 위로 올라가는 모습

어떻게 이동해? 기체에서 열

온도가 높은 물체 주변의 공기는 가열되어 온도가 높아집니다. 온도가 높아진 공기는 위로 올라가고 위에 있던 공기는 아래로 밀려 내려옵니다. **기체에서도 액체에서와 같이 대류를 통해 열이 이동해요.**

[기체에서 열의 이동 알아보기] 탐구 활동으로 온도가 높아진 기체의 움직임을 확인해 봐요.

기체에서 열의 이동 알아보기

❶ 알코올램프에 불을 붙이지 않았을 때 삼발이의 위쪽에서 비눗방울을 불어 비눗방울의 움직임을 관찰합니다.
❷ 알코올램프에 불을 붙였을 때 삼발이의 위쪽에서 비눗방울을 불어 비눗방울의 움직임을 관찰합니다.

▲ 알코올램프에 불을 붙이지 않았을 때에는 비눗방울이 아래로 떨어집니다.

▲ 알코올램프에 불을 붙였을 때에는 비눗방울이 위로 올라갑니다.

따뜻한 공기는 위로 올라가고 차가운 공기는 아래로 내려오는 성질이 있기 때문에, 난로는 낮은 곳에 설치하고 에어컨은 높은 곳에 설치하는 것이 좋답니다.

재미있는 개념 퀴즈!

1 구리판 전체에 초를 칠하고 오른쪽과 같이 한쪽 끝을 가열하였어요. 이때 초가 녹는 모습을 바르게 그린 화가를 골라 번호를 쓰세요.

❶

❷

❸

❹

[●: 가열 위치]

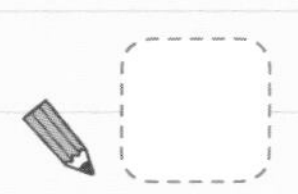

2 온천에 놀러간 동물들이 따뜻한 물속에 앉아 액체에서 열의 이동에 대해 설명하고 있어요. 잘못된 설명을 한 동물을 쓰세요.

다음 그림에서 잘못된 말이 적혀 있는 말풍선 세 개를 찾아 ×표 하세요.

정답과 해설 3쪽

개념 잡는

생각 그물!

온도 변화

온도

- 물질의 차갑거나 따뜻한 정도로, 숫자에 단위인 ℃(섭씨도)를 붙여 나타냄.
- ❶ ________ 로 정확하게 측정함.
- 다음 온도계가 나타내는 온도는 25.0 ℃라고 쓰고, '섭씨 이십오 점 영 도'라고 읽음.

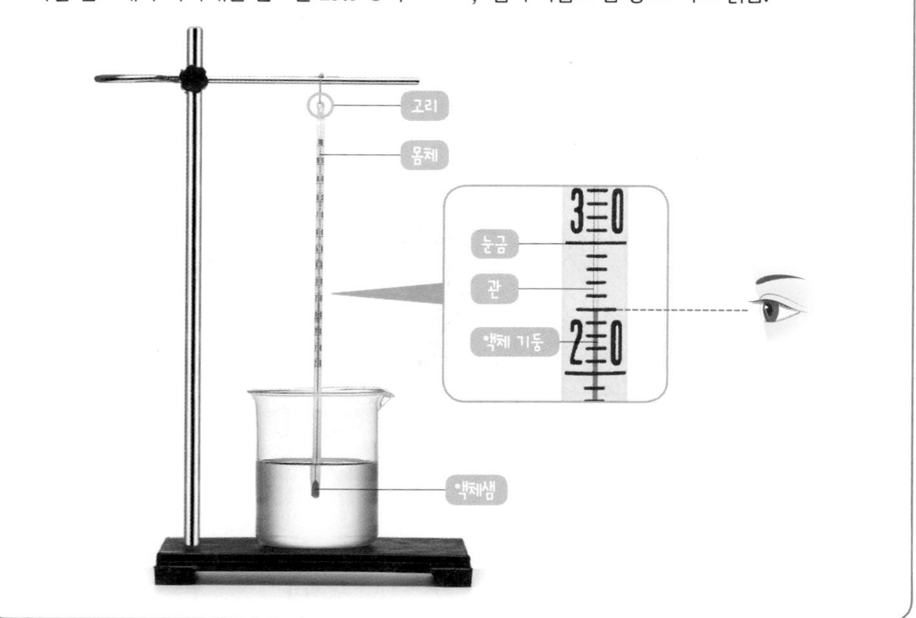

접촉한 두 물질 사이의 온도 변화

- 온도가 다른 두 물질이 접촉하면
  - 따뜻한 물질의 온도는 점점 낮아짐.
  - 차가운 물질의 온도는 점점 높아짐.
- 온도가 다른 두 물질이 접촉한 채로 시간이 충분히 지나면 두 물질의 온도는 같아짐.
- 접촉한 두 물질 사이에서 열은 온도가 ❷ ________ 물질에서 온도가 ❸ ________ 물질로 이동함.

열의 이동

고체에서 열의 이동

- 고체에서 열은 온도가 높은 곳에서 온도가 낮은 곳으로 고체 물질을 따라 이동하는데, 이러한 열의 이동을 ❹ ( ) 라고 함.
- 고체 물질의 종류에 따라 열이 이동하는 빠르기가 ❺ ( )
- 두 물질 사이에서 열의 이동을 줄이는 것을 ❻ ( ) 이라고 함.

액체에서 열의 이동

- 액체에서는 온도가 ❼ ( ) 물질이 위로 올라가고, 위에 있던 물질이 아래로 밀려 내려오는 이동 과정인 ❽ ( ) 를 통해 열이 이동함.

기체에서 열의 이동

- 기체에서도 액체에서와 같이 ❾ ( ) 를 통해 열이 이동함.
- 온도가 ❿ ( ) 물체 주변의 공기는 가열되어 온도가 높아져 위로 올라가고 위에 있던 공기는 아래로 밀려 내려옴.

개념 확인 체크! 체크!

- ☐ 온도와 온도를 측정하는 방법을 이야기할 수 있어요. • 10~12쪽
- ☐ 온도가 다른 두 물질이 접촉할 때 두 물질의 온도는 어떻게 변하는지 이야기할 수 있어요. • 13쪽
- ☐ 고체에서 열이 어떻게 이동하는지 이야기할 수 있어요. • 16~17쪽
- ☐ 액체나 기체에서 열이 어떻게 이동하는지 이야기할 수 있어요. • 18~19쪽

정답과 해설 4쪽

개념 잡는

수행 평가!

1 다음은 나무 그늘의 흙과 햇빛이 비치는 곳의 흙의 온도를 측정한 결과입니다. 흙의 온도를 측정할 때 사용한 온도계는 무엇인지 쓰고, 측정한 흙의 온도를 비교하여 알 수 있는 사실을 쓰시오.

(1) 사용한 온도계: (   )

(2) 알 수 있는 사실: 햇빛이 비치는 곳의 흙이 나무 그늘의 흙보다 온도가 더 높은 것으로 보아 __________ __________을/를 알 수 있습니다.

2 다음 실험 과정과 그 결과로 보아 온도가 다른 두 물질이 접촉하였을 때 두 물질의 온도 변화와 온도가 변하는 까닭을 쓰시오.

[실험 과정]

(가) 차가운 물이 담긴 음료수 캔을 따뜻한 물이 담긴 비커에 넣습니다.

(나) 알코올 온도계 두 개를 스탠드에 매달아 음료수 캔과 비커에 각각 넣습니다.

(다) 1분마다 음료수 캔과 비커에 담긴 물의 온도를 측정합니다.

[실험 결과]

온도(℃) \ 시간(분)	처음	1	2	3	4	5	6
음료수 캔에 담긴 물	14.5	16.0	17.0	18.0	19.0	20.0	21.0
비커에 담긴 물	67.0	55.0	48.0	42.0	37.0	33.0	30.0

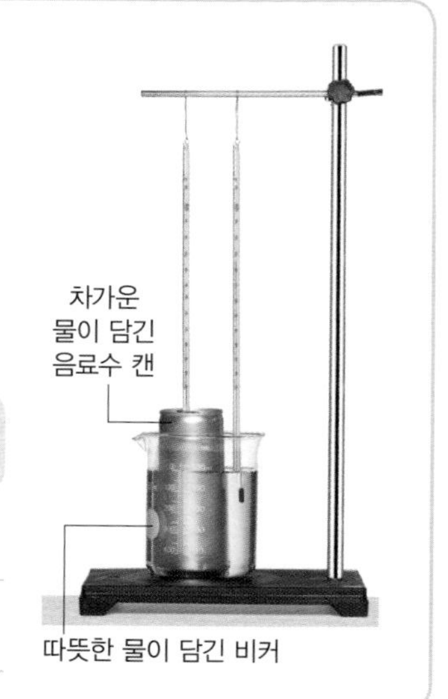

(1) 온도 변화: 음료수 캔에 담긴 물의 온도는 __________, 비커에 담긴 물의 온도는 __________

(2) 두 물질의 온도가 변하는 까닭: __________

3 구리판, 유리판, 철판에 각각 열 변색 붙임딱지를 붙인 뒤, 뜨거운 물이 담긴 비커 속에 넣었습니다. 일정한 시간이 지난 뒤 관찰했더니 오른쪽과 같은 모습으로 열 변색 붙임딱지의 색깔이 변했다면 (가)~(다) 중 유리판은 무엇인지 기호를 쓰시오.

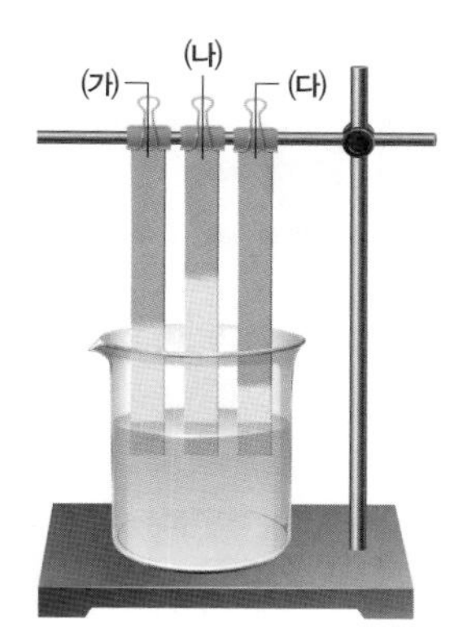

(   )

4 다음은 물이 담긴 주전자를 가열할 때 물 전체의 온도가 높아지는 과정을 순서에 관계없이 나열한 것입니다. 순서에 맞게 기호를 나열해 쓰시오.

(가) 위에 있던 물은 아래로 밀려 내려옵니다.
(나) 온도가 높아진 물은 위로 올라갑니다.
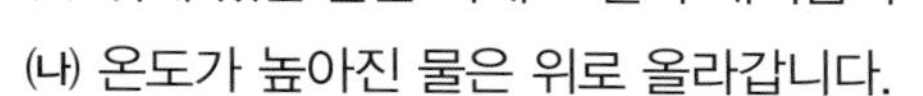
(다) 주전자 바닥에 있는 물의 온도가 높아집니다.
(라) 이 과정이 반복되면서 주전자 물 전체의 온도가 높아집니다.

(   ) → (   ) → (   ) → (라)

5 혜린이네 가족이 이삿짐을 정리하고 있습니다. 에어컨과 난로를 각각 어느 곳에 설치하는 것이 좋은지 그 까닭과 함께 쓰시오.

(1) 에어컨: ______________________________

____

(2) 난로: ______________________________

____

중학교

개념 엿보기

또 다른 열의 이동 방법, 복사

지난 여름에 찍은 사진을 보았어요. 나뭇잎 사이로 햇빛이 비치는 사진인데, 보기만 해도 따뜻해지는 것 같아 기분이 좋아졌어요. 그러다 문득 이런 생각이 들었어요. '지구와 태양은 멀리 떨어져 있는데, 태양열은 어떻게 지구로 이동하는 것이지?'

열은 물질의 도움 없이 직접 이동하기도 해요. 햇빛이 비치는 곳에 있거나 난로 가까이에 있을 때 따뜻함을 느끼는 것은 태양이나 난로에서 열이 직접 이동하기 때문에 나타나는 현상이랍니다.

복사

열이 물질의 도움 없이 직접 이동하는 방법을 '복사'라고 해. 태양과 지구는 멀리 떨어져 있지만 복사에 의해 태양에서 지구로 열이 직접 이동하기 때문에 햇빛이 비치는 곳에 있으면 따뜻함을 느낄 수 있는 것이지. 또, 난로 가까이에 있을 때에도 복사에 의해 난로의 열이 물질의 도움 없이 직접 이동하기 때문에 따뜻함을 느낄 수 있어.

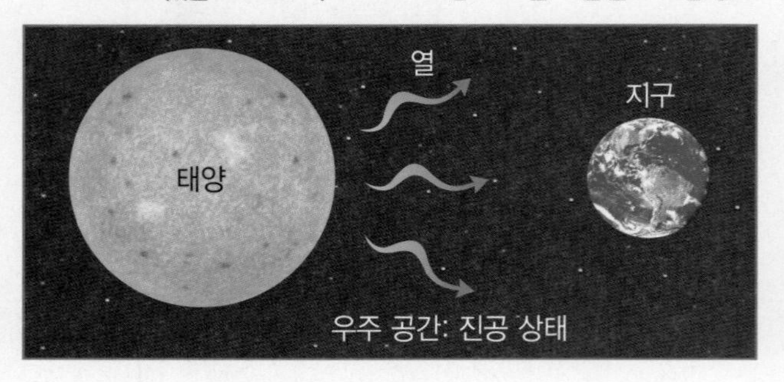

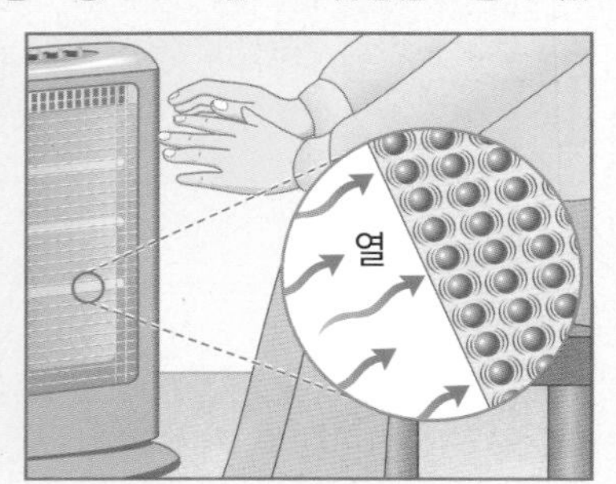

5-1 3단원

2 태양계와 별

이 단원을
들어가기
전에
태양계와 별을 나타낸 그림입니다.
밤하늘에 숨은 자음자와 모음자를
이용하여 스스로 빛을 내는 천체가
무엇인지 알아맞혀 보세요.
정답과 해설은
5쪽에 있어!

08

태양의 영향이 미쳐, 태양계!

'태양계'는 태양과 태양의 영향을 받는 천체(우주에 있는 모든 물체)들 그리고 그 공간을 **말합니다.** 태양계의 구성원에는 태양, 행성, 위성, 소행성, 혜성 등이 있어요.

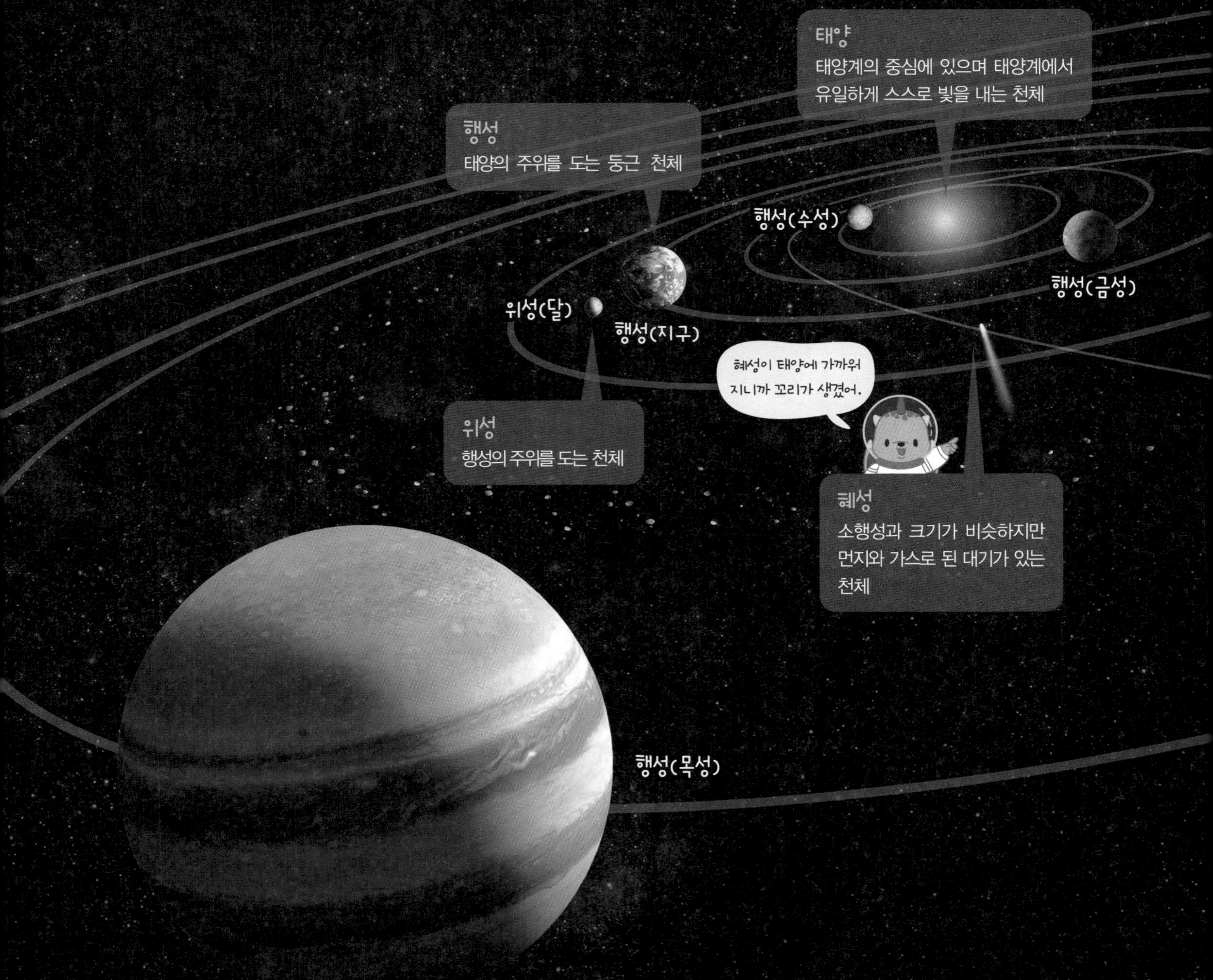

태양
태양계의 중심에 있으며 태양계에서 유일하게 스스로 빛을 내는 천체

행성
태양의 주위를 도는 둥근 천체

행성(수성)

행성(금성)

위성(달)

행성(지구)

혜성이 태양에 가까워지니까 꼬리가 생겼어.

위성
행성의 주위를 도는 천체

혜성
소행성과 크기가 비슷하지만 먼지와 가스로 된 대기가 있는 천체

행성(목성)

※ 이 그림은 태양계 구성원의 크기와 구성원 간의 거리, 위성의 수 등을 고려하지 않은 것입니다.

우리가 사는 지구는 태양계에 속해 있으며, 태양은 지구에 사는 모든 생물에게 영향을 미칩니다. 태양은 지구를 따뜻하게 하여 생물이 살아가기에 알맞은 환경을 만들어 줍니다. 그리고 지구에서 사는 생물은 살아가는 데 필요한 대부분의 에너지를 태양에서 얻고 있어요. 태양이 없으면 지구에서 생물이 살기 어려울 거예요.

행성(해왕성)

행성(천왕성)

행성(화성)

소행성
태양의 주위를 도는 크기가 작은 암석 천체

행성(토성)

태양의 주위를 돌아, 태양계 행성!

태양의 주위를 도는 태양계 행성에는 수성, 금성, 지구, 화성, 목성, 토성, 천왕성, 해왕성이 있습니다. 그럼 여덟 개 태양계 행성의 특징을 살펴볼까요?

수성

- 전체적으로 어두운 회색입니다.
- 달처럼 충돌 구덩이가 있습니다.
- 표면은 바위와 먼지로 이루어져 있으며, 대기가 없습니다.
- 고리와 위성이 없습니다.

금성

- 표면에 땅이 있고, 두꺼운 대기가 있습니다.
- 고리와 위성이 없습니다.

지구

- 표면에 땅이 있고, 액체 상태의 물이 있습니다.
- 대기가 있습니다.
- 고리는 없고, 위성(달)을 가지고 있습니다.

화성

- 붉은색입니다.
- 표면은 암석과 흙으로 이루어져 있습니다.
- 대기는 있으나 지구보다 훨씬 적습니다.
- 고리는 없고, 위성을 가지고 있습니다.

※ 이 그림은 태양계 행성의 크기와 행성 사이의 거리 등을 고려하지 않은 것입니다.

태양계 행성은 서로 다른 특징이 있습니다. 표면에 땅이 있는 행성도 있고, 땅이 없으며 표면이 기체로 이루어져 있는 행성도 있어요. 또, 고리가 있거나 위성을 가지고 있는 행성도 있답니다.

수성, 금성, 지구, 화성은 표면에 땅이 있고, 목성, 토성, 천왕성, 해왕성은 표면이 기체로 이루어져 있네!

목성

- 표면에 땅이 없으며 기체로 이루어져 있습니다.
- 희미한 고리가 있고, 여러 개의 위성을 가지고 있습니다.

토성

- 연노란색을 띱니다.
- 표면에 땅이 없으며 기체로 이루어져 있습니다.
- 망원경으로 보면 눈에 잘 보이는 커다란 고리가 있고, 여러 개의 위성을 가지고 있습니다.

천왕성

- 청록색입니다.
- 표면에 땅이 없으며 기체로 이루어져 있습니다.
- 세로 방향으로 희미한 고리가 있고, 여러 개의 위성을 가지고 있습니다.

해왕성

- 파란색입니다.
- 표면에 땅이 없으며 기체로 이루어져 있습니다.
- 희미한 고리가 있고, 여러 개의 위성을 가지고 있습니다.

비교해, 태양계 행성의 크기와 거리!

태양계 행성의 크기는 다양해요. 그렇다면 태양계 행성들의 크기는 얼마나 차이 날까요? 지구의 반지름을 1로 보았을 때 태양계 행성의 상대적인 크기를 비교하면 다음 표와 같아요.

행성	수성	금성	지구	화성	목성	토성	천왕성	해왕성
반지름	0.4	0.9	1.0	0.5	11.2	9.4	4.0	3.9

▲ 지구의 반지름을 1로 보았을 때 태양계 행성의 상대적인 크기 비교

태양계 행성 중에서 가장 작은 것은 수성이고, 가장 큰 것은 목성이에요. 그리고 지구와 크기가 가장 비슷한 행성은 금성이에요. 수성, 금성, 지구, 화성은 상대적으로 크기가 작은 행성에 속하며, 목성, 토성, 천왕성, 해왕성은 상대적으로 크기가 큰 행성에 속한답니다.

태양의 반지름은 지구의 반지름보다 약 109배 커.
수성은 크기가 가장 작고, 태양에 가장 가까이 있는 행성이야.
태양
금성
화성
수성
지구
목성은 크기가 가장 큰 행성이야.
목성

지구에서 태양까지의 실제 거리는 약 1억 5000만 km로, 지구에서 한 시간에 4 km씩 걸어서 가면 태양에 도착하는 데 약 4300년이 걸려요. 이처럼 지구는 태양에서 아주 멀리 떨어져 있어요. 그렇다면 태양계 다른 행성은 태양에서 얼마나 멀리 떨어져 있을까요?

태양에서 지구까지의 거리를 1로 보았을 때 태양에서 행성까지의 상대적인 거리를 비교하면 다음 표와 같아요.

행성	수성	금성	지구	화성	목성	토성	천왕성	해왕성
거리	0.4	0.7	1.0	1.5	5.2	9.6	19.1	30.0

▲ 태양에서 지구까지의 거리를 1로 보았을 때 태양에서 행성까지의 상대적인 거리 비교

태양계 행성 중 태양에서 가장 가까운 행성은 수성이고, 태양에서 가장 먼 행성은 해왕성이에요. 수성, 금성, 지구, 화성은 목성, 토성, 천왕성, 해왕성에 비하면 상대적으로 태양 가까이에 있으며, 태양에서 거리가 멀어질수록 행성 사이의 거리도 멀어진답니다.

해왕성은 태양에서 가장 멀리 떨어져 있는 행성이야.
천왕성
해왕성

재미있는 개념 퀴즈!

1

외계인이 우주를 여행한 뒤 구경한 천체에 대해 말하고 있어요. 외계인이 구경한 천체는 무엇인지 쓰세요.

태양계의 중심에 있으며
태양계에서 유일하게 스스로
빛을 내는 천체였어.

지구

태양

달

2

규휘와 나리가 태양계 구성원으로 빙고 놀이 판을 만들었어요. 빙고 놀이 판에서 태양계 구성원 중 행성인 것을 지우고 가로나 세로로 연결해 빙고를 외치면 이길 수 있어요. 빙고 놀이에서 이길 수 있는 사람의 이름을 쓰세요.

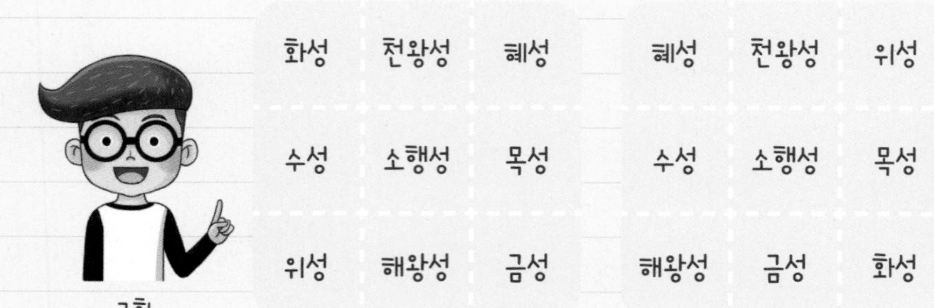

규휘

화성	천왕성	혜성
수성	소행성	목성
위성	해왕성	금성

나리

혜성	천왕성	위성
수성	소행성	목성
해왕성	금성	화성

3

마지막 퍼즐 조각을 찾아 퍼즐을 완성하면 상대적으로 태양에서 멀리 있는 행성이 무엇인지 알 수 있어요. 마지막 퍼즐 조각을 찾아 기호를 쓰세요.

달라! 밤하늘의 별과 행성

태양처럼 스스로 빛을 내는 천체를 '별'이라고 해요. 밤하늘의 별은 지구에서 매우 먼 거리에 있어요. 그래서 밤하늘에서 별은 반짝이는 밝은 점으로 보이며, 항상 같은 위치에서 움직이지 않는 것처럼 보인답니다.

하지만 밤하늘에서 금성이나 화성과 같은 행성도 빛나 보이므로 밤하늘에서 빛나는 천체를 모두 별이라고 생각하면 안 돼요. 행성은 스스로 빛을 내는 것이 아니라 태양 빛을 반사해 빛나 보이는 것이므로 별이 아니랍니다. **행성은 태양의 주위를 돌고, 별보다 지구에 가까이 있기 때문에 여러 날 동안 지구에서 보면 위치가 변하는 것을 볼 수 있어요.**

여러 날 동안 밤하늘을 관측하면 위치 변화로 별과 행성을 구분할 수 있어요. **[별과 행성의 차이점 알아보기]** 탐구 활동을 통해 여러 날 동안 밤하늘을 관측했을 때 별과 행성의 위치 변화를 확인해 봐요.

금성, 화성, 목성, 토성과 같은 행성은 주위의 별보다 더 밝고 또렷하게 보여.

별과 행성의 차이점 알아보기

❶ 여러 날 동안 밤하늘을 관측해 나타낸 그림 위에 각각 투명 필름을 덮고 모든 천체의 위치를 각각 다른 색깔의 유성 펜으로 표시합니다.

❷ 천체의 위치를 표시한 투명 필름 세 장을 순서에 맞게 겹쳐 보고 위치가 변한 천체를 찾아 표시합니다.

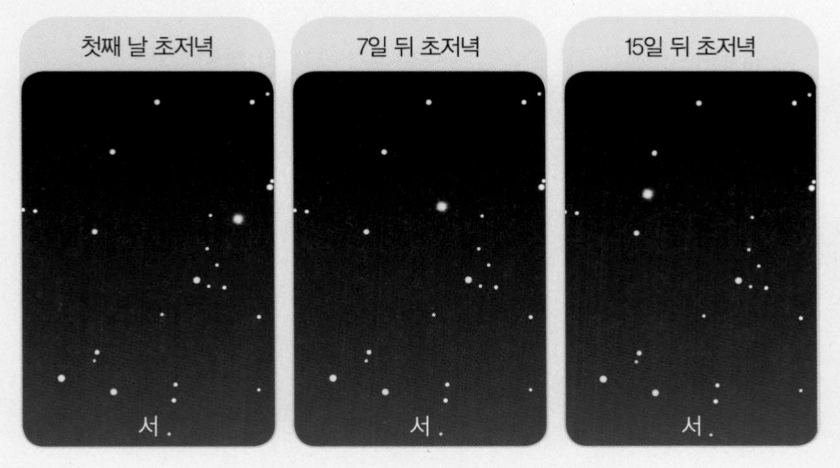

▲ 여러 날 동안 밤하늘을 관측해 나타낸 그림

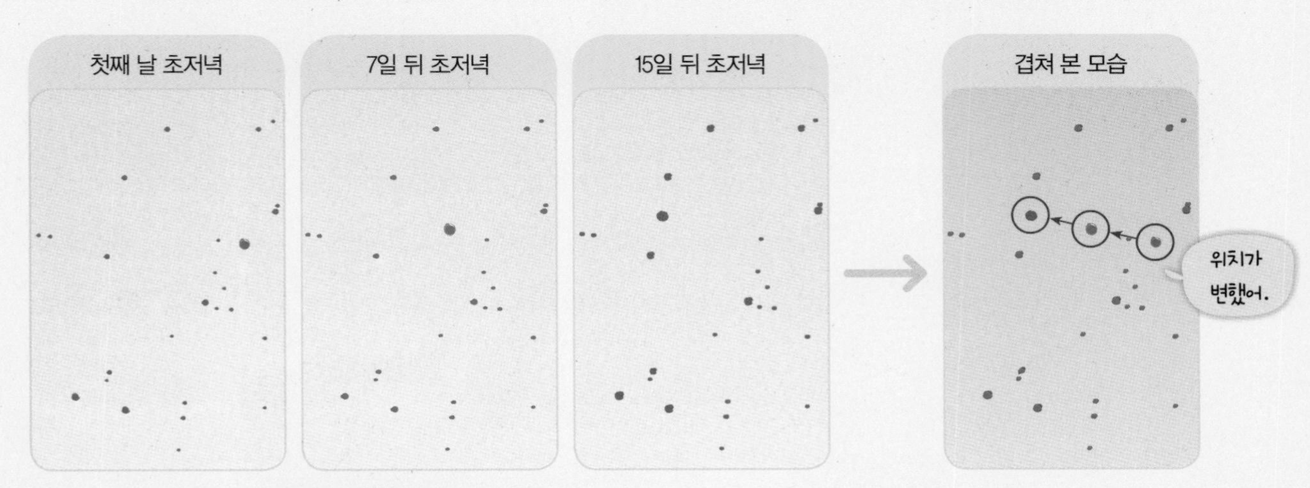

▲ 천체의 위치를 표시한 투명 필름

밤하늘에서 위치가 변한 천체는 행성이고, 위치가 거의 변하지 않은 천체는 별입니다.

북쪽을 알려줘, 북극성!

밤하늘에 무리 지어 있는 별을 연결해 사람이나 동물 또는 물건의 모습으로 떠올리고 이름을 붙인 것을 '별자리'라고 해요. 별자리의 모습과 이름은 지역과 시대에 따라 달라요. 옛날 사람들은 언제나 북쪽 밤하늘에서 볼 수 있는 밝은 별을 연결해 북두칠성, 작은곰자리, 카시오페이아자리는 이름을 붙이고 중요하게 생각했어요.

별자리 관측하기

❶ 별자리를 관측할 시각과 장소를 정합니다.
❷ 정해진 시각에 정해진 장소에서 나침반을 이용해 방위를 확인합니다.
❸ 밤하늘에서 어떤 별자리가 보이는지 관측합니다.
❹ 주변 건물이나 나무 등의 위치를 표현하고 별자리의 위치와 모양을 기록합니다.

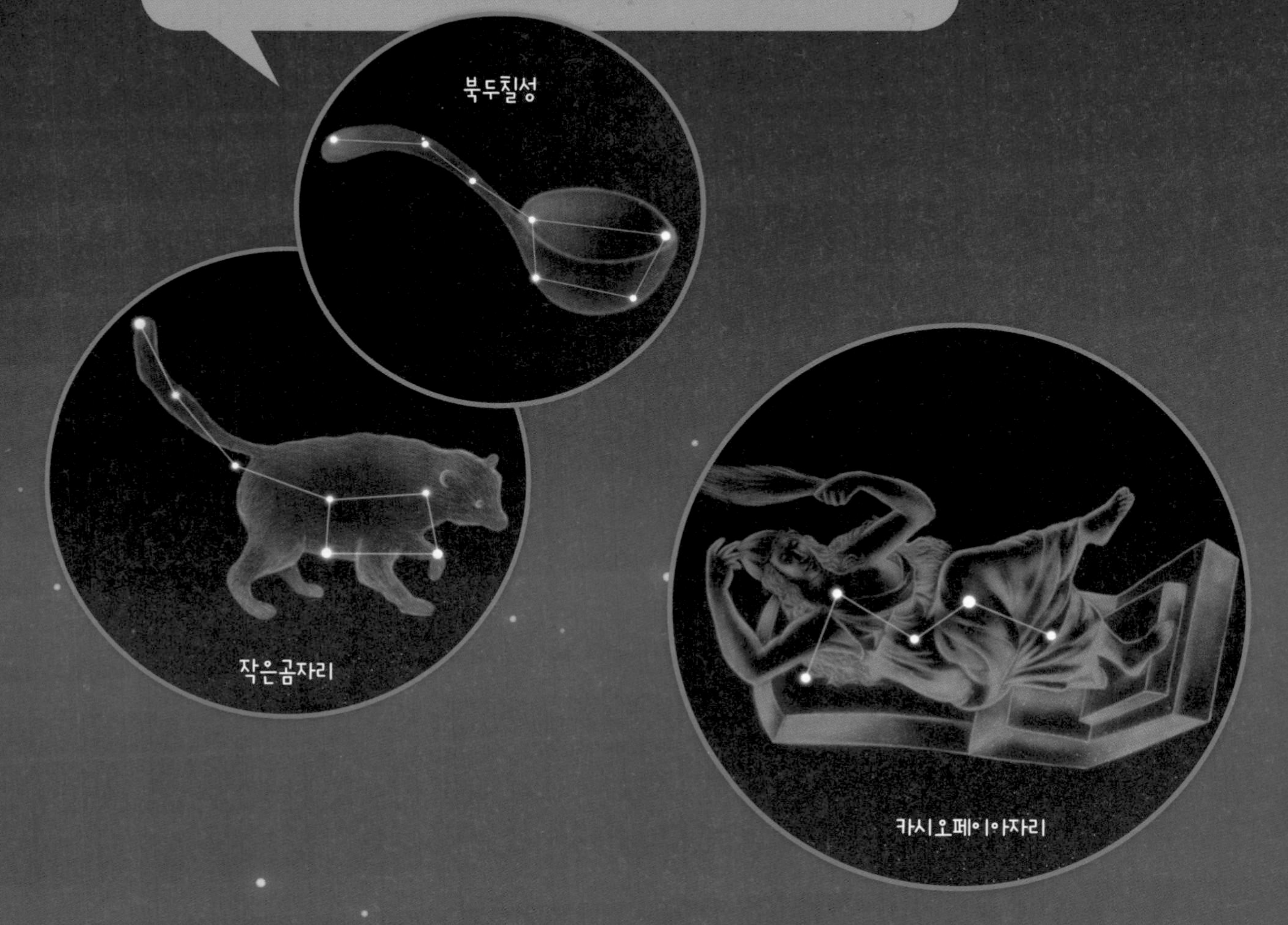

언제나 북쪽 밤하늘에서 볼 수 있는 북쪽 밤하늘의 별자리를 이용하면 북극성을 찾을 수 있어요. **'북극성'은 정확한 북쪽에 항상 있는 별로, 북극성을 찾으면 방위를 알 수 있답니다.** 그래서 나침반이 발명되기 전에 옛날 사람들은 밤에 바다를 항해하다 뱃길을 잃었을 때 북극성을 이용해 북쪽을 찾았다고 해요.

북쪽 밤하늘의 별자리인 북두칠성과 카시오페이아자리를 이용해 북극성을 찾는 방법을 알아볼까요?

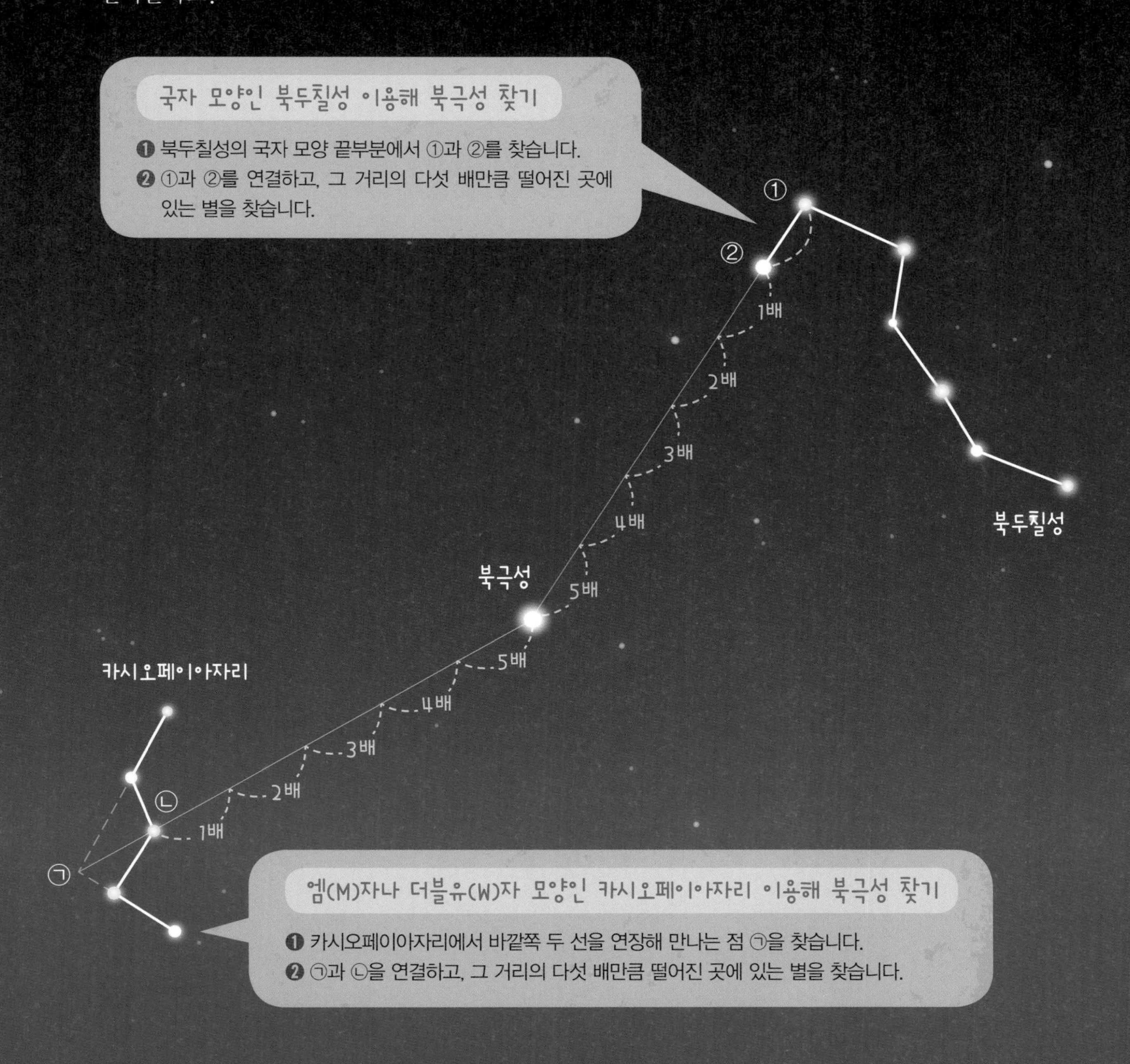

국자 모양인 북두칠성 이용해 북극성 찾기
❶ 북두칠성의 국자 모양 끝부분에서 ①과 ②를 찾습니다.
❷ ①과 ②를 연결하고, 그 거리의 다섯 배만큼 떨어진 곳에 있는 별을 찾습니다.
①
②
1배
2배
3배
4배
5배
북두칠성
북극성
카시오페이아자리
㉠
㉡
엠(M)자나 더블유(W)자 모양인 카시오페이아자리 이용해 북극성 찾기
❶ 카시오페이아자리에서 바깥쪽 두 선을 연장해 만나는 점 ㉠을 찾습니다.
❷ ㉠과 ㉡을 연결하고, 그 거리의 다섯 배만큼 떨어진 곳에 있는 별을 찾습니다.

재미있는 개념 퀴즈!

1

행성 탐사를 마친 우주 비행사가 우주선이 있는 곳으로 가기 위해서는 미로를 빠져나가야 한대요. 밤하늘에 보이는 별과 행성에 대한 ○× 퀴즈를 풀어 우주 비행사가 우주선으로 갈 수 있게 해 주세요.

○× 퀴즈

❶ 밤하늘에서 별은 위치가 계속해서 변합니까?
❷ 여러 날 동안 같은 밤하늘을 보면 행성은 위치가 변합니까?
❸ 행성이 밤하늘에서 빛나 보이는 것은 스스로 빛을 내기 때문입니까?
❹ 별은 매우 먼 거리에 있어 밤하늘에서 반짝이는 밝은 점으로 보입니까?
❺ 금성, 화성, 목성, 토성과 같은 행성은 밤하늘에서 주위의 별보다 더 밝고 또렷하게 보입니까?

○: ➡ ×: ➡

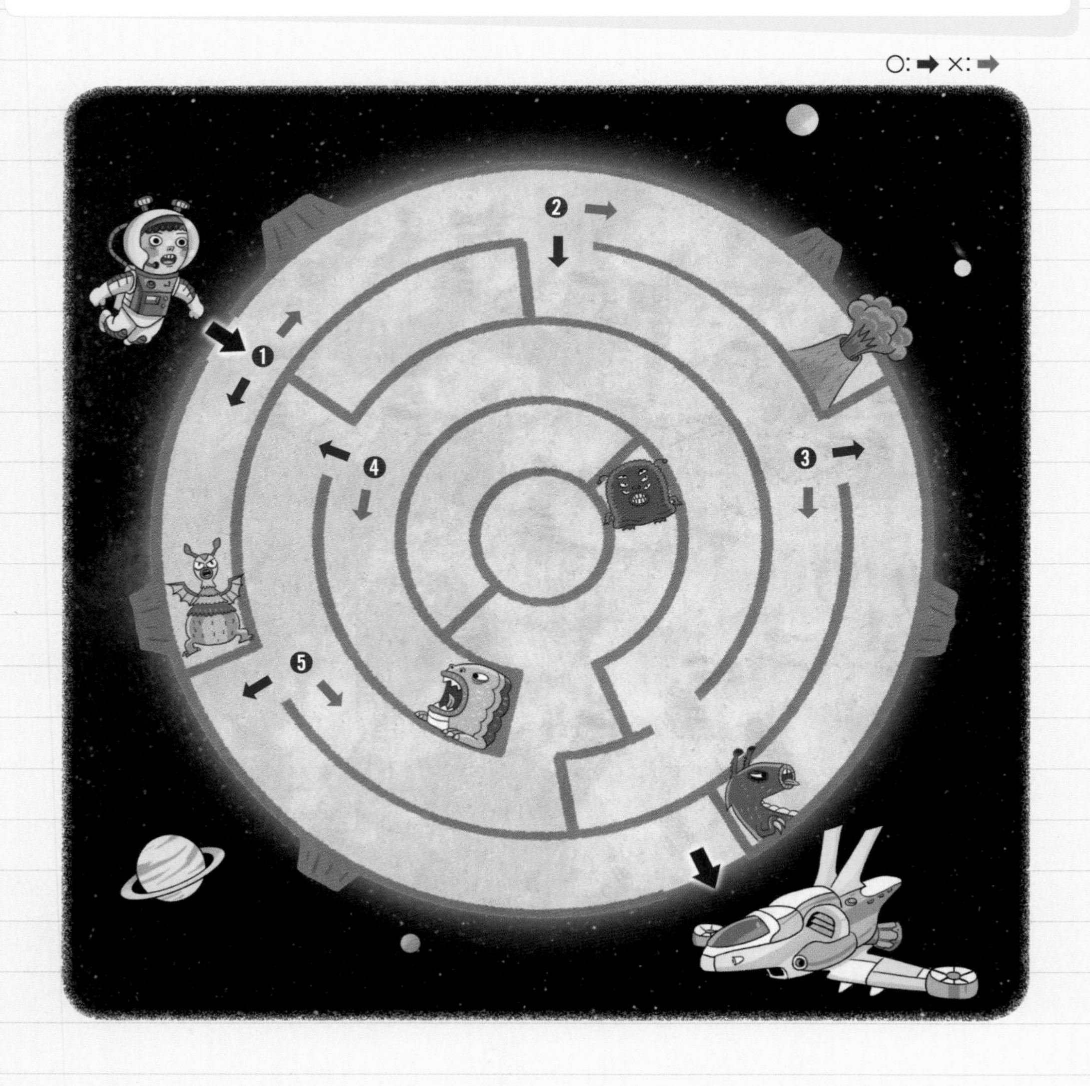

2

북극성에 대한 설명을 완성해야 민지가 징검다리를 건널 수 있어요. 민지가 징검다리를 건널 수 있도록 비어 있는 징검돌에 알맞은 글자를 순서대로 쓰세요.

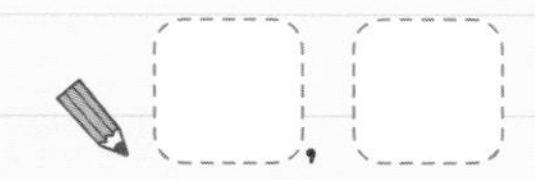

3

바다 한가운데에서 방향을 잃은 선장과 선원은 북극성을 찾아 방향을 알아내려고 해요. 선장과 선원이 북극성을 찾는 데 이용한 북쪽 밤하늘의 별자리는 무엇인지 쓰세요.

개념 잡는

생각 그물!

태양이 우리에게 미치는 영향

- 생물이 살아가는 데 필요한 대부분의 ❶ ______ 를 태양에서 얻음.
- 태양이 없으면 지구에서 생물이 살기 어려움.

태양계

뜻과 구성원

- 태양과 태양의 영향을 받는 천체들 그리고 그 공간
- 태양계는 태양, ❷ ______ , 위성, 소행성, 혜성 등으로 구성됨.

태양계 행성의 상대적인 크기

태양계 행성 중에서 가장 작은 것은 수성, 가장 큰 것은 ❸ ______ 임.

▲ 지구의 반지름을 1로 보았을 때 태양계 행성의 상대적인 크기 비교

태양계 행성의 상대적인 거리

태양계 행성 중에서 태양에서 가장 가까운 행성은 수성이고, 가장 먼 행성은 ❹ ______ 임.

▲ 태양에서 지구까지의 거리를 1로 보았을 때 태양에서 행성까지의 상대적인 거리 비교

별과 별자리

별

태양처럼 스스로 ❺ [   ]을 내는 천체

별자리

밤하늘에 무리 지어 있는 ❻ [   ]을 연결해 사람이나 동물 또는 물건의 모습으로 떠올리고 이름을 붙인 것

예 북쪽 밤하늘의 별자리

▲ 북두칠성

▲ 카시오페이아자리

▲ 작은곰자리

밤하늘을 관측하여 알 수 있는 것

- **북극성**: 정확한 ❼ [   ]에 항상 있는 별로, 북극성을 찾으면 방위를 알 수 있음.
- **북극성을 찾는 방법**: 북쪽 밤하늘의 별자리인 ❽ [   ]와 북두칠성을 이용해 찾을 수 있음.

①
②
북두칠성
1배
2배
3배
4배
5배
북극성
5배
4배
3배
2배
1배
카시오페이아자리
㉠
㉡

밤하늘에서 관측할 수 있는 별과 행성의 위치 변화: 여러 날 동안 같은 밤하늘을 관측하면 ❾ [   ]은 움직이지 않는 것처럼 보이지만, ❿ [   ]은 위치가 조금씩 변함.

개념 확인 체크! 체크!

- [ ] 태양계의 뜻과 태양계 구성원을 이야기할 수 있어요. • 30~33쪽
- [ ] 태양계 행성의 크기와 태양에서 행성까지의 거리를 상대적으로 비교할 수 있어요. • 34~35쪽
- [ ] 별의 뜻과 밤하늘에서 보이는 별과 행성의 차이점을 이야기할 수 있어요. • 38~39쪽
- [ ] 별자리의 뜻과 북쪽 밤하늘의 별자리를 이용해 북극성 찾는 방법을 이야기할 수 있어요. • 40~41쪽

정답과 해설 7쪽

개념 잡는 수행 평가!

1 다음과 같이 태양계 행성을 분류한 기준은 무엇인지 행성의 표면 상태와 관련지어 쓰시오.

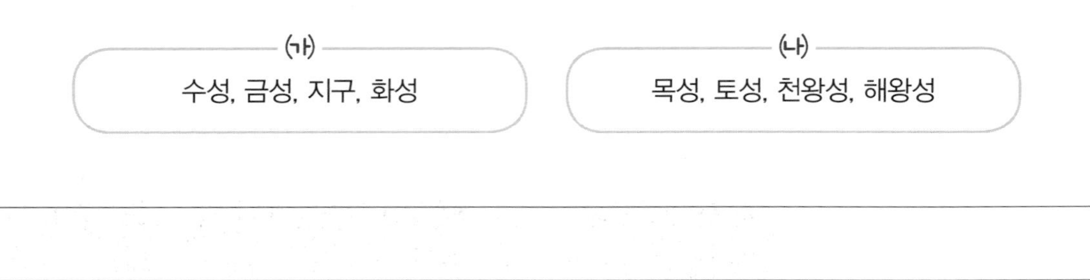

(가)
수성, 금성, 지구, 화성
(나)
목성, 토성, 천왕성, 해왕성

2~3 다음은 지구의 반지름을 1로 보았을 때 태양계 행성의 상대적인 크기를 나타낸 표입니다. 물음에 답하시오.

행성	수성	금성	지구	화성	목성	토성	천왕성	해왕성
반지름	0.4	0.9	1.0	0.5	11.2	9.4	4.0	3.9

2 위 표를 보고 지구와 크기가 가장 비슷한 행성은 무엇인지 쓰시오.

(　　　　　　　　　　)

3 위 표를 보고 태양계 행성의 상대적인 크기를 비교하여 쓰시오.

수성, 금성, 지구, 화성은 상대적으로 크기가 ______________________ 에 속하며,

목성, 토성, 천왕성, 해왕성은 상대적으로 크기가 ______________________ 에 속합니다.

4
다음은 여러 날 동안 같은 밤하늘을 관측해 나타낸 그림에 위치가 변한 천체를 표시한 것입니다. 위치가 변한 천체는 별과 행성 중 무엇인지 쓰고, 그렇게 생각한 까닭을 쓰시오.

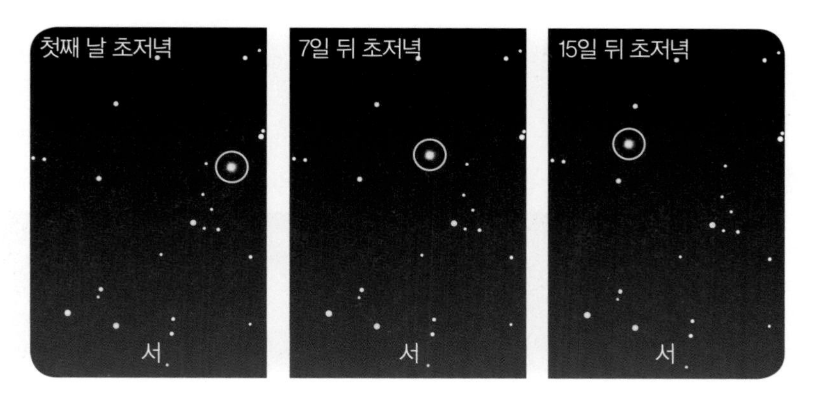

(1) 위치가 변한 천체: (   )

(2) 그렇게 생각한 까닭: ____________________

____

5
다음 북쪽 밤하늘의 두 별자리를 이용해 북극성을 찾는 방법을 각각 쓰시오.

(1) 북두칠성을 이용해 북극성을 찾는 방법: ____________________

____

(2) 카시오페이아자리를 이용해 북극성을 찾는 방법: ____________________

____

정답과 해설 7쪽

지구형 행성과 목성형 행성

형! 우리가 살고 있는 지구는 크기가 작은 행성에 속하더라!

▲ 지구의 반지름을 1로 보았을 때 태양계 행성의 상대적인 크기 비교

맞아. 수성, 금성, 지구, 화성은 상대적으로 크기가 작은 행성에 속하고, 목성, 토성, 천왕성, 해왕성은 상대적으로 크기가 큰 행성에 속하지.

그리고 수성, 금성, 지구, 화성은 표면에 땅이 있고, 목성, 토성, 천왕성, 해왕성은 땅이 없으며 표면이 기체로 이루어져 있다고 배웠어. 잠깐만! 그러고 보니 태양계 행성이 수성, 금성, 지구, 화성의 무리와 목성, 토성, 천왕성, 해왕성의 무리로 나누어지는 것 같네.

대단한데? 그걸 눈치 채다니! 태양계 행성은 성질에 따라 **지구형 행성**과 **목성형 행성**으로 구분하지. 수성, 금성, 지구, 화성을 지구형 행성이라고 해. 지구형 행성은 질량과 반지름이 작고 밀도가 크며, 암석으로 이루어져 표면이 단단해. 반면에, 목성, 토성, 천왕성, 해왕성을 목성형 행성이라고 하며, 목성형 행성은 질량과 반지름이 크고 밀도가 작아. 그리고 기체로 이루어져 단단한 표면이 없고, 고리가 있으며, 위성 수가 많아.

지구형 행성	구분	목성형 행성
작음.	반지름	큼.
작음.	질량	큼.
큼.	밀도	작음.
없음.	고리	있음.
적거나 없음.	위성 수	많음.
있음.	단단한 표면	없음.

▲ 지구형 행성과 목성형 행성의 비교

3

용해와 용액

소금

이 단원을
들어가기
전에
용해와 용액을 나타낸 그림입니다.
집과 마당에 숨은 그림이 몇 개인지
알아맞혀 보세요.
소금
정답과 해설은
8쪽에 있어!

용질 + 용매 $\xrightarrow{\text{용해}}$ 용액

소금과 설탕이 물에 녹는 것처럼 어떤 물질이 다른 물질에 녹아 골고루 섞이는 현상을 '용해'라고 해요.

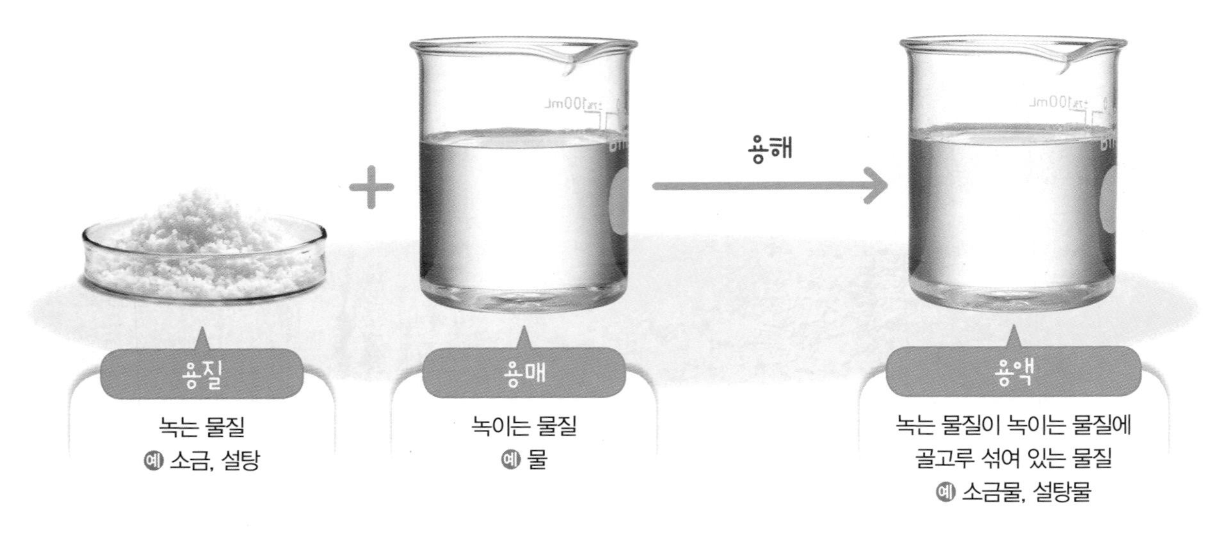

모든 가루 물질이 물에 용해되어 용액이 되는 것은 아니에요. 소금이나 설탕과 같이 물에 용해되어 용액이 되는 가루 물질이 있고, 멸치 가루와 같이 물에 용해되지 않는 가루 물질도 있답니다.

멸치 가루를 넣은 물, 미숫가루를 탄 물, 흙탕물 등은 시간이 지나면 바닥에 가라앉는 물질이 생기므로 용액이라고 할 수 없어.

▲ 멸치 가루를 넣은 물 (용액 ×)

용액은 두 가지 이상의 물질이 균일하게 섞여 있는 혼합물이에요. 따라서 시간이 지나도 물 위에 뜨거나 가라앉는 물질이 없고, 거름종이로 걸러도 거름종이 위에 남는 물질이 없어야 해요.

우리가 일상생활에서 이용하고 있는 식초, 구강 청정제, 손 세정제, 분말주스 용액 등은 두 가지 이상의 물질이 균일하게 섞여 있는 혼합물이므로 용액이에요.

없어지지 않아! 물에 용해된 각설탕

각설탕을 물에 넣으면 부스러지면서 크기가 점점 작아져 물에 골고루 섞이고, 완전히 용해되면 눈에 보이지 않게 돼요. 물에 용해된 설탕은 어떻게 된 것일까요?

물에 완전히 용해된 각설탕은 없어진 것은 아니라, 매우 작게 변하여 물속에 골고루 섞여 있는 것이에요. 이것은 **[각설탕이 물에 용해되기 전과 용해된 후의 무게 비교하기]** 탐구 활동의 결과에서 각설탕이 물에 용해되기 전과 용해된 후의 무게가 같은 것으로 확인할 수 있어요.

각설탕이 물에 용해되기 전과 용해된 후의 무게 비교하기

▲ 각설탕이 물에 용해되기 전의 무게

=

▲ 각설탕이 물에 용해된 후의 무게

재미있는 개념 퀴즈!

1 사다리를 타고 내려갔을 때 용액, 용매, 용질과 그에 대한 설명이 바르게 연결된 것을 찾으려고 해요. 용액, 용매, 용질 중 바르게 연결된 것은 무엇인지 쓰세요.

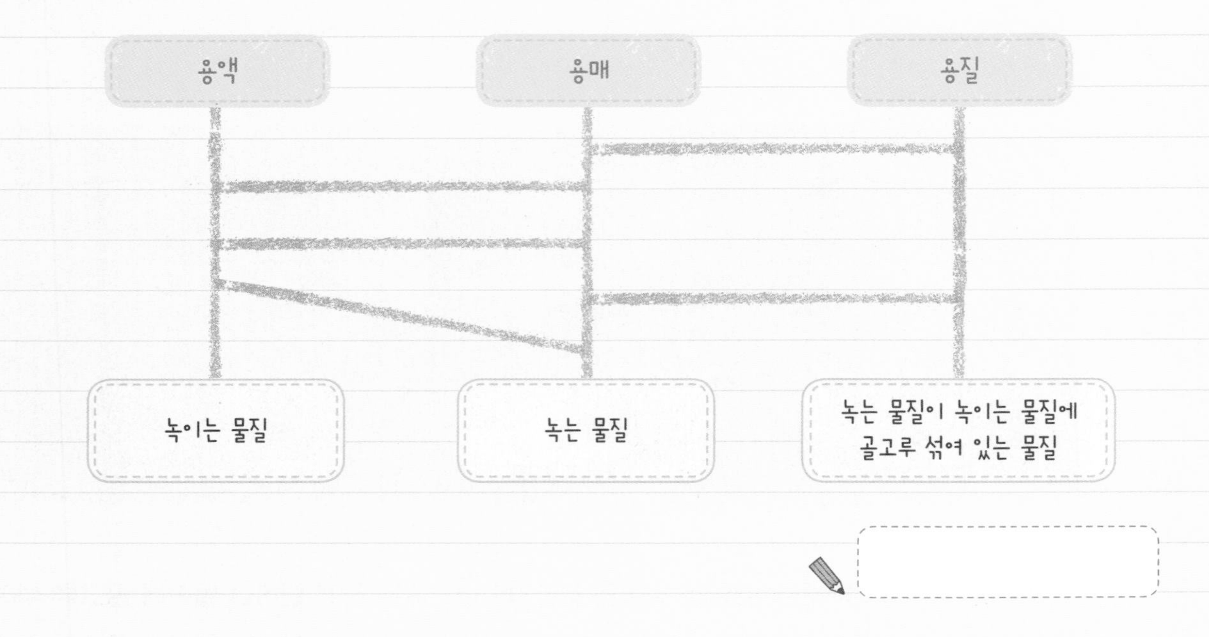

2 주방에서 가루 물질들이 술래잡기 놀이를 하고 있어요. 소금, 설탕, 멸치 가루가 물속으로 들어가 숨으려고 하는데, 물속에 숨을 수 없는 가루 물질은 무엇인지 쓰세요.

3

다음 빈칸에 들어갈 낱말 카드에 적힌 숫자를 순서대로 누르면 보물 상자의 비밀번호를 알 수 있어요. 비밀번호를 쓰세요.

설탕과 같은 [   ]이 물에 [   ]되면 없어지는 것이 아니라 물과 골고루 섞여 [   ]이 됩니다.

[   ] [   ] [   ]

4

집에 있는 소금 100 g이 없어졌어요. 힌트를 보고, 소금을 훔쳐간 범인을 찾아 ○표 하세요.

힌트
- 범인은 물이 들어 있는 주전자를 들고 있었습니다.
- 범인이 들고 있었던 물이 든 주전자의 무게는 300 g입니다.
- 범인은 훔친 소금을 주전자 속에 숨겼습니다.

주전자의 무게: 200 g
주전자의 무게: 300 g
주전자의 무게: 400 g

정답과 해설 9쪽

달라? 달라! 용질마다 물에 용해되는 양

온도와 양이 같은 물에서 용질마다 용해되는 양은 서로 달라요. [여러 가지 용질이 물에 용해되는 양 비교하기] 탐구 활동을 통해 온도와 양이 같은 물에 여러 가지 용질을 넣었을 때 용해되는 양을 비교해 봐요.

탐구 돋보기

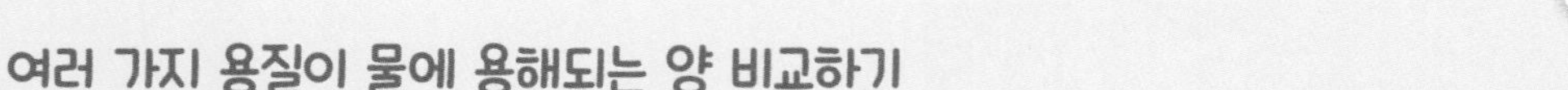

여러 가지 용질이 물에 용해되는 양 비교하기

❶ 세 개의 비커에 온도가 같은 물 50 mL를 각각 넣습니다.
❷ 각 비커에 설탕, 소금, 베이킹 소다를 각각 한 숟가락씩 더 넣으면서 유리 막대로 저어 용해되는 양을 비교합니다.

한 숟가락 넣었을 때	설탕	소금	베이킹 소다	세 용질은 모두 용해됨.
두 숟가락 넣었을 때	설탕	소금	베이킹 소다	베이킹 소다는 두 숟가락 넣었을 때부터 다 용해되지 않고 바닥에 남음.
여덟 숟가락 넣었을 때	설탕	소금	더 넣지 않음.	소금은 여덟 숟가락 넣었을 때부터 다 용해지 않고 바닥에 남음.

온도와 양이 같은 물에 용질마다 용해되는 양이 다른 것은 일정한 양의 용매에 용해되는 용질의 양이 일정하기 때문이에요. 따라서 온도가 같은 물 100 mL에 설탕, 소금, 베이킹 소다를 각각 넣으면 50 mL의 물에서보다 더 많은 양의 용질이 용해되고, 용질이 녹는 순서는 50 mL에서와 같이 설탕, 소금, 베이킹 소다 순으로 많이 용해된답니다.

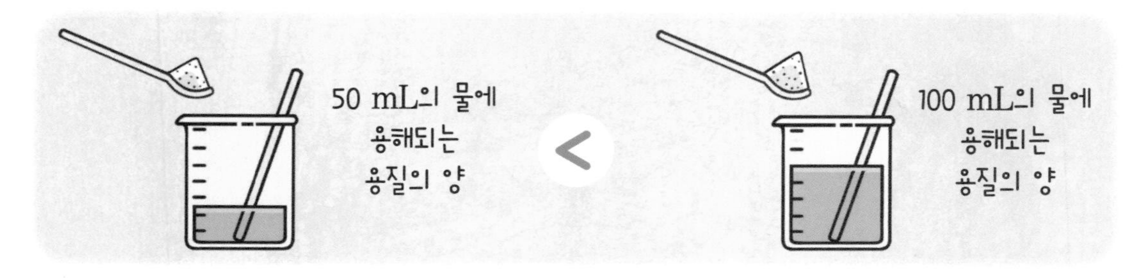

달라? 달라! 물의 온도에 따라 용질이 용해되는 양

코코아 가루와 같은 용질이 다 용해되지 않고 남아 있을 때 물의 온도를 높이면 용해되지 않고 남아 있던 용질을 더 많이 용해할 수 있어요. 그 까닭은 **물의 온도에 따라 용질이 물에 용해되는 양이 달라지기 때문이랍니다. 일반적으로 물의 온도가 높을수록 용질이 많이 용해됩니다.**

[물의 온도에 따라 백반이 용해되는 양 비교하기] 탐구 활동을 통해 물의 온도에 따라 백반이 용해되는 양을 비교해 봐요.

탐구 돋보기

물의 온도에 따라 백반이 용해되는 양 비교하기

❶ 10 ℃의 차가운 물과 40 ℃의 따뜻한 물이 50 mL씩 담긴 두 비커에 백반 가루를 두 숟가락씩 넣은 뒤 유리 막대로 저어 변화를 관찰합니다.

10 ℃의 차가운 물

어느 정도 용해되다가 용해되지 않은 백반이 바닥에 남아 있습니다.

40 ℃의 따뜻한 물

백반이 다 용해됩니다.

❷ 따뜻한 물에서 모두 용해된 백반 용액이 든 비커를 얼음물에 넣은 뒤 변화를 관찰합니다.

백반 알갱이가 다시 생겨 가라앉습니다.

어떻게 비교해? 용액의 진하기

같은 양의 용매에 용해된 용질의 많고 적은 정도를 '용액의 진하기'라고 해요. 그렇다면 용액의 진하기는 어떻게 비교할 수 있을까요?

황설탕 용액의 경우에는 **색깔이나 맛과 같은 겉보기 성질을 이용해 용액의 진하기를 비교할 수 있습니다.**

▲ 황색 각설탕 한 개를 용해한 용액

황설탕 용액은 물에 포함된 황색 각설탕의 양이 많을수록 더 진한 용액이야.

▲ 황색 각설탕 열 개를 용해한 용액

황색 각설탕 한 개를 용해한 용액	비교	황색 각설탕 열 개를 용해한 용액
색깔이 더 연함.	용액의 색깔 비교	색깔이 더 진함.
단맛이 더 약함.	용액의 맛 비교	단맛이 더 강함.
용액의 무게가 더 가벼움.	용액의 무게 비교	용액의 무게가 더 무거움.
비커에 담긴 용액의 높이가 더 낮음.	용액의 높이 비교	비커에 담긴 용액의 높이가 더 높음.

🔥 **색깔이나 맛으로 구별할 수 없는 투명한 용액의 경우에는 용액에 어떤 물체를 넣었을 때 그 물체가 뜨고 가라앉는 정도로 용액의 진하기를 비교할 수 있습니다. 이때 용액이 진할수록 용액에 넣은 물체가 높이 떠오릅니다.** 따라서 설탕물이나 소금물과 같이 투명한 용액의 진하기는 방울토마토나 메추리알을 띄워서 비교할 수 있어요.

그럼 **[물체가 뜨는 정도로 용액의 진하기 비교하기]** 탐구 활동을 통해 투명한 두 용액의 진하기에 따라 물체가 떠오르는 정도를 비교해 봐요.

❶ 200 mL의 물이 담긴 비커 두 개에 각설탕 한 개와 열 개를 각각 넣고 용해하여 진하기가 다른 두 용액을 만듭니다.

방울토마토에 따라 결과가 달라질 수 있으므로 한 개를 닦아서 다시 사용해야 해.

❷ ❶의 두 비커에 각각 방울토마토를 넣고 용액에서 뜨는 정도를 관찰합니다.

각설탕을 열 개 용해한 용액에서 방울토마토가 더 높이 떠오르므로 더 진한 용액입니다.

우리는 물체가 뜨는 정도로 용액의 진하기를 확인하는 방법을 생활에서도 이용하고 있어요.

장을 담글 때에는 소금물의 진하기를 맞추는 것이 중요한데, 소금물의 진하기는 소금물에 달걀을 띄워 달걀이 떠오르는 정도로 확인할 수 있답니다.

달걀로 소금물의 진하기 확인하기 ▶

재미있는 개념 퀴즈!

1 외계인들이 온도와 양이 같은 물에 설탕, 소금, 베이킹 소다를 크기가 같은 숟가락으로 한 숟가락씩 더 넣으면서 용해한 결과에 대해 말했어요. 가장 많은 양의 용질이 용해된 경우를 말한 외계인은 누구인지 쓰세요.

베이킹 소다는 두 숟가락 넣었을 때 바닥에 가라앉았어.
무무
설탕은 여덟 숟가락 넣었을 때에도 다 녹았어.
제제
소금은 여덟 숟가락 넣었을 때 바닥에 가라앉았어.
샤샤

2 세희는 컵 바닥에 가라앉은 코코아 가루를 더 많이 용해하려고 해요. 바닥에 가라앉은 코코아 가루를 더 많이 용해할 수 있는 방법을 두 가지 골라 번호를 쓰세요.

❶
더 빠르게 저어야 해.
휙
휙
❷
물을 더 넣어야 해.
❸
전자레인지에 넣고 온도를 높여야 해.
❹
냉장고에 넣고 온도를 낮춰야 해.

,

3

가장 진한 용액 만들기 대회가 열렸어요. 가장 진한 용액을 만들어 대회에서 우승하기 위해 필요한 물과 소금의 기호를 하나씩 골라 쓰세요. (단, 소금을 물에 용해한 결과 모두 용해되었습니다.)

4

잠겨 있는 문을 열 수 있는 비밀번호의 힌트가 적힌 종이와 그림 카드가 있어요. 힌트를 보고 문을 열 수 있는 비밀번호를 쓰세요.

- 진하기가 다른 설탕물이 담긴 세 개의 비커에 같은 메추리알을 각각 넣었을 때의 모습으로 만든 카드입니다.
- 용액의 진하기가 연한 순서로 그림 카드를 나열한 후 그림 카드에 적힌 숫자를 순서대로 쓰면 비밀번호입니다.

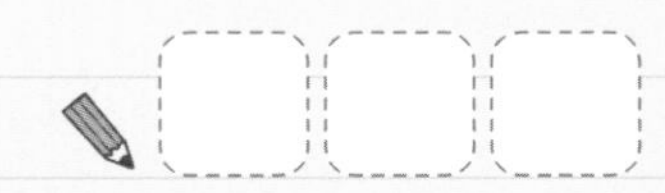

개념 잡는 생각 그물!

용해

용해, 용액, 용질, 용매

- ❶ [ ]: 어떤 물질이 다른 물질에 녹아 골고루 섞이는 현상 예 소금이 물에 녹는 것, 설탕이 물에 녹는 것
- 용질: 녹는 물질 예 소금, 설탕
- 용매: 녹이는 물질 예 물
- ❷ [ ]: 녹는 물질이 녹이는 물질에 골고루 섞여 있는 물질 예 소금물, 설탕물

용질이 용해되기 전과 용해된 후의 비교

- 각설탕이 물에 완전히 용해되면 눈에 보이지 않게 됨.
  ➔ 물에 용해된 ❸ [ ]은 없어진 것이 아니라 매우 작게 변해 물속에 골고루 섞여 있음.
- 각설탕이 물에 용해되기 전과 용해된 후의 무게는 ❹ [ ]

▲ 각설탕이 물에 용해되기 전 ➔ ▲ 각설탕이 물에 용해된 후

용질이 물에 용해되는 양 비교

용질의 종류에 따라 물에 용해되는 양 비교

- 물의 온도와 양이 같아도 용질마다 물에 용해되는 양은 서로 ❺ [ ]

  예 20 ℃의 물 50 mL에 용해되는 설탕, 소금, 베이킹 소다의 양 비교: 설탕 > 소금 > 베이킹 소다
- 같은 용질의 경우에는 물의 온도가 같다면 물의 양이 많을수록 용질이 많이 용해됨.

물의 온도에 따라 용질이 용해되는 양 비교

- 같은 종류의 용질이라도 물의 온도에 따라 용질이 물에 용해되는 양이 다름.
- 일반적으로 물의 온도가 ❻ [ ] 용질이 많이 용해됨.

용액의 진하기 비교

용액의 진하기

- 뜻: 같은 양의 용매에 용해된 ❼ [ ]의 많고 적은 정도
- 용매의 양이 같을 때 용해된 용질의 양이 ❽ [ ] 더 진한 용액임.

용액의 진하기 비교 방법

- **색깔이나 맛으로 용액의 진하기를 비교하는 방법**: 황설탕 용액은 색깔이 진할수록, 단맛이 강할수록 ❾ [ ] 용액임.
- **물체가 뜨는 정도로 용액의 진하기를 비교하는 방법**: 방울토마토나 메추리알과 같은 물체를 넣었을 때 물체가 ❿ [ ] 뜰수록 진한 용액임.

▲ 진한 용액의 색깔이 더 진함.

▲ 진한 용액에서 방울토마토가 높이 떠오름.

개념 확인 체크! 체크!

- ☐ 용해, 용액, 용질, 용매가 무엇인지 이야기할 수 있어요. • 52쪽
- ☐ 용질이 물에 용해될 때 나타나는 특징에 대해 이야기할 수 있어요. • 53쪽
- ☐ 용질이 물에 용해되는 양을 비교하여 이야기할 수 있어요. • 56~57쪽
- ☐ 용액의 진하기 뜻과 용액의 진하기를 비교하는 방법을 이야기할 수 있어요. • 58~59쪽

정답과 해설 10쪽

개념 잡는

수행 평가!

1~2 다음은 소금을 물에 녹여 소금물을 만드는 과정입니다. 물음에 답하시오.

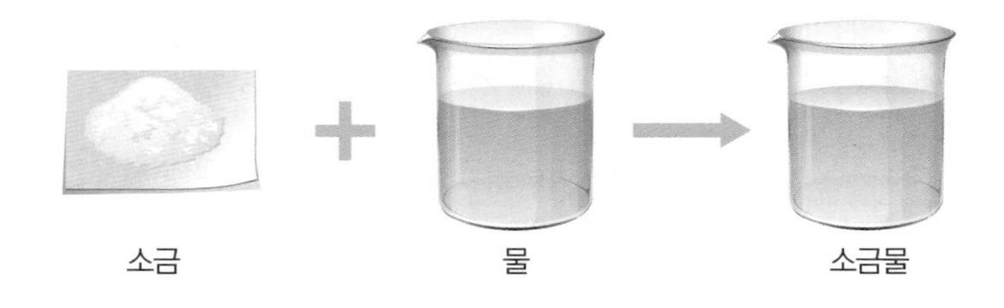

1 위 과정에서 용액, 용질, 용매에 해당하는 물질을 각각 쓰시오.

(1) 용액: (   )

(2) 용질: (   )

(3) 용매: (   )

2 위 소금물이 만들어지는 과정과 관련지어 용해가 무엇인지 쓰시오.

3 오른쪽은 소금이 물에 용해되기 전과 용해된 후의 무게를 측정한 결과를 나타낸 표입니다. ㉠에 알맞은 무게를 그렇게 생각한 까닭과 함께 쓰시오.

용해되기 전의 무게(g)		용해된 후의 무게(g)
소금이 담긴 시약포지	물이 담긴 비커	빈 시약포지+ 소금물이 담긴 비커
㉠	98	142

4 따뜻한 물에서 모두 용해된 백반 용액이 든 비커를 오른쪽과 같이 얼음물에 넣었을 때의 변화를 쓰시오.

5~6 다음과 같이 비커 두 개에 같은 온도의 물을 같은 양씩 담은 뒤, 한 비커에는 각설탕 한 개를 넣고 다른 비커에는 각설탕 열 개를 넣어 용해하였습니다. 물음에 답하시오.

5 위 두 용액에 같은 방울토마토를 각각 넣었을 때 방울토마토가 뜨는 정도를 비교하여 쓰시오.

6 위 **5**번 답과 같이 생각한 까닭을 쓰시오.

중학교

개념 엿보기

일정한 온도에서 일정한 양의 용매에 녹을 수 있는 용질의 최대의 양, 용해도

형! 온도와 양이 같은 물에 설탕, 소금, 베이킹 소다가 각각 용해되는 양이 달랐어. 설탕이 가장 많이 용해되었고, 베이킹 소다가 가장 적게 용해되었어.

맞아. 그럼 질문! 물의 양이 같을 때, 물의 온도가 높아지면 설탕, 소금, 베이킹 소다가 각각 용해되는 양은 어떻게 달라질까?

물의 양이 같을 때, 물의 온도가 높아지면 설탕, 소금, 베이킹 소다가 각각 용해되는 양이 많아지지!

오, 제법인데! 이처럼 용매가 같을 때에는 용질의 종류와 용매의 온도에 따라서 용해도가 달라져.

용해도? 그게 뭐야?

중학교에서 배워!

용해도는 어떤 온도에서 용매 100 g에 최대로 녹을 수 있는 용질의 g수를 말해. 용해도는 일정한 온도에서 용매가 같을 때 일정한 값을 나타내고, 물질의 종류에 따라 달라. 그래서 용해도를 이용하면 물질의 종류를 구별할 수 있단다. 또 온도에 따른 물질의 용해도는 **용해도 곡선**으로 나타낼 수 있어. 이 용해도 곡선으로 온도에 따른 물질의 용해도를 쉽게 비교할 수 있고, 용액을 냉각할 때 용액에 녹아 있던 용질이 고체 상태로 용액에서 분리되는 양을 구할 수도 있지.

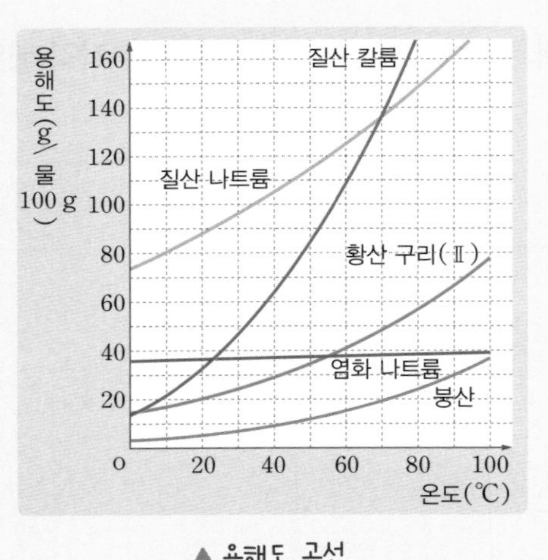

▲ 용해도 곡선

4 다양한 생물과 우리 생활

이 단원을
들어가기
전에
다양한 생물과 우리 생활을 나타낸
그림입니다. 공원에 숨은
그림을 찾아보세요.
붓
휴지
무지개
케이크
모래시계
은행나무 잎
야구 방망이
정답과 해설은
11쪽에 있어!

생물? 생물! 곰팡이와 버섯 같은 균류

우리 주변에는 동물과 식물 이외에도 곰팡이와 버섯 같은 다양한 생물이 살아요. **곰팡이와 버섯 같은 생물을 '균류'라고 해요.** 균류는 보통 거미줄처럼 가늘고 긴 모양의 균사로 이루어져 있고, 포자로 번식하는 특징이 있어요.

균류는 따뜻하고 축축한 환경에서 잘 자라고 주로 여름철에 많이 볼 수 있지요. 또, 주로 죽은 생물이나 다른 생물에서 양분을 얻는답니다.

죽은 곤충에 자란 버섯
벽면에 자란 곰팡이
죽은 나무에 자란 버섯
열매에 자란 곰팡이

곰팡이와 버섯 같은 생물은 물체의 모습을 돋보기보다 더 확대해 볼 수 있는 도구인 실체 현미경을 사용하여 자세하게 관찰할 수 있어요.

[실체 현미경으로 곰팡이와 버섯 관찰하기] 탐구 활동을 통해 곰팡이와 버섯을 관찰해 봐요.

실체 현미경으로 곰팡이와 버섯 관찰하기

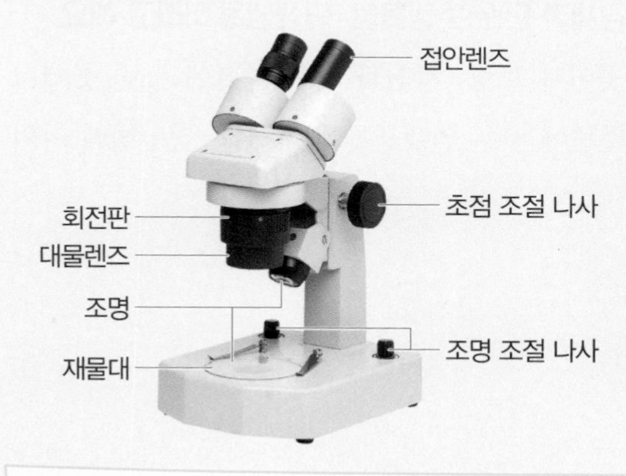

❶ 회전판을 돌려 대물렌즈의 배율을 가장 낮게 하고, 관찰할 물체를 재물대 위에 올립니다.

❷ 전원을 켜고 조명 조절 나사로 빛의 양을 조절합니다.

❸ 현미경을 옆에서 보면서 초점 조절 나사로 대물렌즈를 물체에 최대한 가깝게 내립니다.

❹ 접안렌즈로 물체를 보면서 대물렌즈를 천천히 올려 초점을 맞추어 관찰합니다.

❺ 대물렌즈의 배율을 높이고, 초점 조절 나사로 초점을 맞추어 관찰합니다.

빵에 자란 곰팡이 관찰 결과

- 여러 가지 색깔의 크기가 작고 둥근 알갱이가 많이 보입니다.
- 가는 실 같은 것이 많고, 서로 엉켜있습니다.

표고버섯 관찰 결과

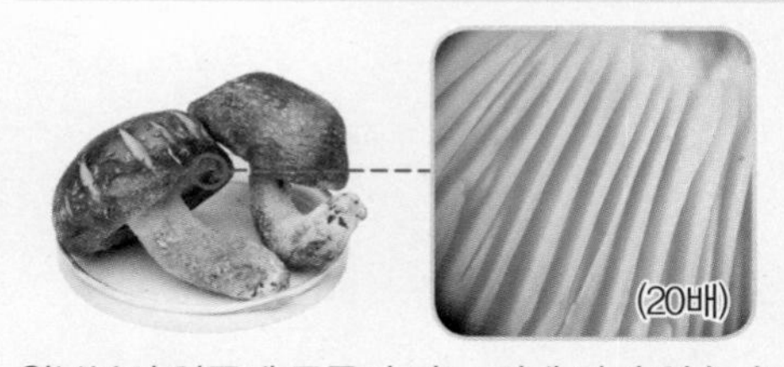

- 윗부분의 안쪽에 주름이 많고 깊게 파여 있습니다.
- 보통 식물에 있는 줄기와 잎 같은 모양을 볼 수 없습니다.

이제 균류와 식물을 비교하여 공통점과 차이점을 알아봐요.

균류

- 색깔이 다양합니다.
- 줄기, 잎과 같은 모양이 없습니다.
- 전체가 균사로 이루어져 있고 주로 포자로 번식합니다.
- 죽은 생물, 다른 생물, 물체 등에 붙어서 삽니다.

공통점

- 생물이며, 모두 자라고 번식합니다.
- 살아가는 데 물과 공기 등이 필요합니다.

식물

- 잎의 색깔은 대부분 초록색입니다.
- 대체로 뿌리, 줄기, 잎 등이 있습니다.
- 주로 꽃이 피고 씨로 번식합니다.
- 주로 땅에 뿌리를 내리고 삽니다.

생물? 생물! 짚신벌레와 해캄 같은 원생생물

물속에는 동물과 식물 이외에도 짚신벌레나 해캄 등의 다양한 생물이 살아요. **짚신벌레와 해캄 같이 동물, 식물, 균류로 분류되지 않으며, 생김새가 단순한 생물을 '원생생물'이라고 해요.**

원생생물은 주로 논, 연못과 같이 물이 고인 곳이나 도랑, 하천과 같이 물살이 느린 곳에서 살고, 빠른 시간 안에 많은 수로 늘어나죠. 우리 주변에 사는 원생생물에는 해캄, 짚신벌레 이외에도 아메바, 종벌레, 유글레나 등이 있어요.

원생생물의 자세한 생김새는 맨눈으로 관찰하기 어려워요. 이렇게 맨눈으로 관찰하기 어려운 생물은 광학 현미경을 사용해야 자세한 모습을 볼 수 있답니다. **[광학 현미경으로 짚신벌레와 해캄 관찰하기]** 탐구 활동을 통해 짚신벌레와 해캄을 관찰해 봐요.

현미경의 배율은
접안렌즈 배율×대물렌즈 배율
이야.

광학 현미경으로 짚신벌레와 해캄 관찰하기

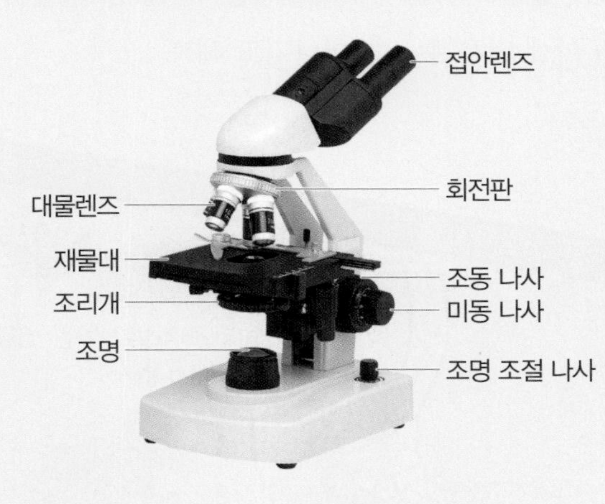

❶ 회전판을 돌려 배율이 가장 낮은 대물렌즈가 중앙에 오도록 합니다.
❷ 전원을 켜고 조리개로 빛의 양을 조절한 뒤에 표본을 재물대의 가운데에 고정합니다.
❸ 현미경을 옆에서 보면서 조동 나사로 재물대를 올려 표본과 대물렌즈의 거리를 최대한 가깝게 합니다.
❹ 조동 나사로 재물대를 천천히 내리면서 접안렌즈로 물체를 찾고, 미동 나사로 물체가 뚜렷하게 보이도록 조절합니다.
❺ 대물렌즈의 배율을 높이고, 미동 나사로 초점을 맞추어 관찰합니다.

짚신벌레 영구 표본 관찰 결과

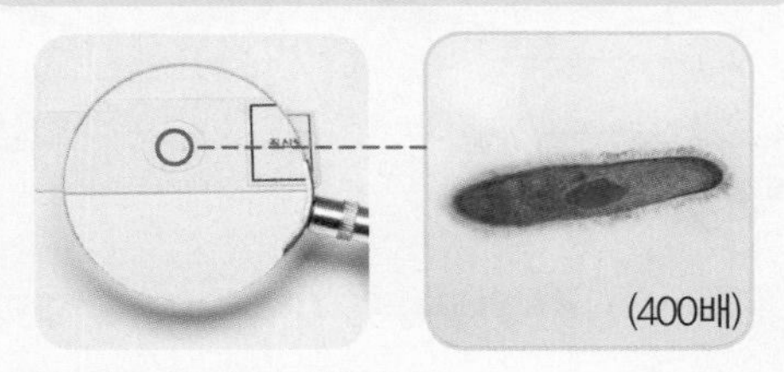
(400배)

- 짚신과 모양이 비슷합니다.
- 길쭉한 모양이고 바깥쪽에 가는 털이 있습니다.
- 안쪽에 여러 가지 다른 모양이 보입니다.

해캄 관찰 결과

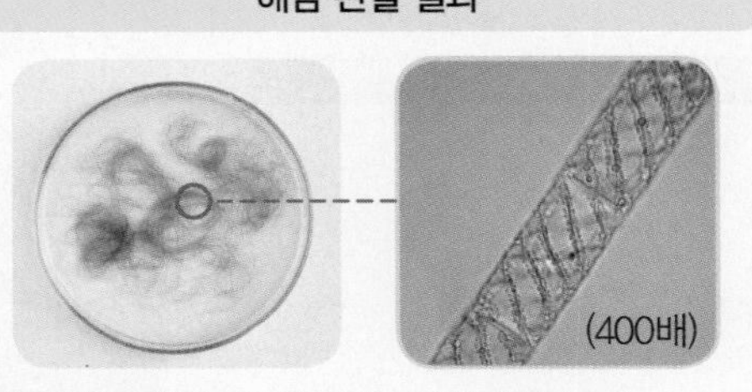
(400배)

- 대나무와 같이 마디로 나누어져 있습니다.
- 여러 개의 가는 선이 보이며 크기가 작고 둥근 초록색 알갱이가 있습니다.

이제 짚신벌레와 해캄의 공통점을 찾아봐요.

공통점

- 광학 현미경을 사용해야 자세한 모습을 볼 수 있습니다.
- 안쪽에 작은 모양들이 보입니다.
- 식물, 동물, 균류와 생김새가 다릅니다.
- 식물과 동물에 비해 단순한 모양입니다.

생물? 생물! 여러 가지 세균

'세균'은 균류나 원생생물보다 크기가 더 작고 생김새가 단순한 생물이에요. 세균은 매우 작아서 맨눈으로 볼 수 없고, 배율이 높은 현미경을 사용해야 관찰할 수 있어요.

세균은 주변에 있는 땅이나 물, 다른 생물의 몸, 컴퓨터 자판이나 연필 같은 물체 등 다양한 곳에 살고, 살기에 알맞은 조건이 되면 짧은 시간 안에 많은 수로 늘어나기도 해요.

세균은 생김새에 따라 공 모양, 막대 모양, 나선 모양 등으로 구분하며, 꼬리가 있는 세균도 있어요. 또, 세균은 하나씩 따로 떨어져 있거나 여러 개가 서로 연결되어 있기도 하지요.

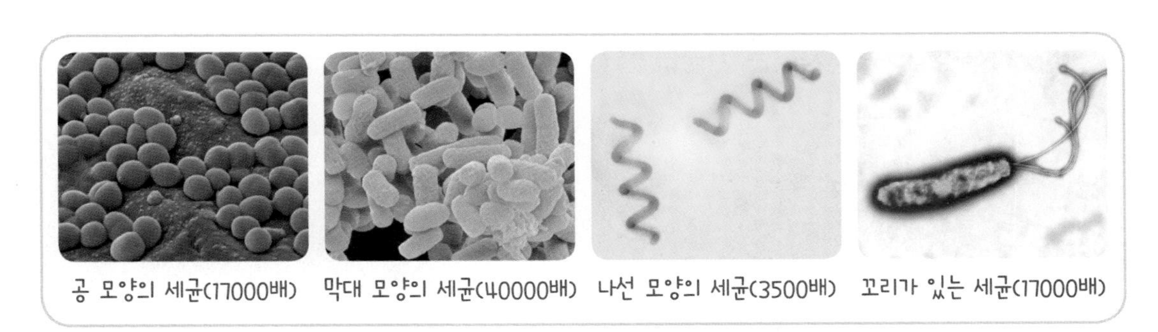

공 모양의 세균(17000배) 막대 모양의 세균(40000배) 나선 모양의 세균(3500배) 꼬리가 있는 세균(17000배)

치아에는 둥근 모양의
'스트렙토코쿠스 무탄스'라는
세균이 살아.

재미있는 개념 퀴즈!

1 버섯과 곰팡이가 잘 자라는 환경을 골라 번호를 쓰세요.

❶ 

이곳은 춥고 건조해.

❷ 

이곳은 따뜻하고 축축해.

❸ 

이곳은 눈이 오고 바람이 세게 불어.

❹ 

이곳은 햇빛이 강하고 건조해.

2 짚신벌레와 해캄을 광학 현미경으로 관찰한 결과가 적힌 카드가 섞여 있어요. 이중 짚신벌레의 특징이 적힌 카드를 골라 카드에 적힌 숫자를 모두 더하면 비밀번호가 나온다고 해요. 비밀번호를 쓰세요.

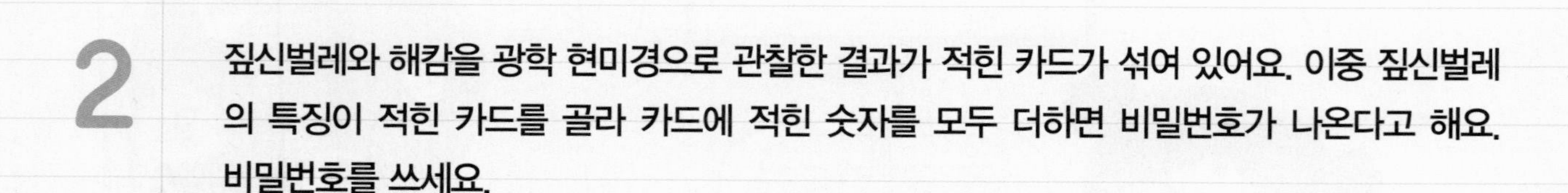

1 대나무와 같이 마디로 나누어져 있어요.
2 안쪽에 초록색 알갱이가 있어요.
3 짚신과 모양이 비슷해요.
4 길쭉한 모양이고 바깥쪽에 가는 털이 있어요.
5 안쪽에 여러 개의 작은 선이 보이며 크기가 작고 둥근 알갱이가 있어요.

3

세균의 특징이 적혀 있는 풍선에 매달려 있는 자음자와 모음자를 이용하여 낱말을 만들 수 있어요. 만들 수 있는 낱말을 쓰세요.

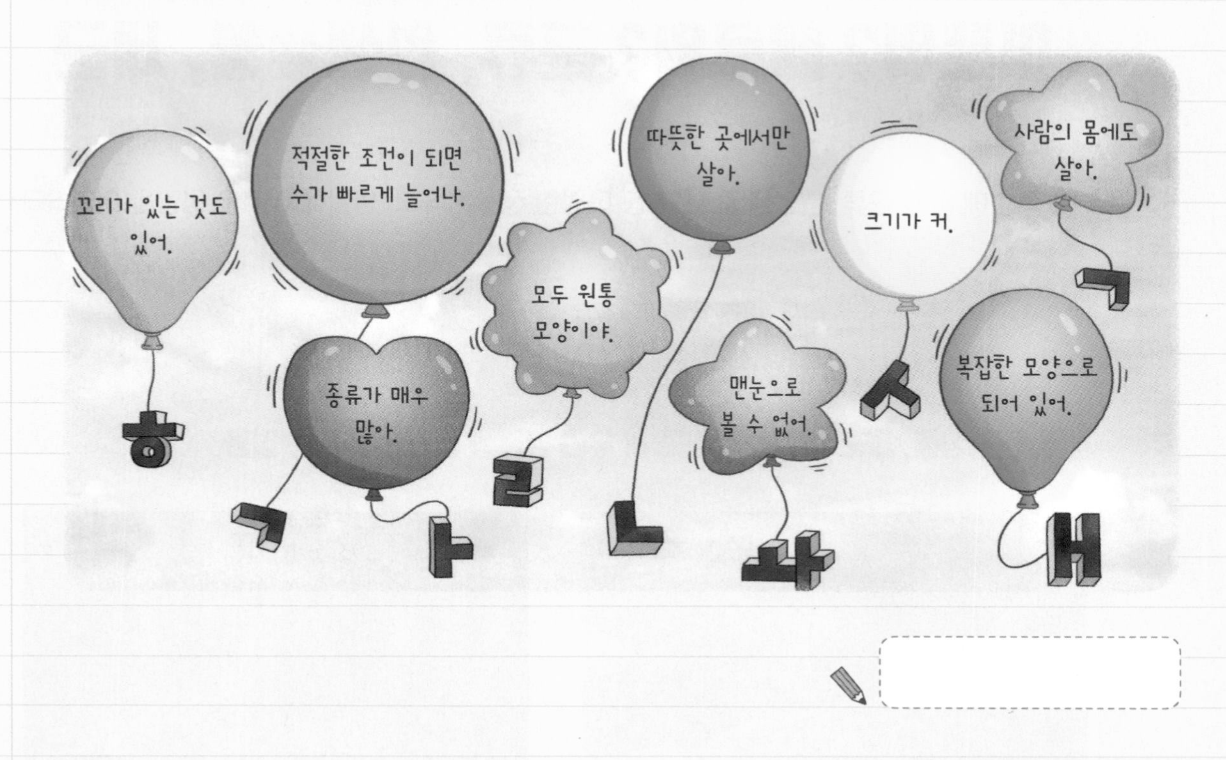

4

두더지 잡기 놀이를 하고 있어요. 두더지가 들고 있는 카드의 생물이 속하는 무리를 가리키는 말이 적힌 망치로만 두더지를 잡을 수 있어요. 두더지와 두더지를 잡을 수 있는 망치를 선으로 바르게 연결하세요.

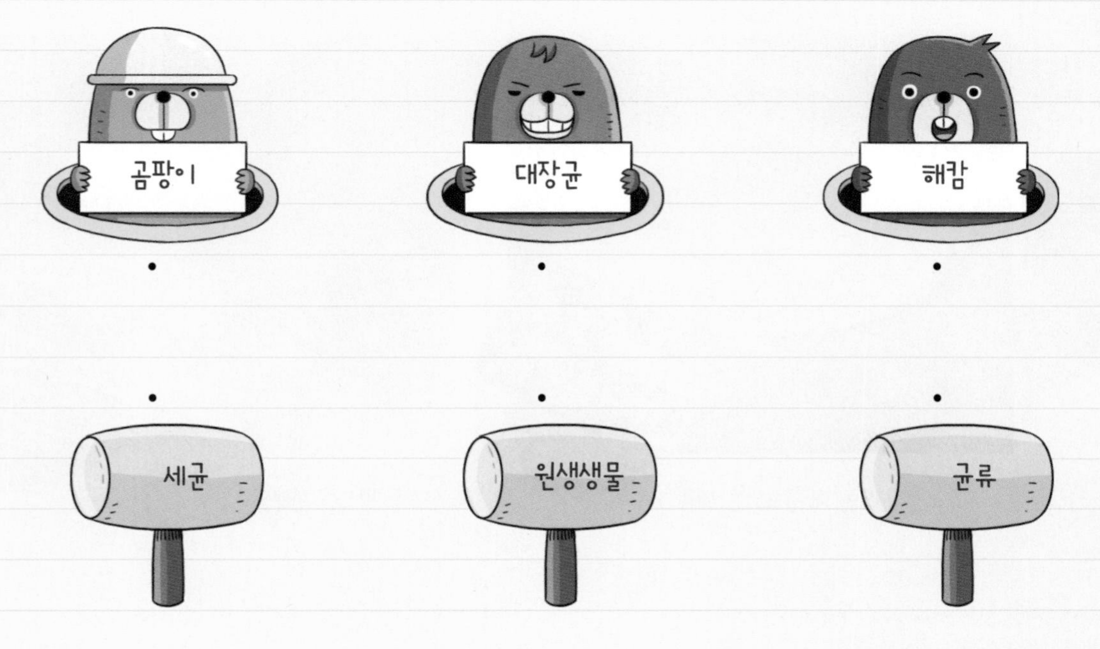

정답과 해설 12쪽

이로워? 해로워? 균류, 원생생물, 세균

주변에 사는 균류, 원생생물, 세균 등 다양한 생물은 우리 생활에 이로운 영향을 미칩니다.

균류, 원생생물, 세균 등 다양한 생물이 우리 생활에 미치는 이로운 영향

▲ 된장을 만드는 데 활용되는 균류

▲ 지구의 환경을 유지하는 데 도움을 주는 균류

유산균과 같은 세균은 해로운 세균으로부터 건강을 지켜주기도 해.

▲ 요구르트를 만드는 데 활용되는 세균

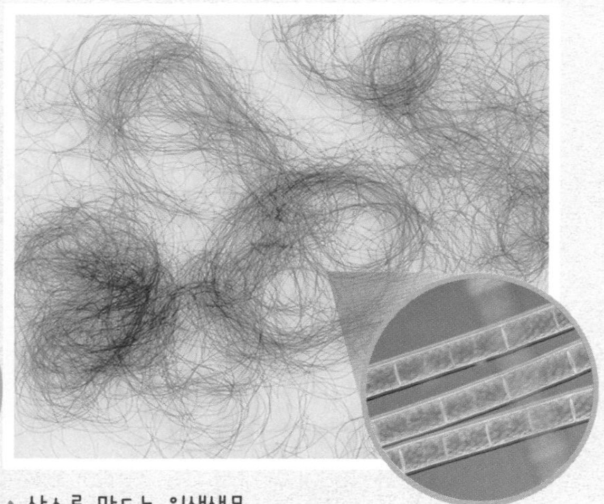
▲ 산소를 만드는 원생생물

하지만 **균류, 원생생물, 세균 등 다양한 생물은 우리 생활에 해로운 영향을 미치기도 해요.**

▲ 음식을 상하게 하는 균류

▲ 식물에게 병을 일으키는 균류

▲ 장염을 일으키는 세균

▲ 적조를 일으키는 원생생물

이처럼 우리 생활에 많은 영향을 주는 곰팡이나 세균이 사라진다면 어떻게 될까요?

음식이나 물건이 상하지 않겠지만 우리 주변이 죽은 생물이나 배설물로 가득 차게 될 거예요. 그리고 김치, 요구르트, 된장 등의 음식을 만들 수 없고, 사람이나 동물은 먹은 음식을 잘 소화하지 못하게 되거나 면역력이 약해질 거예요.

첨단 생명 과학에서 활용해! 균류, 원생생물, 세균

'첨단 생명 과학'은 생명 과학 기술이나 연구 결과를 활용하여 일상생활의 다양한 문제를 해결하는 데 도움을 줘요.

파스퇴르는 질병의 원인을 밝히는 연구를 하던 중에 우연히 약한 콜레라균을 주사한 닭은 닭 콜레라에 걸리지 않고 살아남는다는 것을 알았습니다. 파스퇴르는 독성이 약한 세균을 주사하는 실험을 통해 탄저병, 닭 콜레라 등의 예방 접종법을 개발했습니다. 그리고 파스퇴르의 뒤를 이어 과학자들은 다른 여러 질병의 예방 접종법을 개발하였고, 사람들은 전염병의 공포에서 벗어날 수 있었습니다.
닭 콜레라 예방 접종을 하지 않은 닭
닭 콜레라 예방 접종을 한 닭

우리가 질병을 예방하기 위해 맞는 예방 접종은 주변에 있는 균류, 원생생물, 세균 등 다양한 생물을 우리 생활에 이롭게 활용한 예라고 할 수 있어요.

균류, 원생생물, 세균과 관련된 첨단 생명 과학이 우리 생활에 어떻게 활용되는지 알아봐요.

▲ 세균을 자라지 못하게 하는 균류

▲ 질병 치료

▲ 영양소가 풍부한 원생생물

▲ 건강식품 생산

▲ 플라스틱의 원료를 가진 세균

▲ 플라스틱 제품 생산

또, 우리 생활에서 첨단 생명 과학을 활용하는 예로는 물질을 분해하는 세균의 특징을 이용해 하수 처리하기, 바다에 사는 다양한 원생생물을 이용해 음식물 쓰레기 분해하기 등이 있어요.

재미있는 개념 퀴즈!

1 두 친구가 이야기하고 있는 음식에 해당되지 않는 것을 골라 번호를 쓰세요.

2 경준이는 다양한 생물이 우리 생활에 미치는 이로운 영향이 적힌 징검돌만 밟아서 징검다리를 건너려고 합니다. 경준이가 밟아야 하는 징검돌을 따라 선으로 연결하세요.

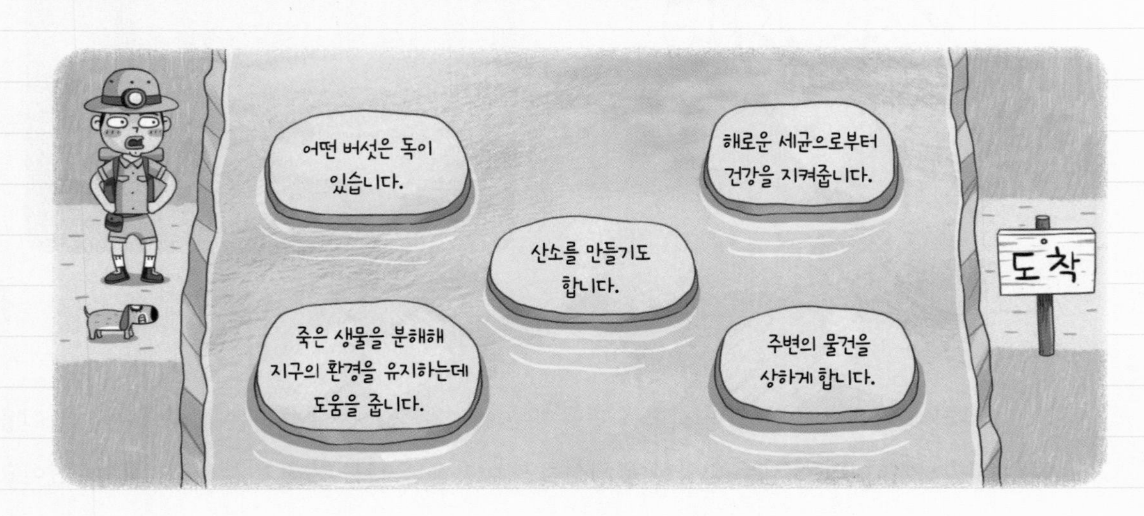

어떤 버섯은 독이 있습니다.
해로운 세균으로부터 건강을 지켜줍니다.
산소를 만들기도 합니다.
도착
죽은 생물을 분해해 지구의 환경을 유지하는데 도움을 줍니다.
주변의 물건을 상하게 합니다.

3 첨단 생명 과학에 다양한 생물이 활용되고 있어요. 각 생물의 특징과 활용되는 예를 선으로 바르게 연결하세요.

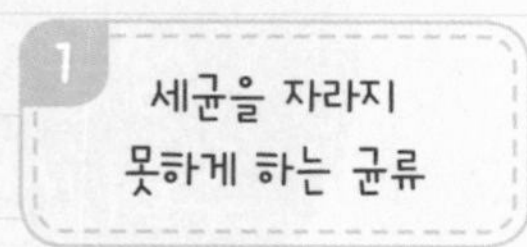
1
세균을 자라지
못하게 하는 균류

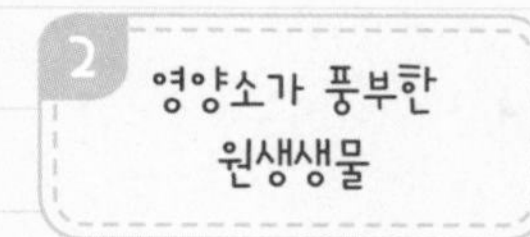
2
영양소가 풍부한
원생생물

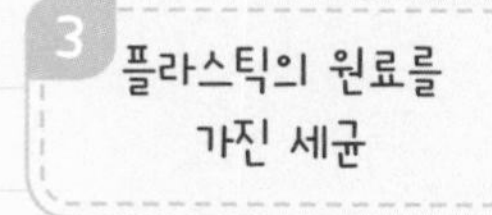
3
플라스틱의 원료를
가진 세균

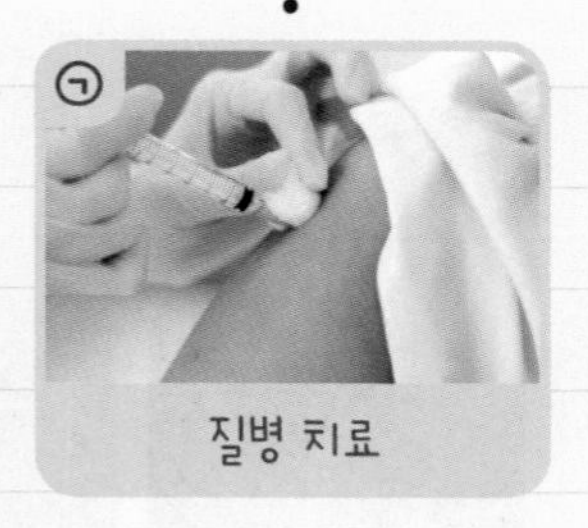
㉠
질병 치료

㉡
플라스틱 제품 생산

㉢
건강식품 생산

4 우리 생활에서 첨단 생명 과학이 활용되는 예를 바르게 말한 사람은 간식을 먹을 수 있어요. 사다리를 타고 내려가 첨단 생명 과학이 활용되는 예를 잘못 말해 간식을 먹을 수 없는 사람은 누구인지 쓰세요.

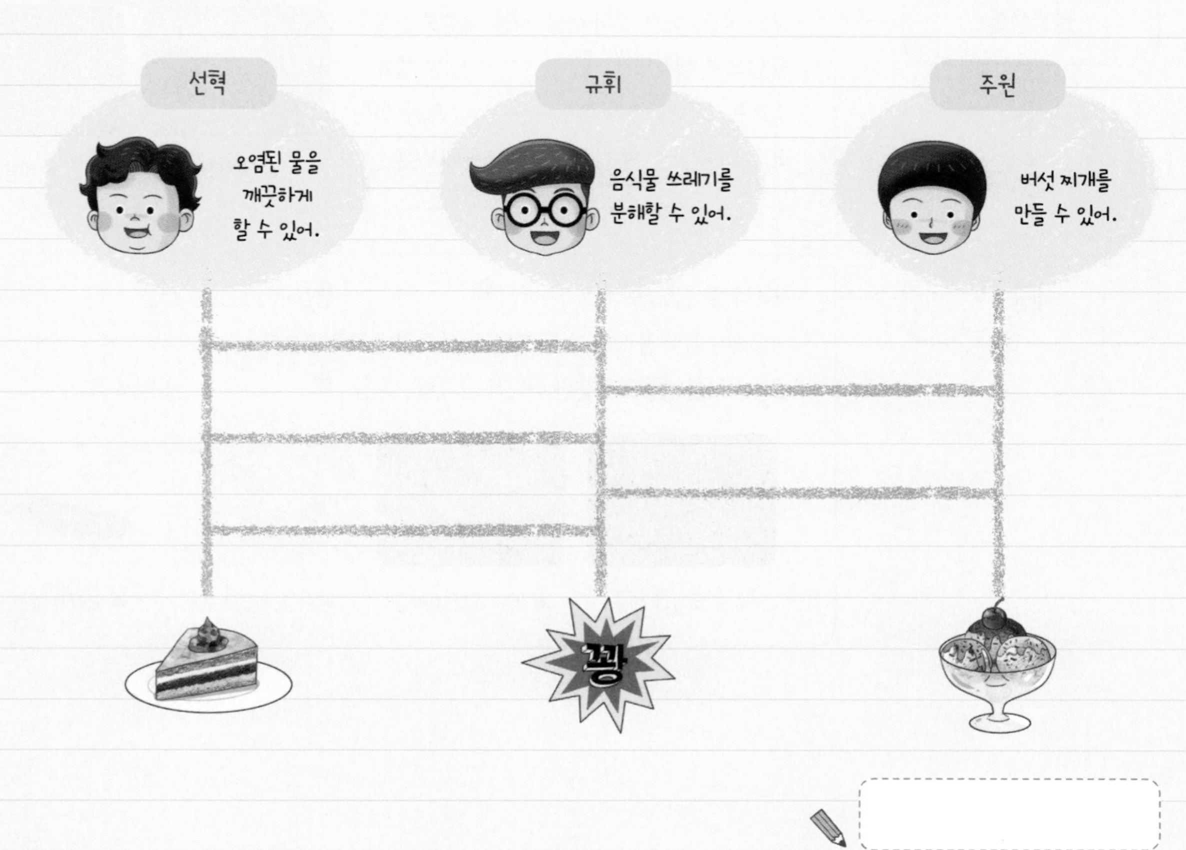
선혁
오염된 물을
깨끗하게
할 수 있어.
규휘
음식물 쓰레기를
분해할 수 있어.
주원
버섯 찌개를
만들 수 있어.
꽝

개념 잡는

생각 그물!

다양한 생물과 우리 생활

다양한 생물의 특징

균류

- 곰팡이와 버섯 같은 생물
- 가늘고 긴 모양의 ❶ ( ) 로 이루어져 있고 ❷ ( ) 로 번식함.
- 따뜻하고 축축한 환경에서 잘 자라고, 죽은 생물이나 다른 생물에서 양분을 얻음.

▲ 곰팡이

▲ 버섯

원생생물

- 짚신벌레와 해캄 같이 동물, 식물, 균류로 분류되지 않으며, 생김새가 ❸ ( ) 한 생물
- 주로 논, 연못과 같이 물이 고인 곳이나 도랑, 하천과 같이 물살이 ❹ ( ) 곳에서 삶.

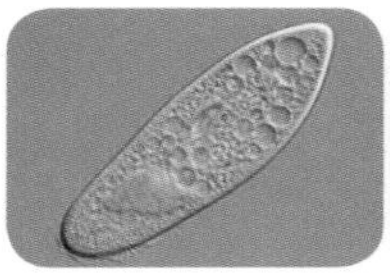

▲ 짚신벌레

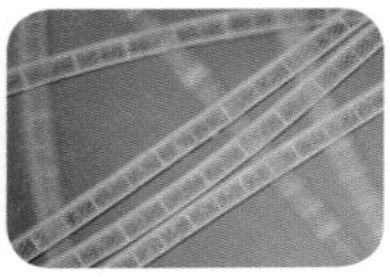

▲ 해캄

세균

- 균류나 원생생물보다 크기가 더 ❺ ( ) 생김새가 단순한 생물
- 생김새에 따라 공 모양, 막대 모양, 나선 모양 등으로 구분함.
- 세균은 다른 생물의 몸뿐만 아니라 공기, 물, 흙 등 ❻ ( ) 곳에서 삶.

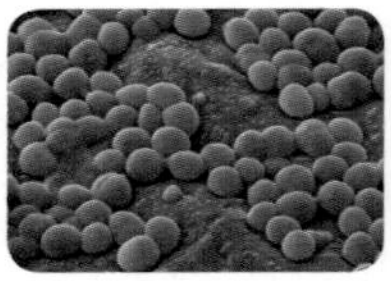

▲ 공 모양의 세균

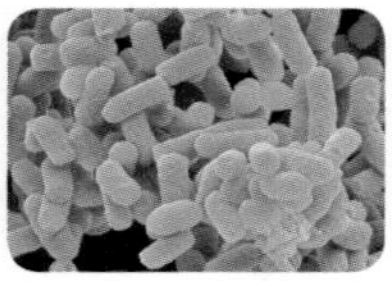

▲ 막대 모양의 세균

▲ 나선 모양의 세균

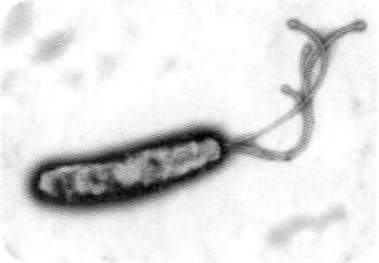

▲ 꼬리가 있는 세균

다양한 생물이 우리 생활에 미치는 영향

이로운 영향

- 균류나 세균은 된장, 요구르트 등의 음식을 만드는 데 이용됨.
- 원생생물은 다른 생물의 먹이가 되거나 산소를 만듦.
- 균류나 세균은 죽은 생물을 분해하여 지구 환경을 ❼ (   ) 하는 데 도움을 줌.

해로운 영향

- 균류, 원생생물, 세균은 ❽ (   ) 이나 주변의 물건을 상하게 함.
- 균류, 원생생물, 세균은 생물에게 여러 가지 ❾ (   ) 을 일으키기도 함.
- 일부 원생생물은 적조를 일으킴.

첨단 생명 과학이 우리 생활에 활용되는 예

- 세균을 자라지 못하게 하는 일부 곰팡이의 특성을 이용하여 ❿ (   ) 을 치료함.
- 원생생물 중에서 영양소가 풍부한 것은 건강식품을 만드는 데 이용함.
- 플라스틱의 원료를 가진 세균을 이용하여 플라스틱 제품을 만듦.

질병 치료

건강식품

플라스틱 제품

개념 확인 체크! 체크!

- ☐ 균류, 원생생물, 세균의 특징을 이야기할 수 있어요. • 70~75쪽
- ☐ 다양한 생물이 우리 생활에 미치는 이로운 영향과 해로운 영향을 이야기할 수 있어요. • 78~79쪽
- ☐ 다양한 생물과 관련된 첨단 생명 과학이 우리 생활에 활용되는 예를 이야기할 수 있어요. • 80~81쪽

정답과 해설 13쪽

개념 잡는

수행 평가!

1 오른쪽은 우리 주변에서 볼 수 있는 곰팡이와 버섯의 모습입니다. 곰팡이와 버섯이 어떤 환경에서 사는지 쓰시오.

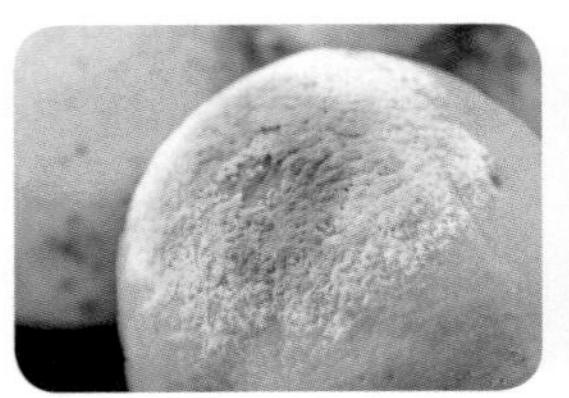
▲ 귤에서 자란 곰팡이

▲ 죽은 나무에서 자란 버섯

2~3 오른쪽은 짚신벌레와 해캄의 모습입니다. 물음에 답하시오.

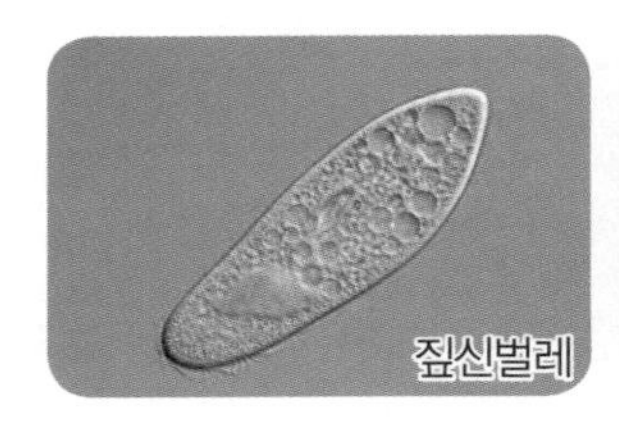

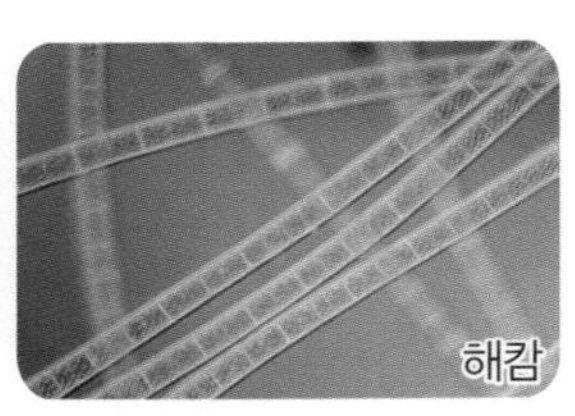

2 위 짚신벌레와 해캄을 광학 현미경으로 관찰한 결과를 각각 두 가지씩 쓰시오.

(1) 짚신벌레: ______

(2) 해캄: ______

3 위 짚신벌레와 해캄의 공통점을 두 가지 쓰시오.

4 다음은 여러 가지 세균의 특징을 나타낸 표입니다. 표를 통해 알 수 있는 세균의 특징을 사는 곳 및 모양과 관련지어 쓰시오.

세균	사는 곳	특징
대장균	물, 큰창자	막대 모양이고 여러 개가 뭉쳐서 있음.
헬리코박터 파일로리	위	나선 모양이고 꼬리가 여러 개 있음.
스트렙토코쿠스 무탄스	치아	둥근 모양이고 여러 개가 연결되어 있음.

5 세균이 우리 생활에 미치는 이로운 영향과 해로운 영향의 예를 각각 한 가지씩 쓰시오.

(1) 이로운 영향:

(2) 해로운 영향:

6 오른쪽 두 생물이 첨단 생명 과학을 통해 우리 생활에 활용되는 예를 각각 쓰시오.

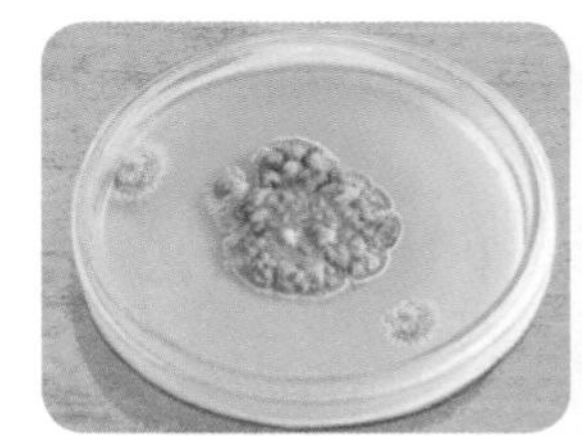
▲ 세균을 자라지 못하게 하는 균류

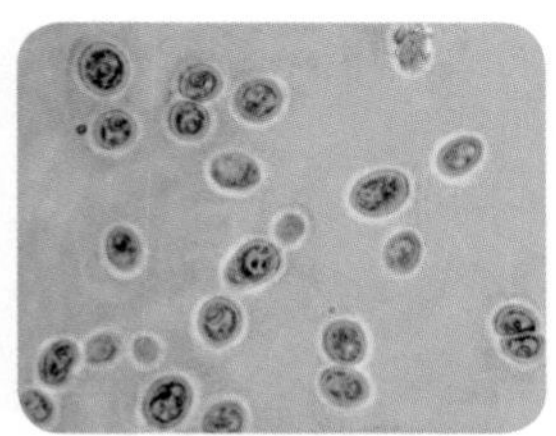
▲ 영양소가 풍부한 원생생물

세균을 자라지 못하게 하는 균류의 특성을 이용하여

영양소가 풍부한 원생생물은

중학교 개념 엿보기

생물을 분류하는 기본 단위, 종

우리 주변에는 동물, 식물 이외에도 균류, 원생생물, 세균 등과 같은 다양한 생물이 있어요. 이렇게 다양한 생물은 자연 상태에서 짝짓기를 하여 번식이 가능한 자손을 낳을 수 있는 무리를 뜻하는 '종'을 기준으로 분류할 수 있어요. 그럼 얼굴이 비슷하게 생긴 카라칼과 고양이는 같은 종일까요?

비슷한 얼굴 생김새 때문에 같은 종이라고 생각하기 쉽지만 두 동물은 짝짓기를 하여 번식이 가능한 새끼를 낳지 못하기 때문에 같은 종이 아니랍니다.

▲ 카라칼의 모습 ▲ 고양이의 모습

중학교에서
배워!

생물을 분류하는 기본 단위, 종

종은 생물 중 자연 상태에서 짝짓기하여 번식이 가능한 자손을 낳을 수 있는 생물 무리를 뜻하며, 생물을 분류하는 기본 단위야. 각각의 종은 특징이 서로 다르지만 어떤 종끼리는 특징이 비슷하지. 비슷한 특징을 지닌 종끼리 묶어서 더 큰 단위인 속으로 분류할 수 있어. 이와 같은 방식으로 생물을 종에서부터 점차 큰 단위로 묶으면 계까지 분류할 수 있지. 예를 들어 들고양이종은 다른 생물들과 함께 점차 큰 단위로 묶어 동물계로 분류할 수 있어.

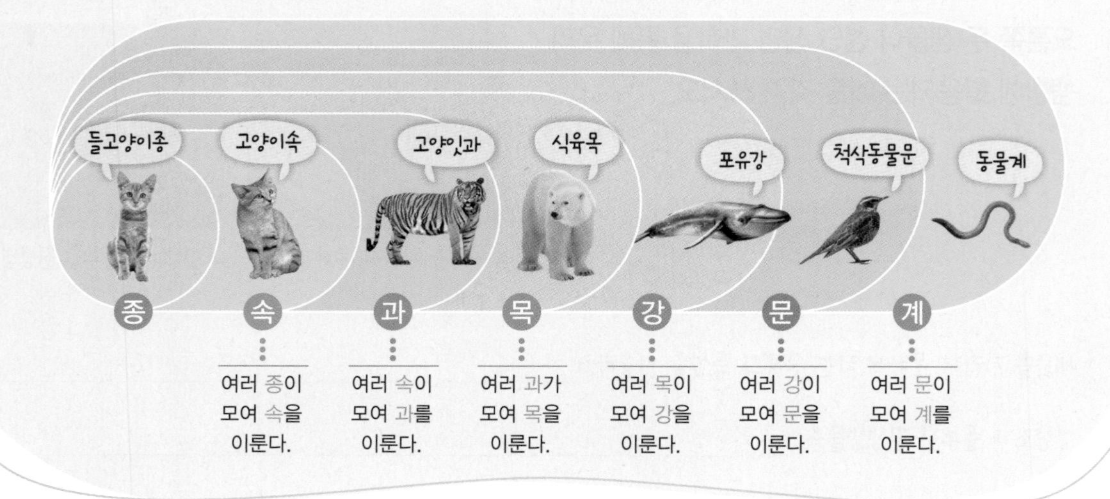
들고양이종
고양이속
고양잇과
식육목
포유강
척삭동물문
동물계
종
속
과
목
강
문
계
여러 종이 모여 속을 이룬다.
여러 속이 모여 과를 이룬다.
여러 과가 모여 목을 이룬다.
여러 목이 모여 강을 이룬다.
여러 강이 모여 문을 이룬다.
여러 문이 모여 계를 이룬다.

5

생물과 환경

이 단원을
들어가기
전에
생물과 환경을 나타낸 그림입니다.
들판에 숨은 물속에 사는
동물을 찾아보세요.
새우
해마
고래
조개
불가사리
오징어
미꾸라지
정답과 해설은
14쪽에 있어!

생물 요소 + 비생물 요소 = 생태계

우리 주변에는 동물과 식물처럼 살아 있는 '생물 요소'도 있고 공기, 햇빛, 물처럼 살아 있지 않은 '비생물 요소'도 있어요. 이처럼 **어떤 장소에서 서로 영향을 주고받는 생물 요소와 비생물 요소를 '생태계'라고 합니다.**

생물 요소	비생물 요소
소금쟁이, 붕어, 검정말, 수련, 연꽃, 개구리, 배추흰나비, 배추흰나비 애벌레, 배추, 참새, 곰팡이, 세균, 느티나무, 개망초 등	공기, 물, 온도, 햇빛, 흙 등

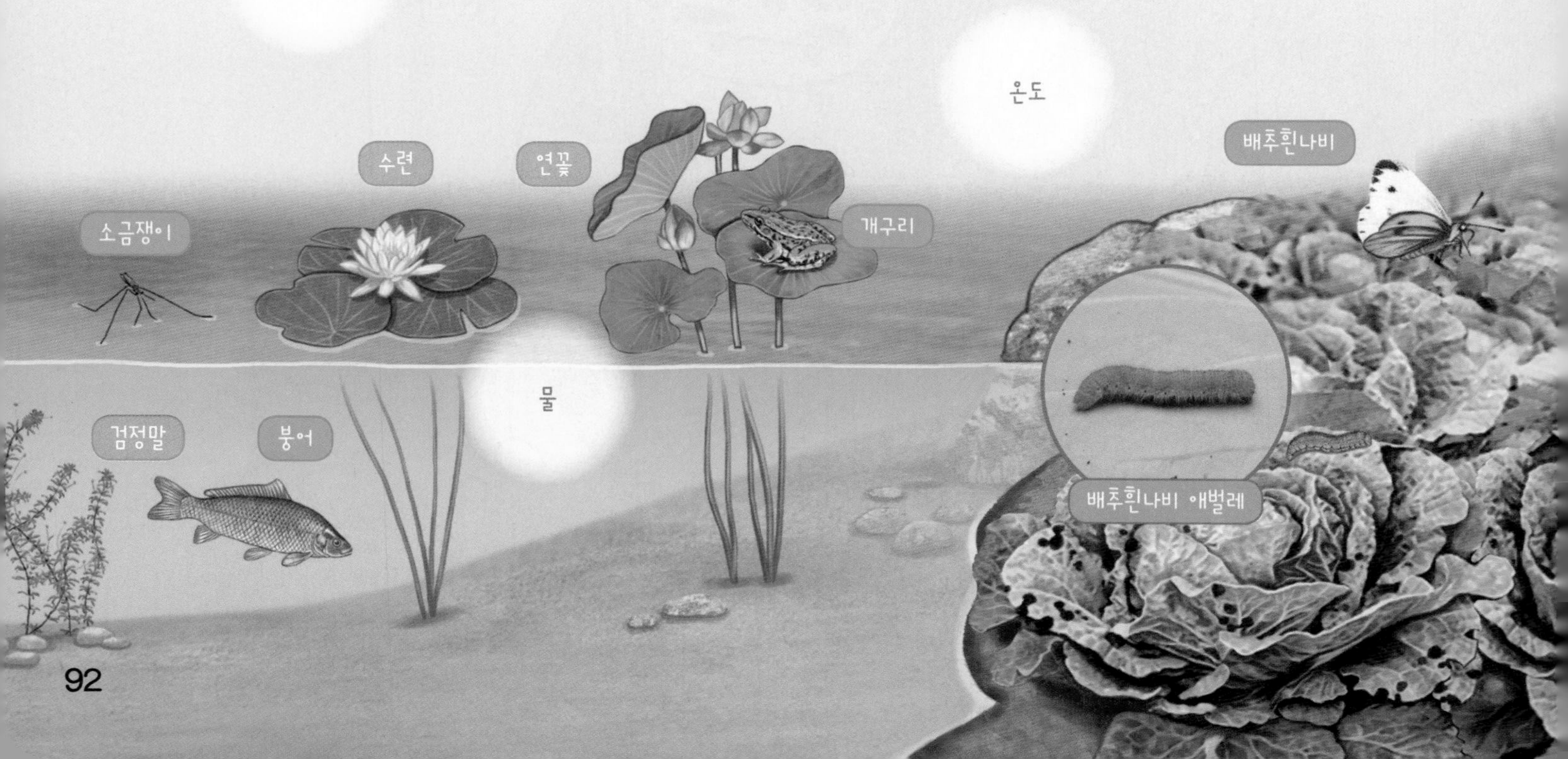

생태계의 생물 요소는 생물이 살아가는 데 필요한 양분을 얻는 방법에 따라 생산자, 소비자, 분해자로 분류할 수 있어요.

생산자	햇빛 등을 이용하여 살아가는 데 필요한 양분을 스스로 만드는 생물
소비자	스스로 양분을 만들지 못하고 다른 생물을 먹이로 하여 살아가는 생물
분해자	주로 죽은 생물이나 배출물을 분해하여 양분을 얻는 생물

만약 생태계에서 생산자가 없어진다면 생산자를 먹는 소비자는 먹이가 없어서 죽게 되고, 그 다음 단계 소비자 역시 먹이가 없어서 죽게 돼요. 결국 생태계의 모든 생물이 멸종될 거예요. 그리고 분해자가 없어진다면 죽은 생물과 생물의 배출물이 분해되지 않아 우리 주변이 죽은 생물과 배출물로 가득 차게 될 거예요.

먹고 먹혀! 먹이 사슬과 먹이 그물

생태계 생물은 서로 먹고 먹히는 관계에 있어요. 메뚜기는 벼를 먹고, 개구리는 메뚜기를 먹지요. 벼 → 메뚜기 → 개구리의 연결과 같이 **생태계에서 생물 먹이 관계가 사슬처럼 연결되어 있는 것을 '먹이 사슬'이라고 해요.**

먹이 사슬

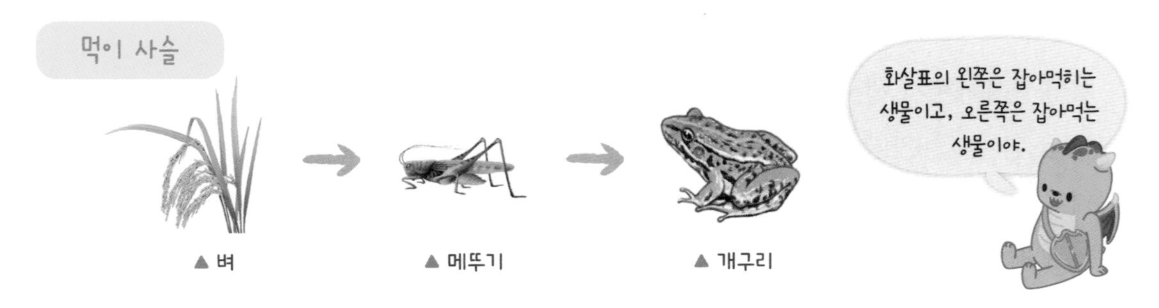

▲ 벼 ▲ 메뚜기 ▲ 개구리

그런데 메뚜기는 벼 외의 다른 먹이도 먹고, 개구리는 메뚜기 외의 다른 먹이도 먹어요. 이처럼 **생태계에서 여러 개의 먹이 사슬이 얽혀 그물처럼 연결되어 있는 것을 '먹이 그물'이라고 해요.**

먹이 그물

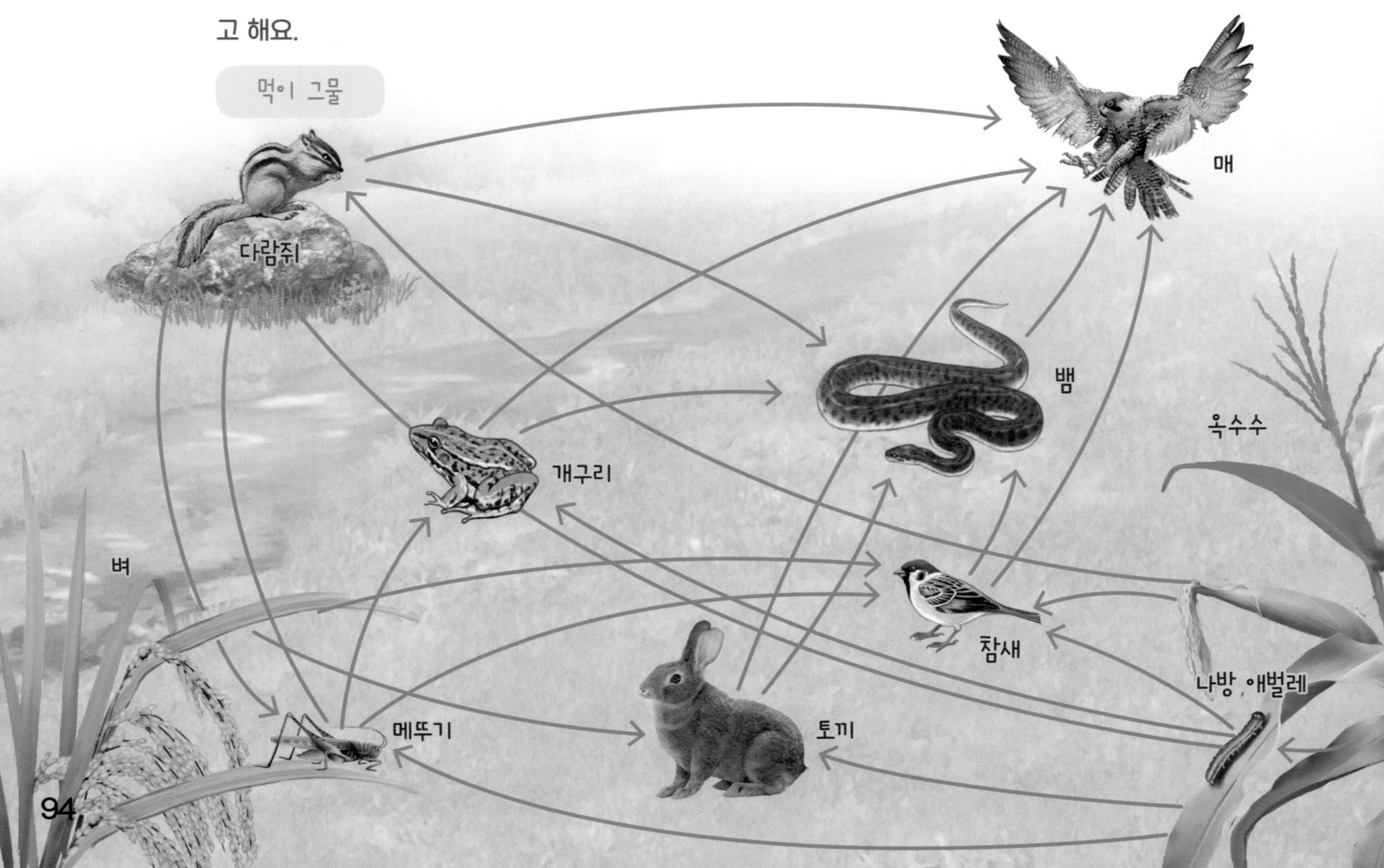

먹이 관계 놀이 하기

먹이 사슬 만들기

❶ 생물 한 가지를 골라 이름표에 생물의 이름을 적고, 이름표를 목에 겁니다.

❷ 자신이 고른 생물과 먹이 관계에 있는 생물의 이름표를 가진 친구와 손을 잡고 먹이 사슬을 만듭니다.

먹이 그물 만들기

❶ 생물 한 가지를 골라 이름표에 생물의 이름을 적고, 이름표를 목에 겁니다.

❷ 자신이 고른 생물과 먹이 관계에 있는 친구를 찾은 후 친구의 줄을 잡아 먹이 그물을 만듭니다.

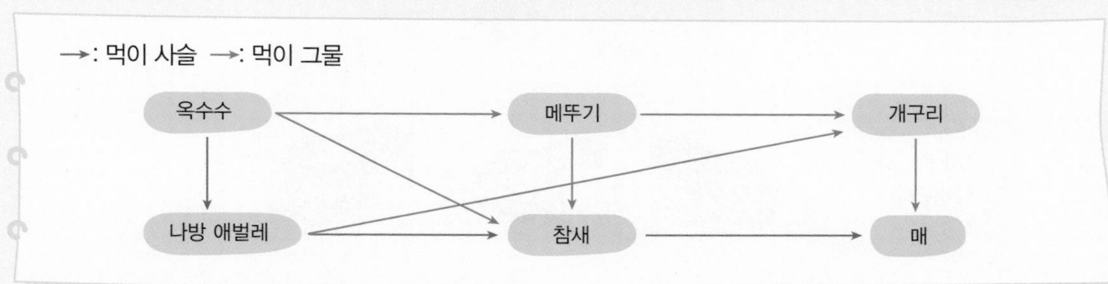

먹이 사슬과 먹이 그물은 어떠한 공통점과 차이점이 있는지 알아봐요.

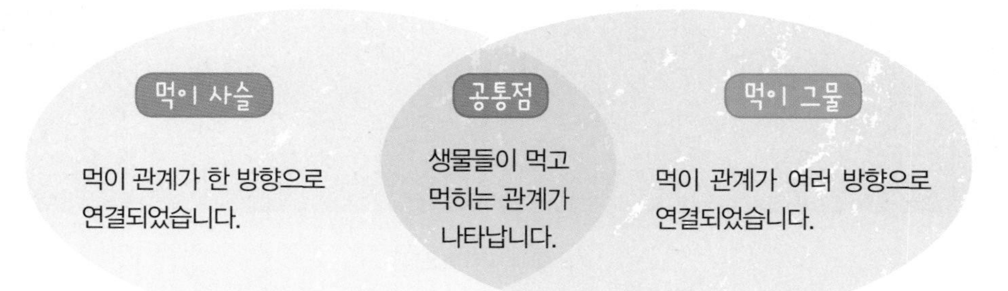

먹이 사슬과 먹이 그물 중 생태계에서 여러 생물들이 함께 살아가기에 더 유리한 먹이 관계는 먹이 그물입니다. 그 까닭은 먹이 그물에서는 생물의 먹고 먹히는 관계가 여러 방향으로 연결되어 있어 어느 한 종류의 먹이가 부족해지더라도 다른 먹이를 먹고 살 수 있기 때문이에요.

어떻게 유지돼? 생태계

생태계 안에서 생산자를 먹이로 하는 생물을 1차 소비자, 1차 소비자를 먹이로 하는 생물을 2차 소비자, 마지막 단계의 소비자를 최종 소비자라고 해요. 생태계에서는 생산자가 가장 많은 수나 양을 차지하며, 생물의 수는 먹이 단계가 올라갈수록 줄어들어요. 그래서 **먹이 단계별로 생물의 수를 쌓아 올리면 피라미드 모양을 이루는데, 이를 '생태 피라미드'라고 합니다.**

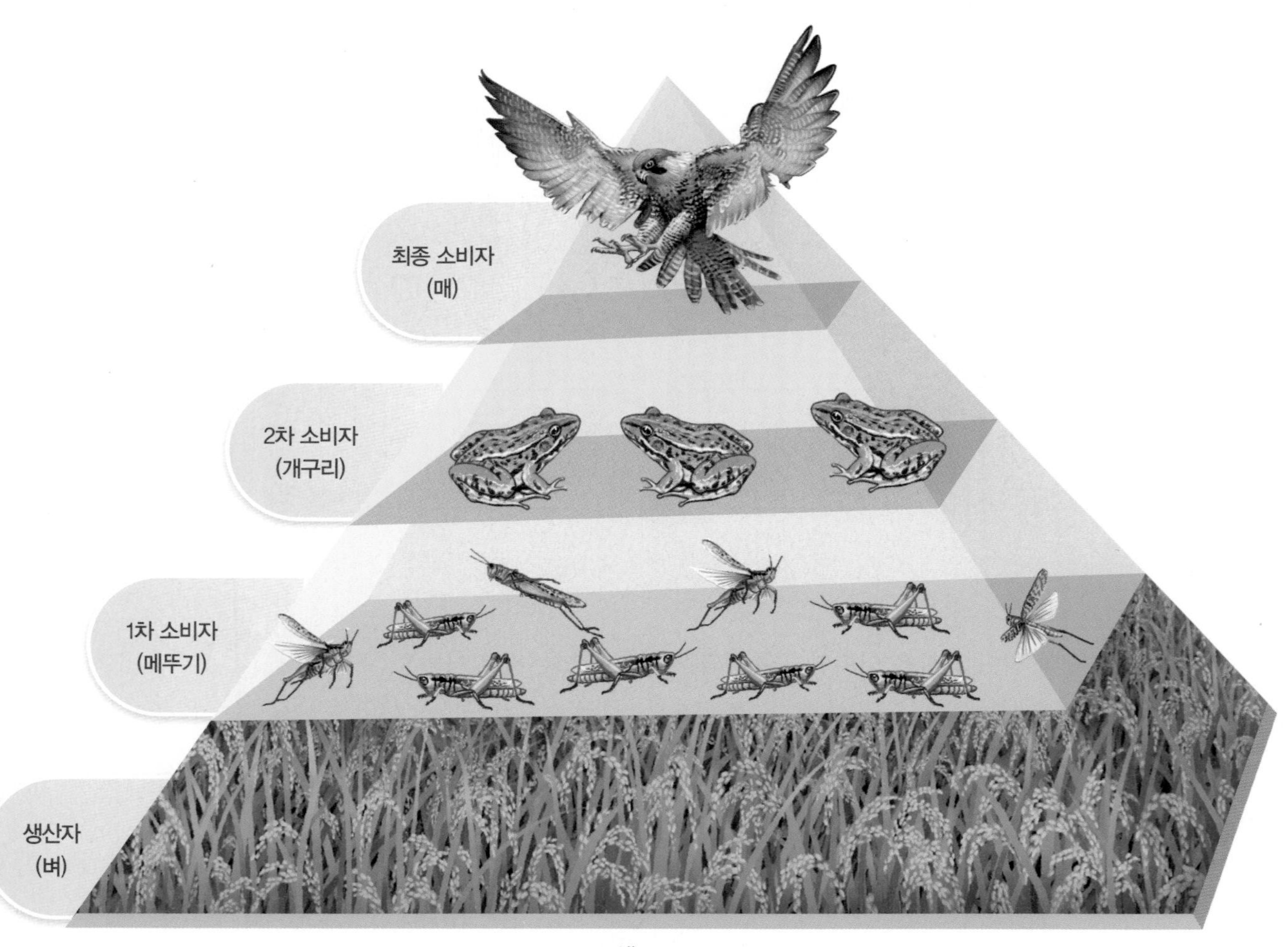

▲ 생태 피라미드

위 생태 피라미드에서 1차 소비자인 메뚜기의 수가 갑자기 늘어나면 생산자의 수나 양은 줄어들고, 2차 소비자와 최종 소비자의 수나 양은 증가해요. 이렇게 1차 소비자의 증가로 생산자와 2차 소비자, 최종 소비자의 수나 양은 일시적으로 변하지만 오랜 시간이 지나면 생태계는 다시 평형을 되찾아요.

어떤 지역에 살고 있는 생물의 종류와 수 또는 양이 균형을 이루며 안정된 상태를 유지하는 것을 '생태계 평형'이라고 해요. 하지만 특정 생물의 수나 양이 갑자기 늘어나거나 줄어들면 생태계 평형이 깨지기도 해요.

생태계 평형이 깨지는 원인에는 가뭄, 홍수, 태풍, 지진 등 자연적인 요인과 댐, 도로, 건물 건설 등 인위적인 요인도 있어.

어느 국립 공원의 생물 이야기

무분별한 늑대 사냥 | 늑대 수 감소

❶ 어느 국립 공원에서 늑대는 주로 강가에서 사슴을 잡아먹으며 살았습니다. 그런데 몇 년에 걸쳐 사람들이 무분별하게 늑대를 사냥하면서 1926년 무렵 국립 공원에 사는 늑대는 모두 사라졌습니다.

늑대가 사라진 뒤 | 사슴 수 증가, 비버 수 감소

❷ 사슴의 수는 빠르게 늘어났고, 사슴은 강가의 풀과 나무 등을 닥치는 대로 먹었습니다. 그 결과 강가의 풀과 나무가 제대로 자라지 못하였고, 나무로 집을 짓고 나뭇가지를 먹는 비버가 국립 공원에서 거의 사라졌습니다.

늑대를 다시 풀어놓은 뒤 | 사슴 수 감소

❸ 1995년, 국립 공원에 늑대를 다시 풀어놓자 사슴의 수는 조금씩 줄어들었습니다. 사슴이 늑대가 자주 나타나는 강가를 피하면서 강가의 풀과 나무 등의 식물이 다시 자라나기 시작했습니다.

오랜 시간이 지난 뒤 | 늑대와 사슴 수 유지, 비버 수 증가

❹ 오랜 시간에 걸쳐 국립 공원의 생태계는 점점 평형을 되찾았습니다. 늑대와 사슴의 수는 적절하게 유지되고, 강가의 풀과 나무도 잘 자라게 되었습니다. 그 결과 비버의 수도 늘어나게 되었습니다.

어느 국립 공원의 생물 이야기에서 알 수 있듯이 깨진 생태계 평형을 다시 회복하려면 아주 오랜 시간과 노력이 필요해요.

재미있는 개념 퀴즈!

1 주원이와 친구들이 학교 이곳저곳에서 생물 카드를 다섯 장씩 찾았어요. 주원이와 친구들 중에서 소비자 카드를 가장 많이 찾은 사람은 누구인지 쓰세요.

2 왼쪽 카드에 적혀 있는 생물을 먹고 먹히는 관계에 맞게 나열하여 나열한 카드의 글자를 순서대로 쓰면 오른쪽 문장을 완성할 수 있어요. 빈칸에 들어갈 글자를 쓰세요.

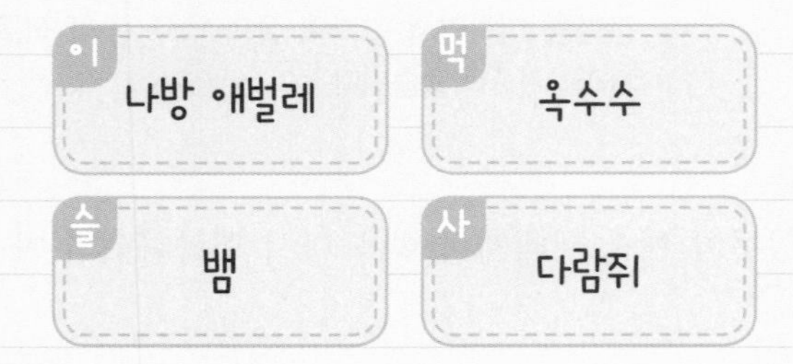

생태계에서 생물 먹이 관계가 사슬처럼 연결되어 있는 것을 ☐☐ ☐☐ (이)라고 합니다.

3 다음 생태 피라미드의 특징을 보고, 생태 피라미드의 모양으로 바른 것을 찾아 번호를 쓰세요.

특징
- 생태계에서 생산자가 가장 많은 수나 양을 차지합니다.
- 생물의 수는 먹이 단계가 올라갈수록 줄어듭니다.

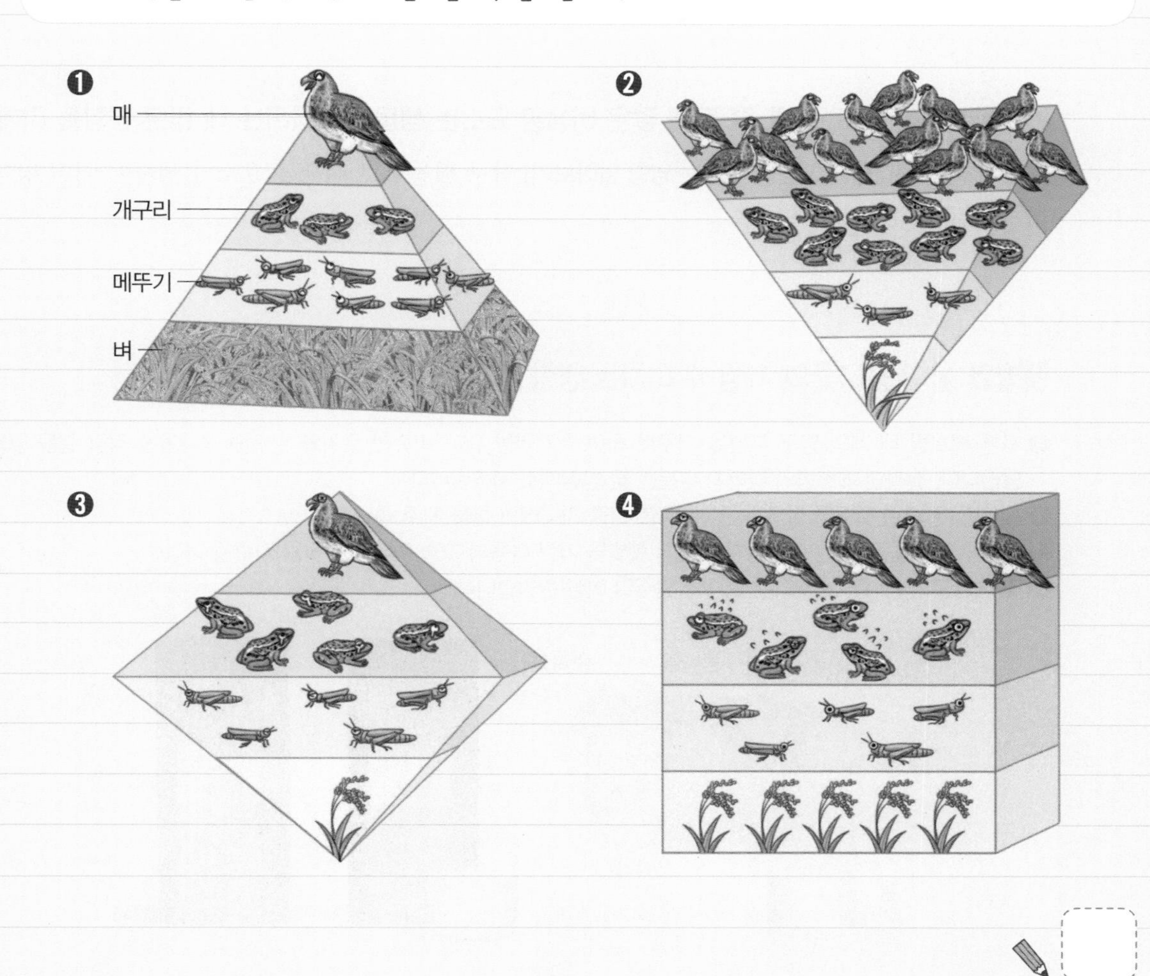

정답과 해설 15쪽

생물 요소에 영향을 미쳐, 비생물 요소!

햇빛, 물, 온도, 공기, 흙 등과 같은 비생물 요소는 생물이 살아가는 데 많은 영향을 미쳐요. [햇빛과 물이 콩나물의 자람에 미치는 영향 알아보기] 탐구 활동으로 비생물 요소가 생물에 어떤 영향을 미치는지 알아봐요.

햇빛과 물이 콩나물의 자람에 미치는 영향 알아보기

❶ 자른 페트병 네 개의 입구 부분을 거꾸로 하여 탈지면을 깔고 비슷한 굵기와 길이의 콩나물을 각각 같은 양으로 담습니다. 잘라낸 페트병의 나머지 부분은 물 받침대로 사용합니다.
❷ 페트병 두 개는 햇빛이 잘 드는 곳에 두고, 그중 하나에만 물을 자주 줍니다.
❸ 나머지 페트병 두 개는 어둠상자로 덮어 햇빛을 가린 다음에 그중 하나에만 물을 자주 줍니다.
❹ 각 페트병의 콩나물이 자라는 모습을 일주일 이상 관찰합니다.

- 떡잎과 떡잎 아래 몸통이 초록색으로 변했습니다.
- 떡잎 아래 몸통이 길고 굵어졌으며, 햇빛을 향하여 굽어 자랐습니다.
- 초록색 본잎이 나왔습니다.

- 떡잎이 연한 초록색으로 변했습니다.
- 떡잎 아래 몸통이 가늘어지고 시들었습니다.

- 떡잎이 노란색이고, 떡잎 아래 몸통이 곧고 길게 자랐습니다.
- 노란색 본잎이 나왔습니다.

떡잎이 노란색이고, 떡잎 아래 몸통이 매우 가늘어지고 시들었습니다.

햇빛이 잘 드는 곳에서 물을 준 콩나물이 가장 잘 자란 것으로 보아, 콩나물과 같은 식물이 자라는 데 햇빛과 물이 영향을 줍니다.

비생물 요소가 생물에 미치는 영향

물

- 생물이 생명을 유지하는 데 반드시 필요합니다.
- 물이 부족한 사막에서 사는 생물은 물의 손실을 최소화하며 살아갑니다.

공기

공기가 없으면 사람과 같은 동물은 숨을 쉴 수 없습니다.

흙

흙이 없으면 민들레와 같은 식물은 잘 자라지 못합니다.

비생물 요소가 생물에 미치는 영향

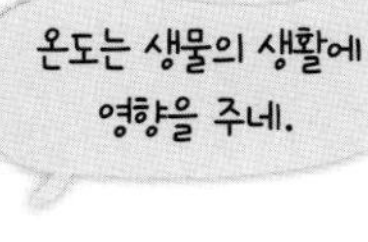

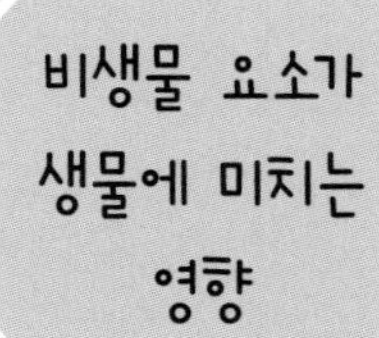

햇빛

- 식물이 양분을 만들고, 동물이 물체를 보는 데 필요합니다.
- 꽃이 피는 시기와 동물의 번식 시기에도 영향을 줍니다.

온도

- 철새는 먹이를 구하거나 새끼를 기르기에 온도가 적절한 장소로 이동합니다.
- 추운 계절이 다가오면 개나 고양이는 털갈이를 합니다.
- 식물의 잎에 단풍이 들거나 낙엽이 집니다.

서식지 환경에서 살아남기, 적응!

생물이 사는 곳을 '서식지'라고 합니다. 지구에는 숲, 강, 바다, 사막 등 다양한 서식지가 있어요. 생물은 각 서식지 환경에서 살아남기에 유리한 특징을 지녀야 자손을 남길 수 있어요. 사막, 북극, 고원 같은 서로 다른 서식지에서 잘 살아남은 여우 가족의 특징을 살펴봐요.

상아색의 모래로 뒤덮여 있으며, 매우 덥고 건조한 사막

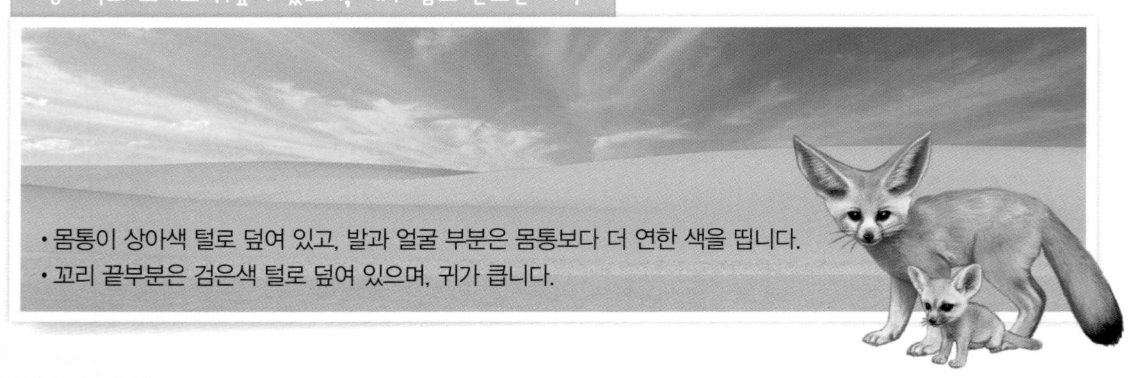

- 몸통이 상아색 털로 덮여 있고, 발과 얼굴 부분은 몸통보다 더 연한 색을 띱니다.
- 꼬리 끝부분은 검은색 털로 덮여 있으며, 귀가 큽니다.

흰 눈으로 뒤덮여 있으며, 매우 추운 북극

- 몸 전체가 하얀색 털로 덮여 있습니다.
- 코와 눈 부분은 까맣고 온몸에 털이 많이 나 있으며, 귀가 작습니다.

연한 황토색의 마른 풀과 연한 회색의 돌로 덮여 있는 건조한 고원

서식지 환경과 털 색깔이 비슷하면 적에게서 몸을 숨기거나 먹잇감에 접근하기 유리해.

- 배 부분에는 회색의 털이 있고, 등 부분에는 황토색의 털이 있습니다.
- 꼬리 털이 덥수룩하고 주둥이가 좁고 돌출되었습니다.

특정한 서식지에서 오랜 기간에 걸쳐 살아남기에 유리한 특징이 자손에게 전달되는 것을 '적응'이라고 해요. 생물은 생김새와 생활 방식 등을 통하여 환경에 적응됩니다. 생물들이 서식지 환경에 어떻게 적응되어 살아남았는지 알아봐요.

생김새를 통한 적응

선인장의 굵은 줄기와 뾰족한 가시

굵은 줄기와 뾰족한 가시를 통해 건조한 환경에서 살아가기 유리하게 적응되었습니다.

대벌레의 가늘고 길쭉한 몸

가늘고 길쭉한 생김새를 통해 나뭇가지가 많은 환경에서 몸을 숨기기 유리하게 적응되었습니다.

밤송이의 가시

가시를 통해 밤을 먹으려고 하는 적(포식자)에게서 밤을 보호하기 유리하게 적응되었습니다.

생활 방식을 통한 적응

철새의 다른 지역으로 이동하는 행동

다른 지역으로 이동하는 행동을 통해 계절별 온도 차가 큰 환경에서 살아가기 유리하게 적응되었습니다.

다람쥐의 겨울잠

겨울잠을 자는 행동을 통해 몸에 저장된 양분을 천천히 사용하여 추운 겨울을 지내기 유리하게 적응되었습니다.

공벌레의 몸을 오므리는 행동

몸을 오므리는 행동을 통해 적(포식자)의 공격에서 몸을 보호하기 유리하게 적응되었습니다.

생물에 해로워, 환경 오염!

사람들의 활동으로 자연환경이나 생활 환경이 더럽혀지거나 훼손되는 현상을 '환경 오염'이라고 해요. 환경 오염은 다양한 형태로 우리 주변에서 일어나고 있으며, 생물에 해로운 영향을 줍니다.

대기 오염(공기 오염)

자동차나 공장의 매연 배출 등으로 공기가 오염됩니다.

- 황사나 미세 먼지로 동물의 호흡 기관에 이상이 생기거나 동물이 병에 걸립니다.
- 자동차의 배기가스는 생물의 성장에 피해를 주기도 합니다.

토양 오염(흙 오염)

쓰레기 배출, 농약이나 비료의 지나친 사용 등으로 흙이 오염됩니다.

- 쓰레기를 매립하면 토양이 오염되어 주변에 심각한 악취가 납니다.
- 토양이 사막화되면 식물이 잘 자라지 못하거나 죽기도 합니다.

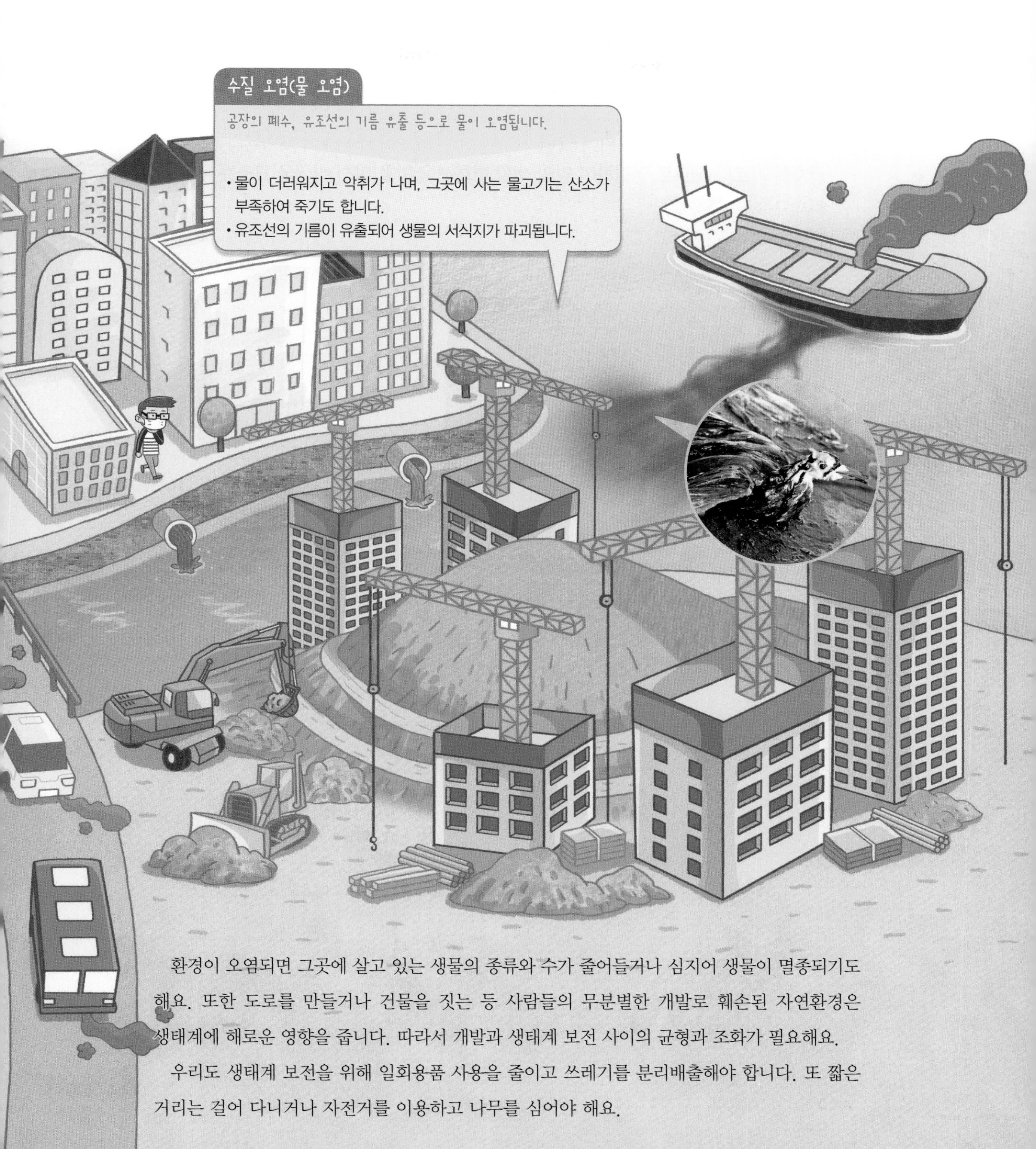

수질 오염(물 오염)
공장의 폐수, 유조선의 기름 유출 등으로 물이 오염됩니다.
• 물이 더러워지고 악취가 나며, 그곳에 사는 물고기는 산소가 부족하여 죽기도 합니다.
• 유조선의 기름이 유출되어 생물의 서식지가 파괴됩니다.

환경이 오염되면 그곳에 살고 있는 생물의 종류와 수가 줄어들거나 심지어 생물이 멸종되기도 해요. 또한 도로를 만들거나 건물을 짓는 등 사람들의 무분별한 개발로 훼손된 자연환경은 생태계에 해로운 영향을 줍니다. 따라서 개발과 생태계 보전 사이의 균형과 조화가 필요해요.

우리도 생태계 보전을 위해 일회용품 사용을 줄이고 쓰레기를 분리배출해야 합니다. 또 짧은 거리는 걸어 다니거나 자전거를 이용하고 나무를 심어야 해요.

재미있는 개념 퀴즈!

1 여름에 초록색이던 나뭇잎의 색깔이 가을이 되니 울긋불긋하게 변했어요. 다음 글자판에서 글자를 가로나 세로로 연결하여 잎의 색깔 변화에 영향을 미친 비생물 요소는 무엇인지 ○표 하세요.

카	햇	빛	가
물	나	온	돌
공	기	도	멩
사	흙	마	이

2 외계인이 자신이 살고 있는 행성에 여우 가족을 초대했어요. 외계인이 살고 있는 행성에 놀러 갔을 때 가장 잘 살아남을 수 있는 여우 가족을 찾아 기호를 쓰세요.

초대합니다.
내가 사는 행성으로
너희 가족을 초대할게.
내가 사는 행성은 온통
흰 눈으로 뒤덮여 있고
매우 추워.

㉠ 

㉡ 

㉢ 

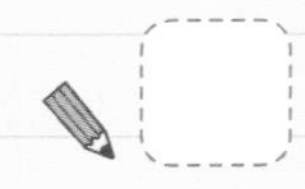

3

생물들이 각자 서식지 환경에 적응된 모습을 설명하고 있어요. 서식지 환경에 적응된 모습을 잘못 설명한 생물은 무엇인지 쓰세요.

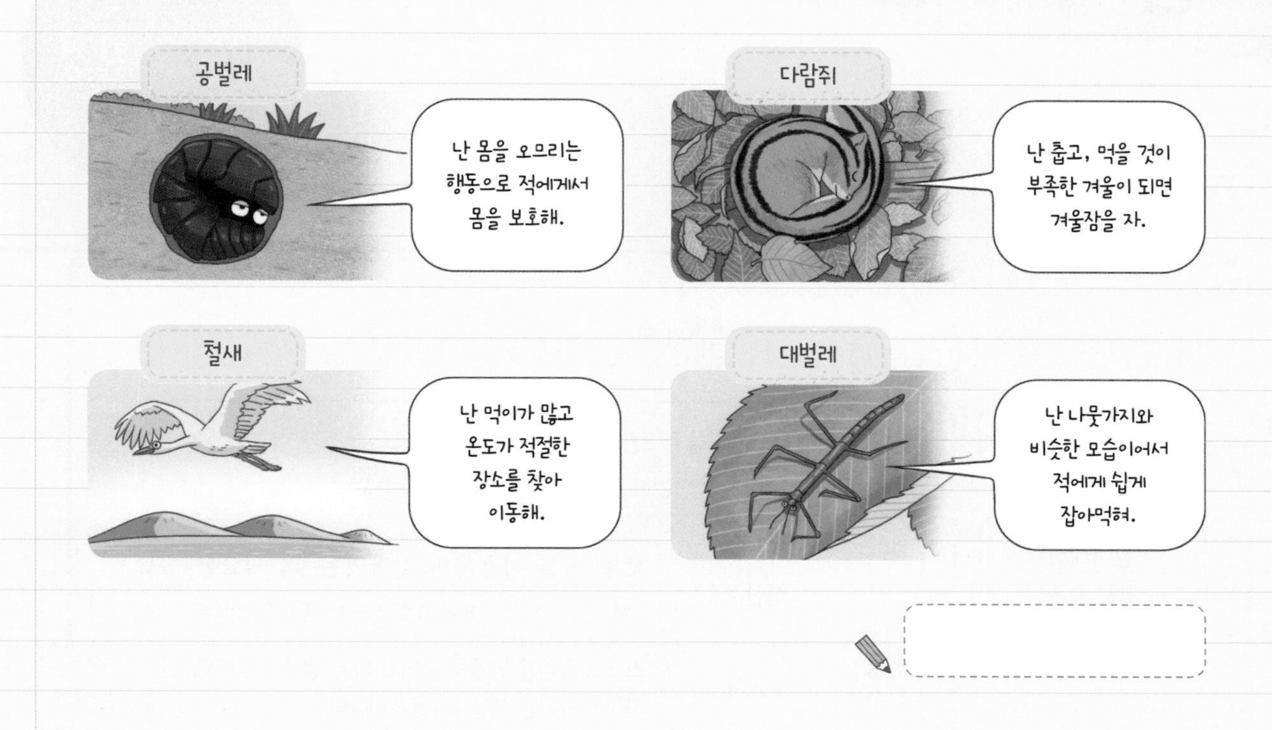

4

두더지 잡기 놀이를 하고 있어요. 두더지가 들고 있는 카드에 환경 오염의 원인이 적힌 두더지만 잡을 수 있어요. 잡으면 안 되는 두더지를 찾아 ○표 하세요.

개념 잡는

생각 그물!

생물과 환경

생태계

뜻	어떤 장소에서 서로 영향을 주고받는 생물 요소와 비생물 요소

생태계의 구성 요소

생물 요소	생산자	햇빛 등을 이용하여 살아가는 데 필요한 ❶ ( )을 스스로 만드는 생물 예 배추
	소비자	스스로 양분을 만들지 못하고 다른 생물을 먹이로 하여 살아가는 생물 예 배추흰나비
	❷ ( )	주로 죽은 생물이나 배출물을 분해하여 양분을 얻는 생물 예 곰팡이
비생물 요소		온도, 햇빛, 물, 공기, 흙 등

생태계 유지 방법

생태계를 구성하는 생물의 먹이 관계

❸ ( )	❹ ( )
생물 먹이 관계가 사슬처럼 연결되어 있는 것	여러 개의 먹이 사슬이 얽혀 그물처럼 연결되어 있는 것

생태계의 유지 방법

- **생태 피라미드**: 먹이 단계별로 생물의 수를 쌓아 올리면 ❺ (   ) 모양을 이루는 것
- **생태계 평형**: 어떤 지역에 살고 있는 생물의 종류와 수 또는 양이 균형을 이루며 안정된 상태를 유지하는 것

▲ 생태 피라미드

비생물 요소가 생물에 미치는 영향

온도	햇빛	물
철새의 이동, 식물의 잎에 단풍이 들거나 낙엽이 지는 것 등에 영향을 줌.	식물이 양분을 만드는 데 꼭 필요하고, 동물이 물체를 보는 데 필요함.	생물이 ❻ ______ 을 유지하는 데 반드시 필요함.

생물의 적응과 환경 오염이 생물에 미치는 영향

적응

- 특정한 서식지에서 오랜 기간에 걸쳐 살아남기에 유리한 특징이 ❼ ______ 에게 전달되는 것
- 생물은 생김새와 생활 방식 등을 통하여 ❽ ______ 환경에 적응됨.

생김새를 통한 적응	생활 방식을 통한 적응
대벌레의 몸, 밤송이의 가시	겨울잠을 자는 다람쥐, 몸을 오므리는 공벌레

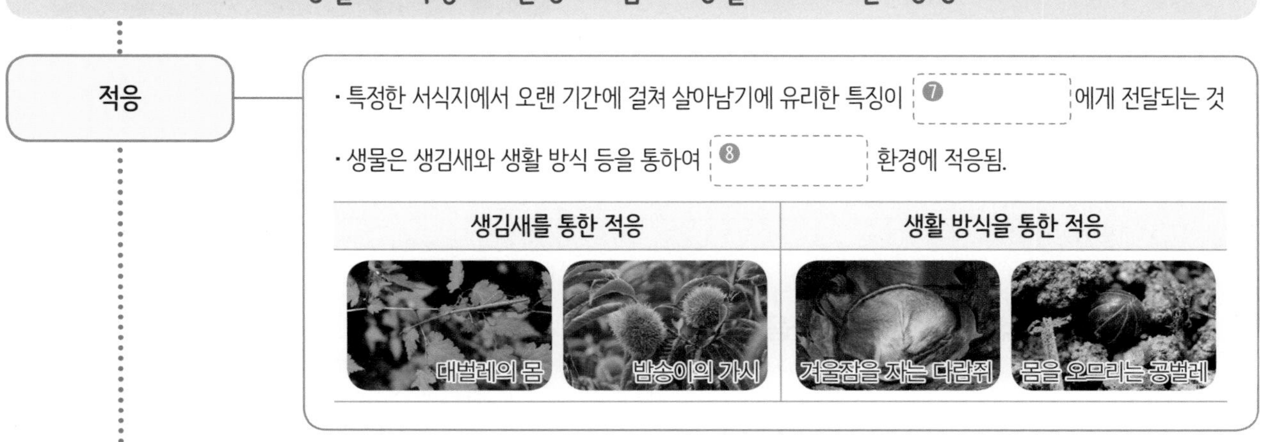

환경 오염

- ❾ ______ 들의 활동으로 자연환경이나 생활 환경이 더럽혀지거나 훼손되는 현상
- 환경 오염의 원인과 환경 오염이 생물에 미치는 영향

구분	원인	생물에 미치는 영향
❿ ______	자동차나 공장의 매연 등	동물이 병에 걸리거나 생물의 성장에 피해를 주기도 함.
수질 오염	폐수의 배출, 기름 유출 등	물고기가 죽거나 생물의 서식지가 파괴됨.
토양 오염	쓰레기 배출, 농약이나 비료의 지나친 사용 등	심각한 악취가 나거나 식물이 잘 자라지 못하고 죽기도 함.

개념 확인 체크! 체크!

- ☐ 생물 요소와 비생물 요소를 포함하는 생태계의 뜻을 이야기할 수 있어요. • 92~93쪽
- ☐ 생태계 생물의 먹이 관계와 생태계 유지 방법에 대해 이야기할 수 있어요. • 94~97쪽
- ☐ 비생물 요소가 생물에 미치는 영향을 이야기할 수 있어요. • 100~101쪽
- ☐ 다양한 환경에 적응된 생물의 특징을 이야기할 수 있어요. • 102~103쪽
- ☐ 환경 오염이 생물에 미치는 영향을 이야기할 수 있어요. • 104~105쪽

정답과 해설 15쪽

개념 잡는
수행 평가!

1 오른쪽 배추밭 주변의 모습을 보고, 생산자를 골라 기호를 쓰고, 생산자가 양분을 얻는 방법을 쓰시오.

(1) 생산자: (　　　　　　　　)

(2) 생산자가 양분을 얻는 방법: ________________

____

2~3 오른쪽 먹이 그물을 보고, 물음에 답하시오.

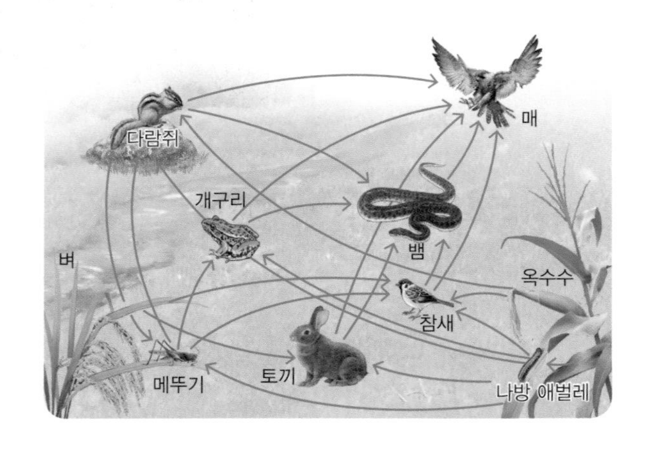

2 위 먹이 그물에서 벼, 다람쥐, 매의 먹고 먹히는 관계를 쓰시오.

____

____

3 위 먹이 그물은 먹이 사슬에 비하여 여러 생물들이 함께 살아가기에 유리합니다. 그 까닭을 쓰시오.

먹이 그물에서는 어느 한 종류의 먹이가 부족해지면 ________________

____

4~5 다음과 같이 굵기와 길이가 비슷하고 양이 같은 콩나물의 조건을 다르게 한 뒤 일주일 이상 콩나물의 자람을 관찰하였습니다. 물음에 답하시오.

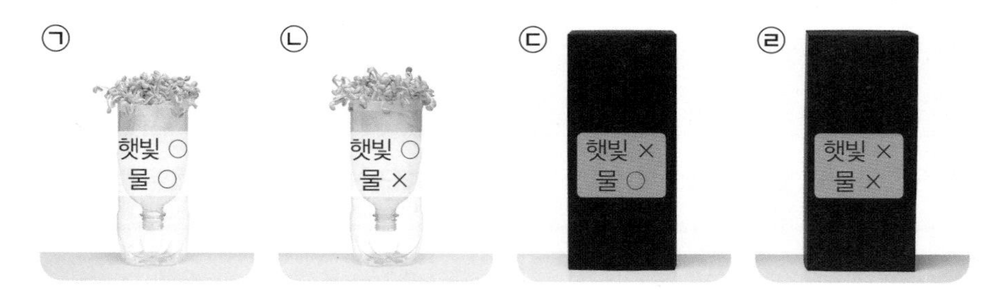

4

위 실험의 조건으로 보아 다음의 경우에 알 수 있는 콩나물의 자람에 영향을 미치는 비생물 요소를 각각 쓰시오.

(1) ㉠과 ㉡을 비교할 때: (　　　　　　　　　　)

(2) ㉠과 ㉢을 비교할 때: (　　　　　　　　　　)

5

위 실험 결과 가장 잘 자란 콩나물의 기호를 쓰고, 이 콩나물의 관찰 결과를 쓰시오.

(1) 가장 잘 자란 콩나물: (　　　　　　　　　　)

(2) 가장 잘 자란 콩나물의 관찰 결과: ______________________________

____

6

대기 오염이 생물에 미치는 영향을 두 가지 쓰시오.

- ______________________________
- ______________________________

정답과 해설 16쪽

소중한 생물을 보전하기 위한 노력

형! 「따오기」 노래에 나오는 따오기가 예전에는 우리나라에서 흔하게 볼 수 있는 생물이었대.

맞아. 따오기는 주로 논이나 습지에서 미꾸라지, 올챙이 등을 잡아먹으며 사는 생물이었어. 하지만 사람들이 병충해를 쫓기 위해 농약을 사용하면서 따오기의 먹이가 사라졌고, 더구나 사람들이 따오기를 사냥하면서 우리나라에서 더 이상 따오기를 볼 수 없게 되었어.

그럼, 앞으로도 우리나라에서 따오기는 볼 수 없는 거야? 나 따오기 보고 싶은데……

경상남도 창녕군 우포늪에 있는 따오기복원센터에서 따오기를 다른 나라에서 들여와 우리나라에 적응시킨 뒤 그 수를 늘리려고 노력하고 있어. 그러니까 우리가 모두 함께 생물 다양성 보전 활동을 한다면 따오기를 보게 될 수도 있을 거야.

▲ 따오기

생물 다양성 보전 활동에 나도 참여하고 싶어! 무엇을 하면 될까?

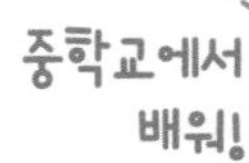

생물 다양성 보전을 위해 우리는 다른 생물과 더불어 살아가는 방법을 찾아서 실천해야 해. 개인이 할 수 있는 생물 다양성 보전 활동에는 쓰레기 따로 거두기, 친환경 농산물 이용하기, 옥상 정원과 같은 생물의 서식지 만들기, 모피로 만든 제품 사지 않기, 희귀한 동물을 애완용으로 기르지 않기 등이 있어.

국가와 지역 사회는 보호 구역을 지정하고, 도로 건설 등으로 끊어진 생태계를 연결하는 통로를 건설하며, 멸종 위기 생물을 복원하는 사업 등을 하고 있어. 또, 국제 사회는 여러 가지 협약을 맺어 생물 다양성을 보전하기 위해 노력하고 있어.

▲ 끊어진 생태계를 연결하는 통로

6

날씨와 우리 생활

엄마
쏴
아

이 단원을
들어가기
전에
날씨와 우리 생활을 나타낸 그림입니다.
숨은 그림 7개를 찾고
그중 엄마에게 필요한 것이
무엇인지 알아맞혀 보세요.
휘잉
아뜨뜨
N S
정답과 해설은
17쪽에 있어!

공기 중에 포함된 수증기의 양, 습도!

공기 중에 수증기가 포함된 정도를 '습도'라고 합니다. 습도는 습도계로 측정하며, 습도계의 종류는 다양합니다. 그중 건습구 습도계를 이용해 습도를 측정해 봐요.

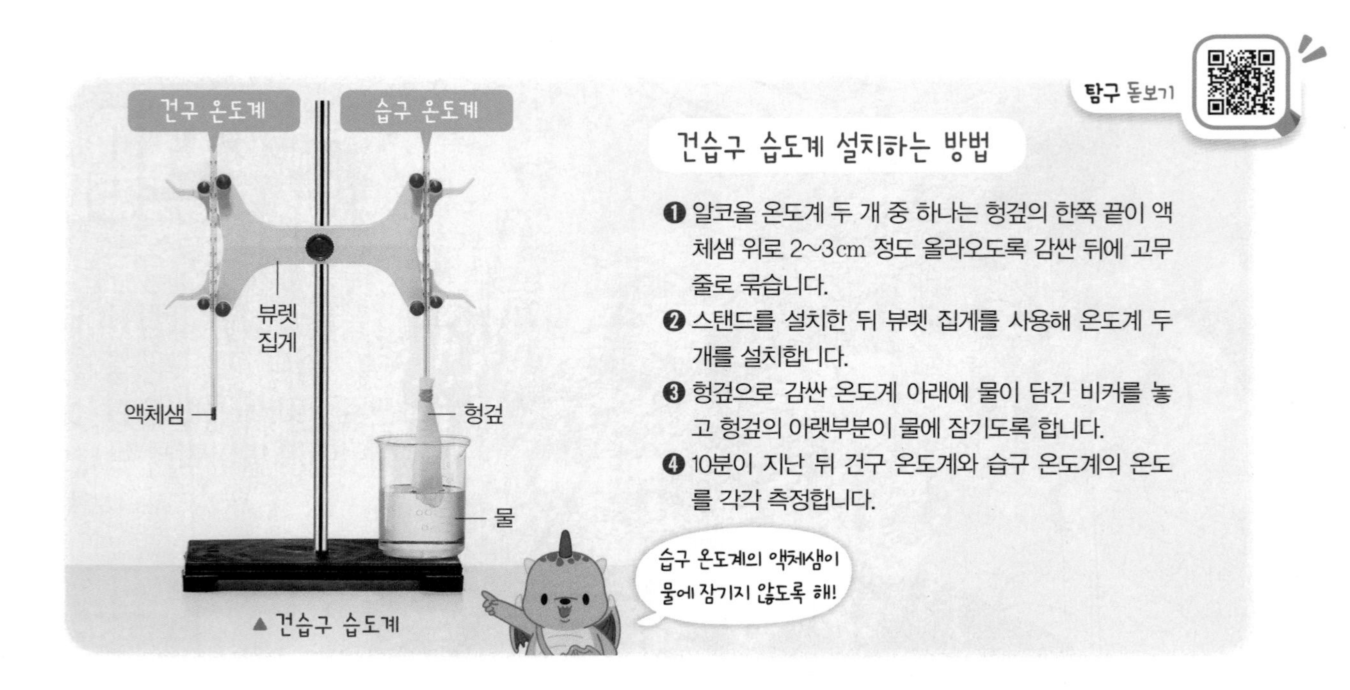

탐구 돋보기
건구 온도계
습구 온도계
뷰렛 집게
액체샘
헝겊
물
건습구 습도계 설치하는 방법
❶ 알코올 온도계 두 개 중 하나는 헝겊의 한쪽 끝이 액체샘 위로 2~3cm 정도 올라오도록 감싼 뒤에 고무줄로 묶습니다.
❷ 스탠드를 설치한 뒤 뷰렛 집게를 사용해 온도계 두 개를 설치합니다.
❸ 헝겊으로 감싼 온도계 아래에 물이 담긴 비커를 놓고 헝겊의 아랫부분이 물에 잠기도록 합니다.
❹ 10분이 지난 뒤 건구 온도계와 습구 온도계의 온도를 각각 측정합니다.
습구 온도계의 액체샘이 물에 잠기지 않도록 해!

▲ 건습구 습도계

건구 온도계와 습구 온도계의 온도를 측정했다면 습도표를 이용해 현재 습도를 구할 수 있어요. 건구 온도가 15.0 ℃이고, 습구 온도가 13.0 ℃일 때 현재 습도를 구해 봐요.

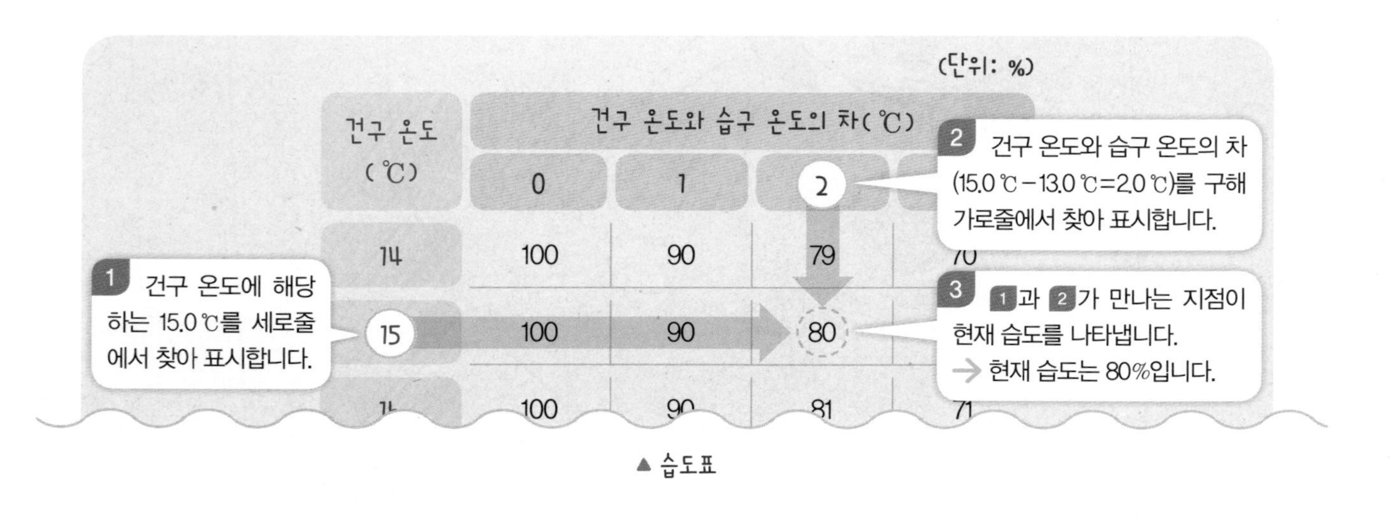

3 1과 2가 만나는 지점이 현재 습도를 나타냅니다. → 현재 습도는 80%입니다.

건구 온도 (℃)	건구 온도와 습구 온도의 차(℃)			
	0	1	2	
14	100	90	79	70
15	100	90	80	
16	100	90	81	71

▲ 습도표

습도가 우리 생활에 미치는 영향과 습도를 조절하는 방법을 알아봐요.

습도가 높을 때 미치는 영향

- 곰팡이가 잘 핍니다.
- 빨래가 잘 마르지 않습니다.
- 음식물이 부패하기 쉽습니다.

조절 방법

▲ 옷장이나 신발장에 제습제를 넣으면 습도를 낮출 수 있습니다.

▲ 마른 숯을 실내에 놓아두면 습도를 낮출 수 있습니다.

습도가 낮을 때 미치는 영향

- 피부가 건조해집니다.
- 산불이 발생하기 쉽습니다.
- 감기와 같은 호흡기 질환이 생기기 쉽습니다.

조절 방법

▲ 겨울철 가습기를 사용하면 습도를 높일 수 있습니다.

▲ 실내에 빨래를 널면 습도를 높일 수 있습니다.

어떻게 만들어져? 이슬, 안개

이슬 알아보기

'이슬'은 밤에 차가워진 나뭇가지나 풀잎 표면 등에 수증기가 응결해 물방울로 맺히는 것이에요.

▲ 주로 새벽이나 이른 아침에 볼 수 있는 이슬

우리 생활에서 이슬과 비슷한 원리로 나타나는 현상

- 목욕탕 거울이 뿌옇게 흐려집니다.
- 아이스크림이 든 포장지에 물방울이 맺힙니다.
- 냉장고에서 꺼낸 음료수병 표면에 물방울이 생깁니다.

추운 날, 실내로 들어왔을 때 안경알 표면이 뿌옇게 흐려지는 것도 같은 원리야.

[이슬 발생 실험하기] 탐구 활동을 통해 이슬이 어떻게 만들어지는지 확인해 봐요.

이슬 발생 실험하기

❶ 집기병에 물과 조각 얼음을 $\frac{2}{3}$ 정도 넣습니다.

❷ 집기병 표면을 마른 수건으로 닦은 뒤, 집기병 표면에서 나타나는 변화를 관찰합니다.

→

집기병 바깥에 있는 공기 중 수증기가 응결해 집기병 표면에서 물방울로 맺힙니다.

안개 알아보기

'안개'는 밤에 지표면 근처의 공기가 차가워지면 공기 중 수증기가 응결해 작은 물방울로 떠 있는 것입니다. [안개 발생 실험하기] 탐구 활동을 통해 안개가 어떻게 만들어지는지 확인해 봐요.

▲ 주로 새벽이나 이른 아침에 볼 수 있는 안개

안개 발생 실험하기

❶ 집기병에 따뜻한 물을 가득 넣어 안을 데운 뒤 물을 버리고, 불을 붙인 향을 넣었다가 뺍니다.
❷ 조각 얼음이 담긴 페트리 접시를 집기병 위에 올려놓고, 집기병 안에서 나타나는 변화를 관찰합니다.

집기병 안 따뜻한 수증기가 조각 얼음 때문에 차가워져 응결하여 뿌옇게 흐려집니다.

어떻게 만들어져? 구름, 비, 눈

공기는 지표면에서 하늘로 올라가면서 부피가 점점 커지고 온도는 점점 낮아져요. 이때 **공기 중 수증기가 응결해 물방울이 되거나 얼음 알갱이 상태로 변해 하늘에 떠 있는 것을 '구름'이라고 해요.** [구름 발생 실험하기] 탐구 활동을 통해 구름이 어떻게 만들어지는지 확인해 봐요.

구름 발생 실험하기

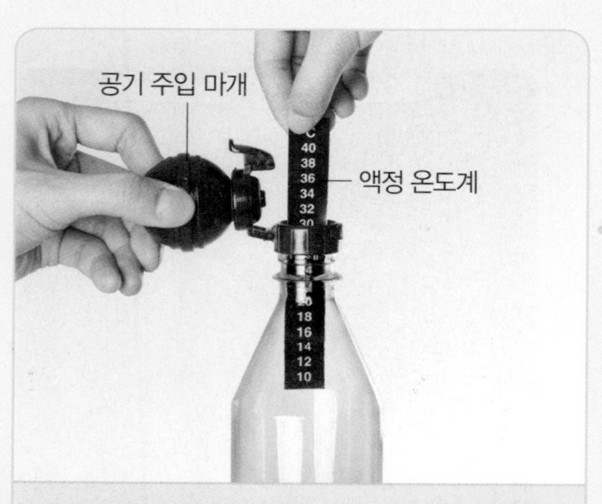

❶ 페트병에 액정 온도계를 넣은 뒤, 공기 주입 마개로 닫습니다.

액정 온도계에서 초록색으로 변한 부분의 온도를 읽어야 해.
26
24
22
20
18

❷ 공기 주입 마개를 눌러 페트병 안에 공기를 넣습니다. 페트병 안 온도가 더 이상 변하지 않으면 페트병 안 온도를 측정합니다. → 22 ℃

구름 속 물방울이나 얼음 알갱이의 크기가 커지면서 무거워져 떨어지면 비나 눈이 돼요. '비'는 구름 속 작은 물방울이 합쳐지면서 무거워져 떨어지거나, 크기가 커진 얼음 알갱이가 무거워져 떨어지면서 녹은 것이에요. 한편 '눈'은 구름 속 얼음 알갱이의 크기가 커지면서 무거워져 떨어질 때 녹지 않은 채로 떨어지는 것입니다.

구름 속 얼음 알갱이가 녹지 않은 채로 떨어지면 눈이 됩니다. ▶

◀ 구름 속 물방울이 떨어지거나 얼음 알갱이가 떨어지면서 녹으면 비가 됩니다.

탐구 돋보기

❸ 공기 주입 마개 뚜껑을 열어 페트병 안 온도를 측정하고, 이때 나타나는 변화를 관찰합니다.
→ 18 ℃

결과

공기 주입 마개 뚜껑을 열면 페트병 안 공기가 밖으로 나가면서 부피가 커지고 온도가 낮아집니다. 이때 차가워진 공기 중 수증기가 응결해 물방울이 되기 때문에 페트병 안이 뿌옇게 흐려집니다.

재미있는 개념 퀴즈!

1 습도를 측정하기 위해 건습구 습도계를 설치했어요. 건습구 습도계에 대한 잘못된 설명이 적혀 있는 카드를 골라 기호를 쓰세요.

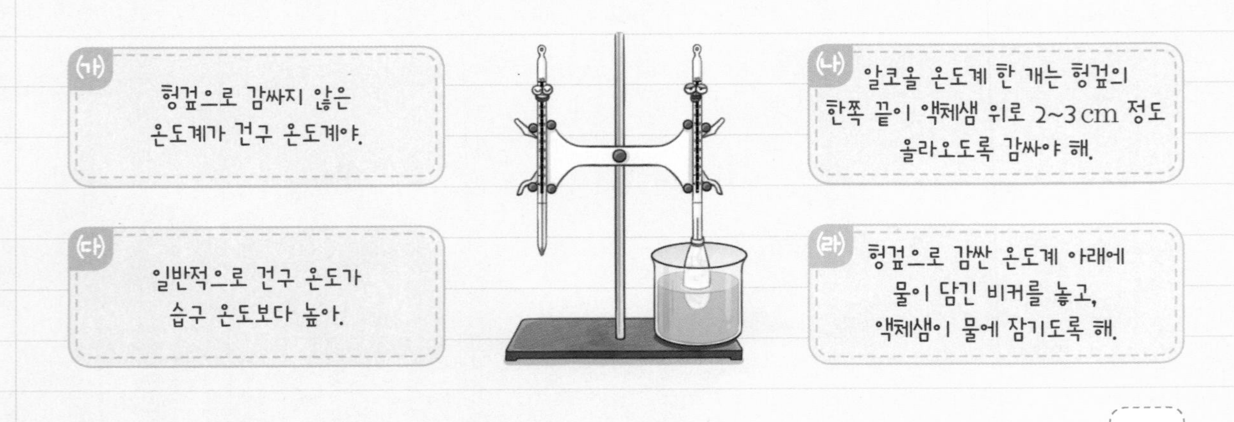

(가) 헝겊으로 감싸지 않은 온도계가 건구 온도계야.
(나) 알코올 온도계 한 개는 헝겊의 한쪽 끝이 액체샘 위로 2~3 cm 정도 올라오도록 감싸야 해.
(다) 일반적으로 건구 온도가 습구 온도보다 높아.
(라) 헝겊으로 감싼 온도계 아래에 물이 담긴 비커를 놓고, 액체샘이 물에 잠기도록 해.

2 습도가 높을 때 우리 생활에 미치는 영향을 바르게 말한 사람만 선물을 받을 수 있어요. 사다리를 타고 내려가 선물을 받은 사람은 누구인지 쓰세요.

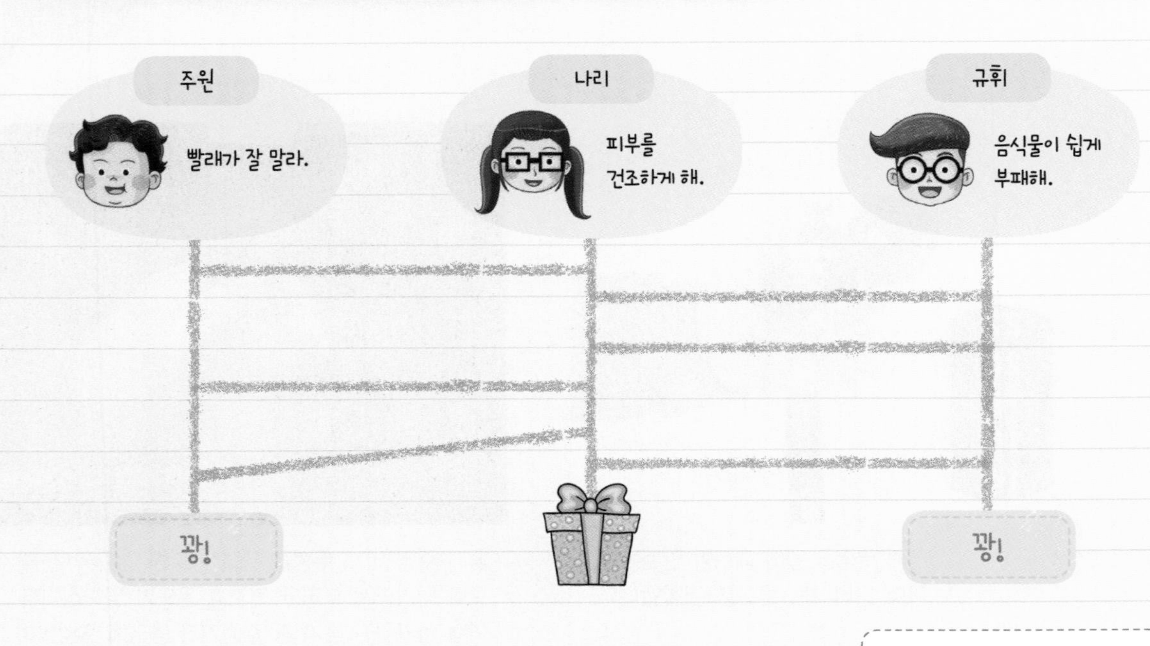

주원
빨래가 잘 말라.
나리
피부를 건조하게 해.
규휘
음식물이 쉽게 부패해.
꽝!
꽝!

3

방울이가 수영장에 가려면 미로를 빠져나가야 한대요. 이슬, 안개, 구름, 비, 눈에 대한 ○× 퀴즈를 풀어 방울이에게 수영장에 가는 길을 알려주세요.

○× 퀴즈

❶ 이슬, 안개, 구름은 수증기가 응결해 나타나는 현상입니다.
❷ 안개는 높은 하늘에 떠 있고, 구름은 지표면 근처에 떠 있습니다.
❸ 구름은 공기가 위로 올라가 차가워지면 공기 중 수증기가 물방울로 변하거나 얼음 알갱이로 변한 것입니다.
❹ 구름 속 얼음 알갱이의 크기가 커지면서 무거워져 떨어질 때 녹지 않은 채로 떨어지면 눈, 녹으면 비가 됩니다.
❺ 구름 속 작은 물방울이 합쳐지면서 무거워져 떨어지는 것을 이슬이라고 합니다.

정답과 해설 18쪽

기압 차로 생겨, 바람!

공기는 무게가 있어요. 일정한 부피에 들어 있는 차가운 공기의 무게는 따뜻한 공기의 무게보다 무거워요. 왜냐하면 차가운 공기는 따뜻한 공기보다 일정한 부피에 들어 있는 공기 알갱이의 양이 더 많기 때문이에요.

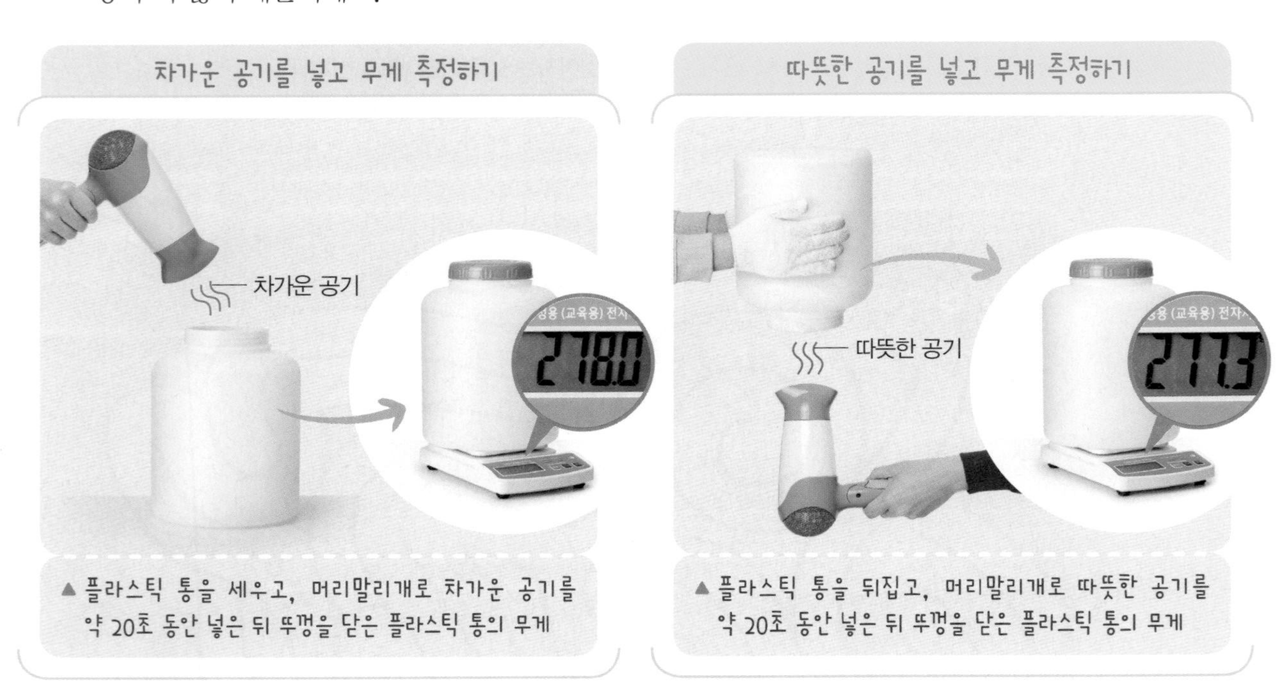

▲ 플라스틱 통을 세우고, 머리말리개로 차가운 공기를 약 20초 동안 넣은 뒤 뚜껑을 닫은 플라스틱 통의 무게

▲ 플라스틱 통을 뒤집고, 머리말리개로 따뜻한 공기를 약 20초 동안 넣은 뒤 뚜껑을 닫은 플라스틱 통의 무게

공기의 무게로 생기는 누르는 힘을 '기압'이라고 해요. 일정한 부피에 공기 알갱이가 많을수록 공기는 무거워지며 기압은 높아져요. 상대적으로 공기가 무거운 것을 '고기압'이라고 하고, 상대적으로 공기가 가벼운 것을 '저기압'이라고 해요.

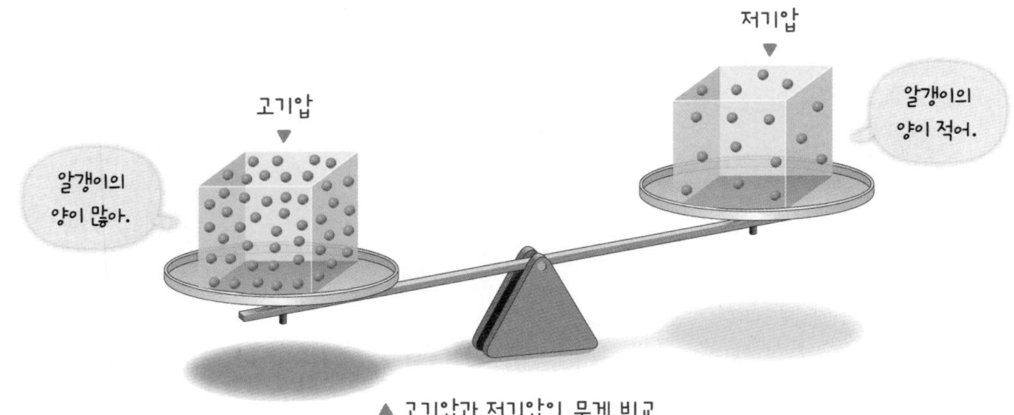

▲ 고기압과 저기압의 무게 비교

어느 두 지점 사이에 기압 차가 생기면 공기는 고기압에서 저기압으로 이동합니다. 이와 같이 기압 차로 공기가 이동하는 것을 '바람'이라고 해요.

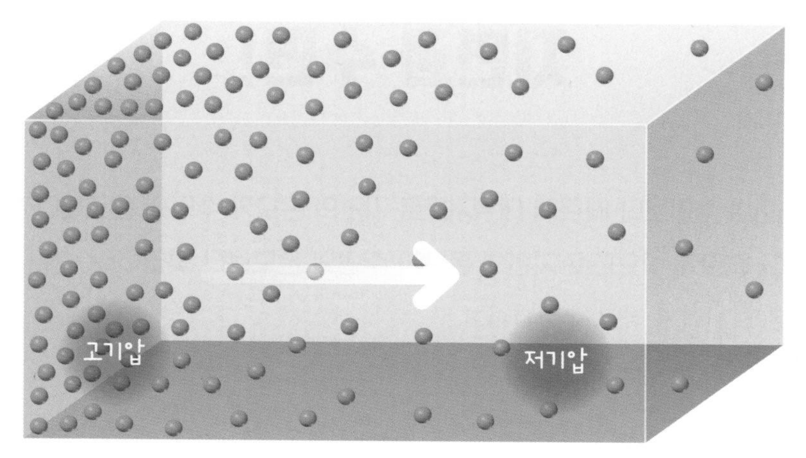

▲ 기압 차에 의한 공기의 이동

따라서 일기예보 그림을 보면 고기압과 저기압의 위치로 바람이 부는 방향을 예상할 수 있어요.

데워지고 식는 정도가 달라. 지면과 수면!

낮에는 지면이 수면보다 빠르게 데워지므로 지면의 온도가 수면의 온도보다 높아요. 밤에는 지면이 수면보다 빠르게 식으므로 지면의 온도가 수면의 온도보다 낮답니다. 그래서 지면과 수면은 하루 동안 온도 변화가 다르게 나타나요.

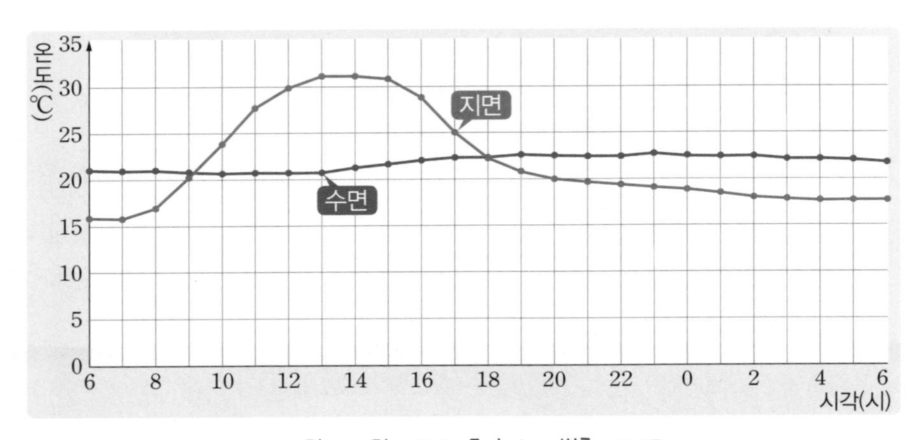

▲ 지면과 수면의 하루 동안 온도 변화 그래프

무더운 여름 한낮에 맨발로 흙이나 모래를 밟으면 뜨겁지만, 물에 들어가면 시원한 것도 같은 이유랍니다.

육지와 바다의 데워지고 식는 정도가 달라서 생겨, 해풍과 육풍!

바닷가에서 낮에는 육지가 바다보다 빠르게 데워져 육지의 온도가 더 높으므로 육지 위는 저기압, 바다 위는 고기압이 되어 바다에서 육지로 부는 바람인 '해풍'이 붑니다. 반대로 밤에는 육지가 바다보다 빠르게 식어 육지의 온도가 더 낮으므로 육지 위는 고기압, 바다 위는 저기압이 되어 육지에서 바다로 부는 바람인 '육풍'이 붑니다.

그럼 [바람이 부는 방향 관찰하기] 탐구 활동을 통해 바닷가에서 낮에 부는 바람의 방향을 확인해 봐요.

탐구 돋보기

바람이 부는 방향 관찰하기

❶ 전등을 켜서 모래와 물을 5~6분 동안 가열하면 모래는 물보다 빠르게 데워져 온도가 더 높습니다.

❷ 가열한 모래와 물이 담긴 그릇을 투명한 상자로 덮고, 불을 붙인 향을 상자의 옆면 구멍으로 넣습니다.

❸ 약 30초 동안 향 연기의 움직임을 관찰하면 향 연기가 물 쪽에서 모래 쪽으로 이동합니다.

모래는 육지, 물은 바다를 나타내.

향 연기가 온도가 낮은 물 쪽(고기압)에서 온도가 높은 모래 쪽(저기압)으로 이동합니다. 이와 같은 원리로 바닷가에서는 낮에 해풍(바다에서 육지로 부는 바람)이 붑니다.

35

계절별 날씨에 영향을 미쳐, 공기 덩어리!

대륙이나 바다와 같이 넓은 곳을 덮고 있는 공기 덩어리가 한 지역에 오랫동안 머물게 되면 공기 덩어리는 그 지역의 온도나 습도와 비슷한 성질을 갖게 돼요.

- 춥고 건조한 지역의 공기 덩어리는 차갑고 건조한 성질이 있어요.
- 따뜻하고 습한 지역의 공기 덩어리는 따뜻하고 습한 성질이 있어요.

한 지역에 새로운 공기 덩어리가 이동해 오면 그 지역의 온도와 습도는 새롭게 이동해 온 공기 덩어리의 영향을 받아요. **우리나라 날씨는 주변 지역에서 이동해 오는 공기 덩어리의 영향으로 계절별로 서로 다른 특징이 있습니다.**

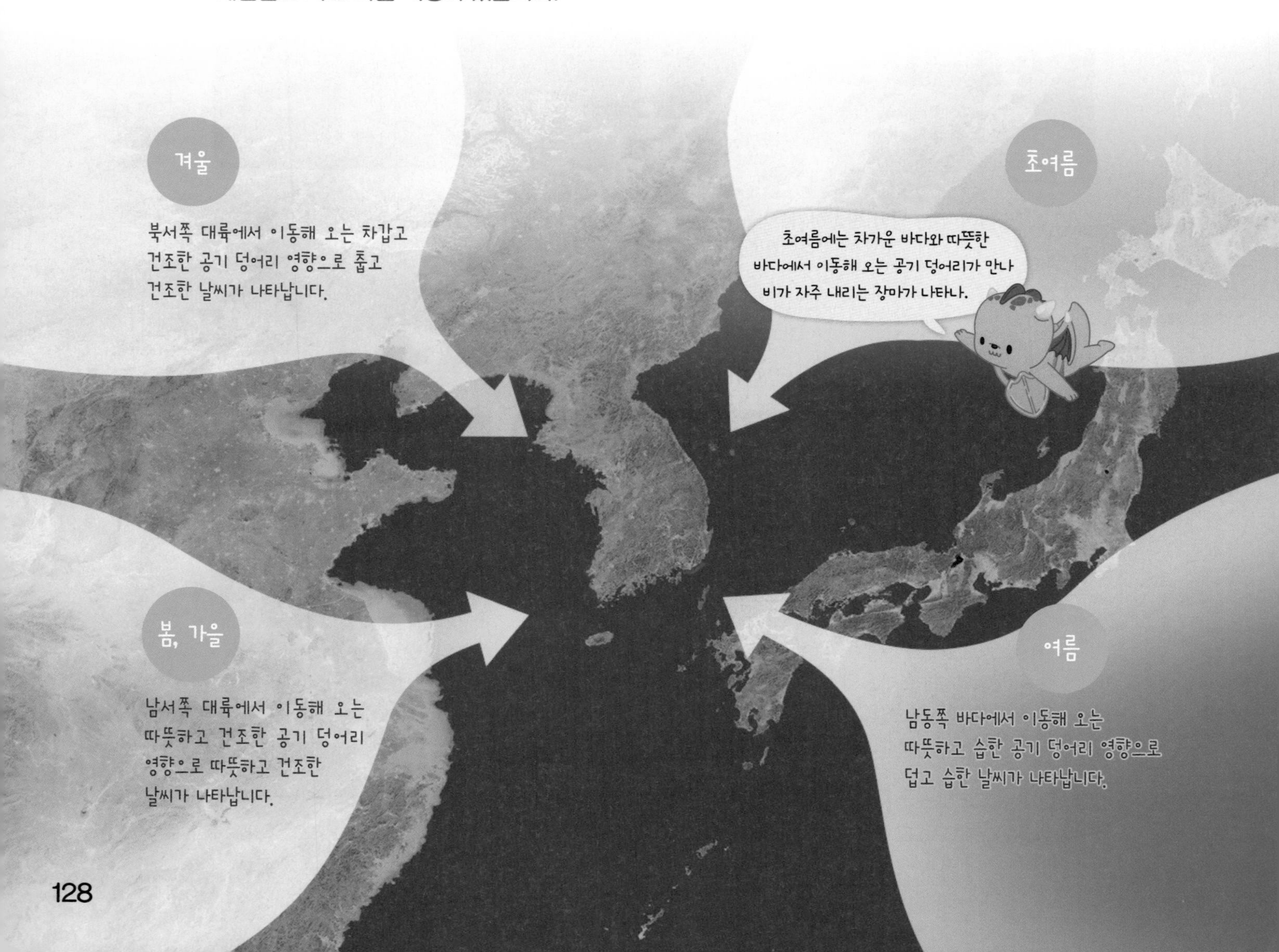
겨울
북서쪽 대륙에서 이동해 오는 차갑고 건조한 공기 덩어리 영향으로 춥고 건조한 날씨가 나타납니다.
초여름
초여름에는 차가운 바다와 따뜻한 바다에서 이동해 오는 공기 덩어리가 만나 비가 자주 내리는 장마가 나타나.
봄, 가을
남서쪽 대륙에서 이동해 오는 따뜻하고 건조한 공기 덩어리 영향으로 따뜻하고 건조한 날씨가 나타납니다.
여름
남동쪽 바다에서 이동해 오는 따뜻하고 습한 공기 덩어리 영향으로 덥고 습한 날씨가 나타납니다.

날씨가 우리 생활에 미치는 영향

날씨는 사람들의 옷차림, 음식, 야외 활동, 학교생활 등에 영향을 미치기 때문에 날씨에 따라 우리 생활 모습은 달라져요.

▲ 간편한 옷차림을 하고 운동이나 나들이 같은 야외 활동을 주로 합니다.

▲ 외출 등 야외 활동을 자제하고 외출할 때에는 마스크를 착용합니다.

▲ 따뜻한 옷을 입고 마스크를 착용해 감기에 걸리지 않도록 주의합니다.

덥고 습한 날
너무 덥거나 추운 날에는 실내 활동을 주로 해야 해.

▲ 장시간 야외 활동을 할 경우 열사병이나 탈진이 올 수 있으므로 주의합니다.

기상청에서는 우리가 다양한 날씨에 대처하도록 감기 가능 지수, 불쾌지수, 식중독 지수 등 여러 가지 날씨 지수를 제공하고 있어요.

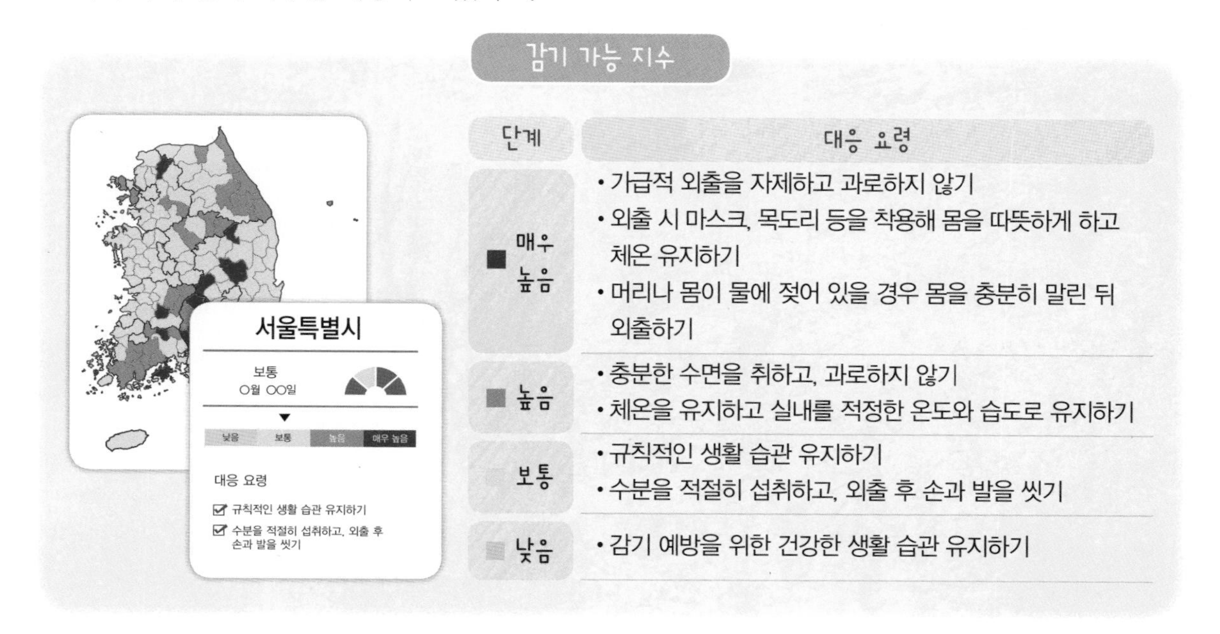

감기 가능 지수

단계	대응 요령
매우 높음	• 가급적 외출을 자제하고 과로하지 않기 • 외출 시 마스크, 목도리 등을 착용해 몸을 따뜻하게 하고 체온 유지하기 • 머리나 몸이 물에 젖어 있을 경우 몸을 충분히 말린 뒤 외출하기
높음	• 충분한 수면을 취하고, 과로하지 않기 • 체온을 유지하고 실내를 적정한 온도와 습도로 유지하기
보통	• 규칙적인 생활 습관 유지하기 • 수분을 적절히 섭취하고, 외출 후 손과 발을 씻기
낮음	• 감기 예방을 위한 건강한 생활 습관 유지하기

재미있는 개념 퀴즈!

1

기압에 대한 설명을 완성해야 세영이가 징검다리를 건널 수 있어요. 세영이가 징검다리를 건널 수 있도록 비어 있는 징검돌에 알맞은 글자를 순서대로 쓰세요.

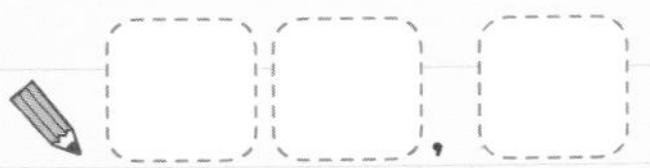

2

낮과 밤에 바닷가에서 바람의 방향을 관찰하여 그린 그림입니다. 잘못 그린 곳을 네 군데 찾아 ○표 하세요.

3 우리나라 계절별 날씨에 영향을 미치는 공기 덩어리가 이동해 오는 위치와 성질을 나타낸 것입니다. 각 번호의 공기 덩어리가 이동해 와 영향을 미치는 계절을 각각 쓰세요.

❶ 난 차갑고 건조해.
북서쪽 대륙
❷ 난 따뜻하고 건조해.
❸ 난 따뜻하고 습해.
남서쪽 대륙
남동쪽 바다

❶ ____ , ❷ ____ , ❸ ____

4 오른쪽 일기 예보를 보고, 날씨에 맞게 생활한 친구는 누구인지 쓰세요.

오늘 낮 최고 기온(℃)

오늘은 전국적으로 기온이 매우 높고, 습도가 높겠습니다.

▲ 체육관에서 체육 활동을 했습니다.

▲ 두꺼운 옷을 입고 감기에 걸리지 않도록 주의했습니다.

▲ 비옷을 입고 현장 체험 학습을 갔습니다.

정답과 해설 18쪽

개념 잡는

생각 그물!

날씨와 우리 생활

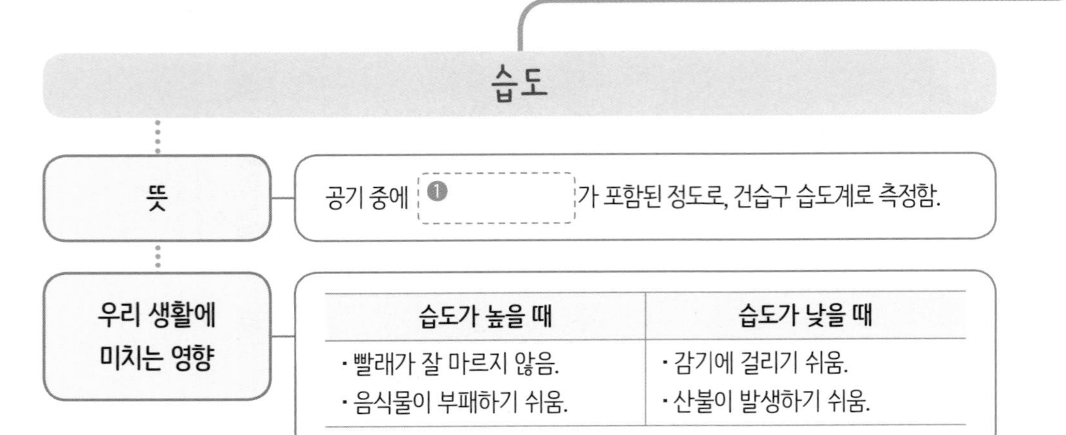

습도

뜻

공기 중에 ❶ [빈칸] 가 포함된 정도로, 건습구 습도계로 측정함.

우리 생활에 미치는 영향

습도가 높을 때	습도가 낮을 때
· 빨래가 잘 마르지 않음. · 음식물이 부패하기 쉬움.	· 감기에 걸리기 쉬움. · 산불이 발생하기 쉬움.

기압과 바람의 관계

기압

· 공기의 ❷ [빈칸] 로 생기는 누르는 힘

· 일정한 부피에 공기 알갱이가 ❸ [빈칸] 공기는 무거워지며 기압은 높아짐.

고기압	저기압
상대적으로 공기가 무거운 것	상대적으로 공기가 가벼운 것

바람

· ❹ [빈칸] 차로 공기가 이동(고기압 → 저기압)하는 것

· 바닷가에서는 낮과 밤에 부는 바람의 ❺ [빈칸] 이 다름.

▲ 낮에 부는 바람(해풍)

▲ 밤에 부는 바람(육풍)

이슬, 안개, 구름, 눈, 비

이슬, 안개, 구름

구분		이슬	안개	구름
모습				
공통점		수증기가 ❻ ______ 해 나타나는 현상임.		
차이점	만들어지는 과정	밤에 차가워진 나뭇가지나 풀잎 표면 등에 수증기가 응결함.	밤에 지표면 근처의 공기가 차가워지면 공기 중 수증기가 응결함.	공기가 위로 올라가 차가워지면 공기 중 수증기가 응결하거나 얼음 알갱이로 변함.
	만들어지는 위치	물체 표면에 맺힘.	❼ ______ 근처에 떠 있음.	높은 하늘에 떠 있음.

눈, 비

❽ ______ 속 물방울이나 얼음 알갱이가 합쳐지면서 무거워져 떨어지면 비나 눈이 됨.

우리나라 계절별 날씨와 공기 덩어리

- 우리나라 날씨는 주변 지역에서 이동해 오는 공기 덩어리 영향으로 계절별로 서로 ❾ ______ 특징이 있음.
- 봄, 가을은 따뜻하고 건조하며, 여름은 덥고 습하고, 겨울은 ❿ ______ 함.

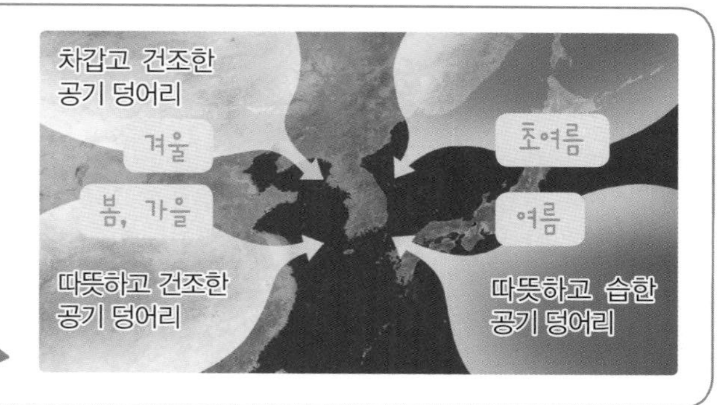

우리나라 계절별 날씨에 영향을 미치는 공기 덩어리의 성질 ▶

개념 확인 체크! 체크!

- ☐ 건습구 습도계를 이용해 습도를 측정할 수 있으며, 습도가 우리 생활에 미치는 영향을 이야기할 수 있어요. • 116~117쪽
- ☐ 이슬, 안개, 구름, 비, 눈이 만들어지는 과정을 이야기할 수 있어요. • 118~121쪽
- ☐ 기압과 바람의 관계를 이야기할 수 있어요. • 124~127쪽
- ☐ 계절별 날씨의 특징을 공기 덩어리와 관련지어 이야기할 수 있어요. • 128~129쪽

정답과 해설 18쪽

개념 잡는

수행 평가!

1 건습구 습도계로 측정한 건구 온도가 26.0 ℃이고, 습구 온도가 24.0 ℃일 때, 다음 습도표를 이용하여 현재 습도를 구하여 쓰시오.

(단위: %)

건구 온도 (℃)	건구 온도와 습구 온도의 차(℃)				
	0	1	2	3	4
25	100	92	84	77	70
26	100	92	85	78	71
27	100	92	85	78	71

____________ 을/를 세로줄에서 찾아 표시하고 ____________ 을/를 가로줄에서 찾아 표시하여 만나는 지점인 ________ 가 현재 습도입니다.

2~3 액정 온도계를 넣은 페트병을 공기 주입 마개로 닫은 뒤 오른쪽과 같은 실험을 하였습니다. 물음에 답하시오.

▲ 공기 주입 마개를 눌러 페트병 안에 공기를 넣습니다.

▲ 온도가 더 이상 변하지 않으면 공기 주입 마개 뚜껑을 엽니다.

2 위 실험 결과 페트병 안에서 나타나는 현상을 쓰시오.

페트병 안 공기가 밖으로 나가면서 ____________

이때 공기 중 수증기가 응결해 물방울이 되기 때문에 페트병 안이 ____________

3 위 실험 결과와 비슷한 자연 현상을 쓰고, 그 자연 현상이 실제로 어떻게 만들어지는지 쓰시오.

(1) 비슷한 자연 현상: (   )

(2) 만들어지는 과정: ____________

4~5 같은 시간 동안 전등으로 가열한 모래와 물을 투명한 상자로 덮은 뒤 오른쪽과 같이 불을 붙인 향을 넣고, 향 연기의 움직임을 관찰하였습니다. 물음에 답하시오.

4

위 실험 결과 향 연기의 움직임을 기압과 관련지어 쓰시오.

5

위 실험 결과로 보아 향 연기의 움직임은 육풍과 해풍 중 어느 바람과 비슷한지 쓰고, 그렇게 생각한 까닭을 쓰시오.

(1) 비슷한 바람: (　　　　　　　　)

(2) 그렇게 생각한 까닭:

6

오른쪽은 우리나라의 계절별 날씨에 영향을 미치는 공기 덩어리를 나타낸 것입니다. ㉠~㉣ 중 우리나라의 겨울 날씨에 영향을 미치는 공기 덩어리를 골라 기호를 쓰고, 겨울 날씨의 특징을 쓰시오.

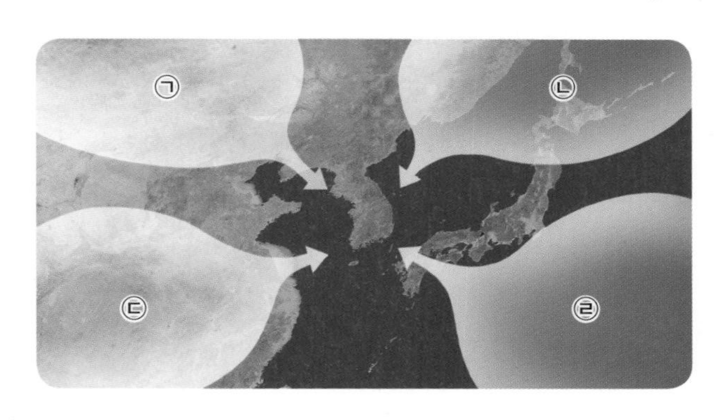

(1) 겨울 날씨에 영향을 미치는 공기 덩어리: (　　　　　　　　)

(2) 겨울 날씨의 특징:

정답과 해설 19쪽

중학교

개념 엿보기

기압에 따라 변하는 날씨

일기도에 표시된 고기압과 저기압의 위치와 인공위성에서 촬영한 구름 사진을 비교하면 고기압인 지역은 구름이 거의 없고, 저기압인 지역은 구름이 많다는 것을 알 수 있어요.

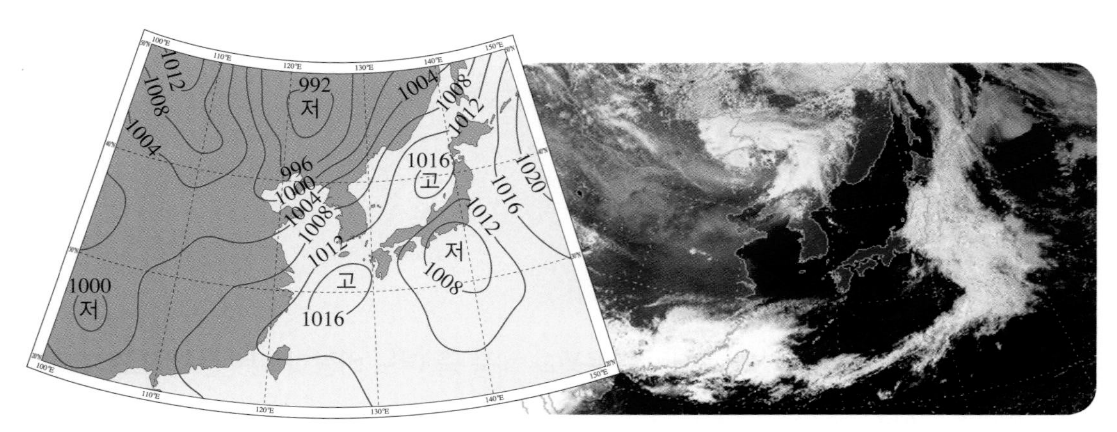

▲ 일기도 ▲ 인공위성에서 촬영한 구름 사진(위성 사진)

고기압인 지역은 구름이 거의 없고, 저기압인 지역은 구름이 많은 까닭은 무엇일까요?

기압과 날씨의 관계

고기압에서는 바람이 주변으로 불어 나가고 공기가 위에서 아래로 내려오는 '하강 기류'가 생겨. 이때 하강하는 공기의 온도가 높아져 구름이 생기지 않아. 그 결과 고기압인 지역은 날씨가 맑아.

반면에, 저기압에서는 바람이 주변에서 불어 들어오고 공기가 아래에서 위로 올라가는 '상승 기류'가 생겨. 이때 상승하는 공기의 온도가 낮아져 공기 중 수증기가 응결하여 구름이 생기고, 그 결과 저기압인 지역은 날씨가 흐리거나 비나 눈이 내리기도 해.

저

바람

고

고기압과 저기압에서의 바람(북반구) ▶

5-2 4단원

7 물체의 운동

이겨라!

이 단원을
들어가기
전에
물체의 운동을 나타낸 그림입니다.
숨은 동물 7마리를 찾고
그중 가장 느리게 운동하는 동물은
무엇인지 알아맞혀 보세요.
정답과 해설은
20쪽에 있어!

36 위치가 변해, 물체의 운동!

시간이 지남에 따라 물체의 위치가 변할 때 물체가 운동한다고 해요. '물체의 운동'은 물체가 이동하는 데 걸린 시간과 이동 거리로 나타냅니다.

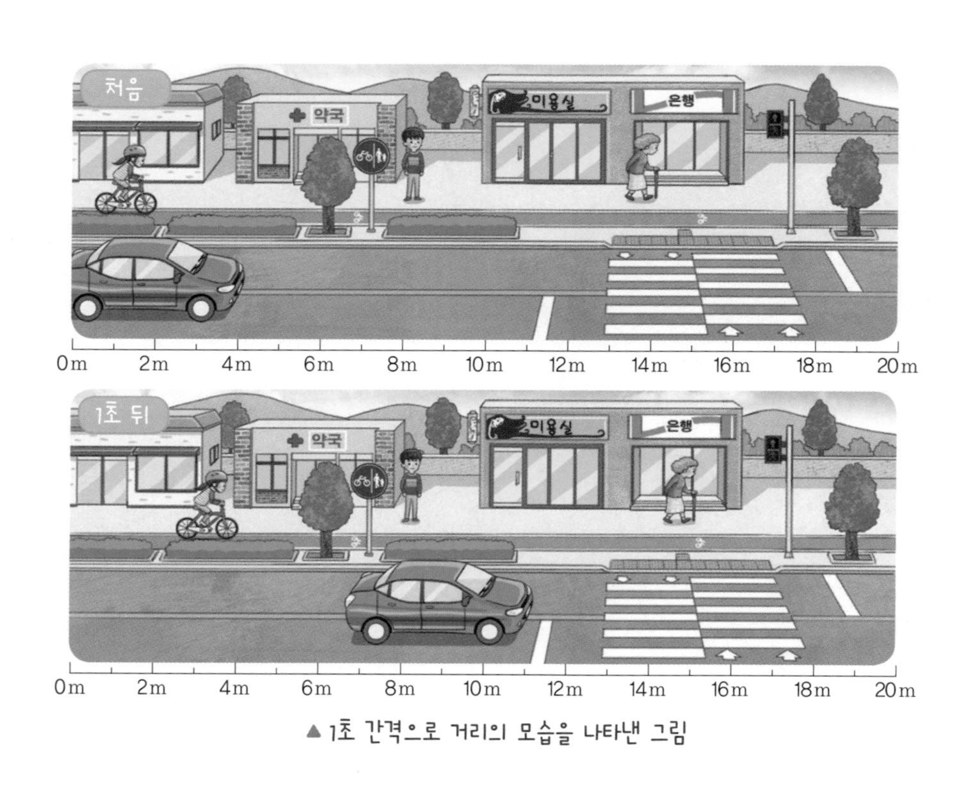

▲ 1초 간격으로 거리의 모습을 나타낸 그림

위 그림에서 1초 동안 자전거, 자동차, 할머니의 위치는 변했으므로 운동한 물체이고, 이 물체들의 운동은 걸린 시간과 이동 거리를 이용하여 다음과 같이 나타내요.

자전거는 1초 동안 2 m를 이동했습니다.

자동차는 1초 동안 7 m를 이동했습니다.

할머니는 1초 동안 1 m를 이동했습니다.

반면에, 위 그림에서 시간이 지나도 남자아이, 나무, 신호등, 도로 표지판, 건물은 위치가 변하지 않았어요. 이와 같이 시간이 지남에 따라 물체의 위치가 변하지 않는다면 이 물체는 운동하지 않았다고 말합니다.

다양한 빠르기, 물체의 운동!

빠르게 운동하는 물체와 느리게 운동하는 물체

우리 주변에는 빠르게 운동하는 물체와 느리게 운동하는 물체가 있어요.

달팽이보다 빠르게 운동하는 로켓

로켓보다 느리게 운동하는 달팽이

빠르기가 변하는 운동을 하는 물체와 빠르기가 일정한 운동을 하는 물체

어떤 물체는 점점 느려지거나 점점 빨라지는 등 빠르기가 변하는 운동을 하지만 어떤 물체는 빠르기가 일정한 운동을 해요.

빠르기가 변하는 운동을 하는 물체
내리막길에서 점점 빨라지고 오르막길에서 점점 느려져.
▲ 롤러코스터
▲ 비행기
천천히 헤엄치다 범고래를 만나면 빠르게 헤엄쳐.
▲ 펭귄
▲ 치타
공을 치면 처음에는 빠르게 날아가다가 점점 느려지면서 바닥으로 떨어져.
▲ 배드민턴공
▲ 컬링 스톤

빠르기가 일정한 운동을 하는 물체
▲ 자동길
위층이나 아래층으로 이동하는 동안 빠르기가 일정해.
▲ 자동계단
▲ 회전목마
일정한 빠르기로 회전해.
▲ 대관람차
▲ 스키장 승강기
일정한 빠르기로 움직여.
▲ 케이블카

38

비교해, 일정한 거리를 이동한 물체의 빠르기와 일정한 시간 동안 이동한 물체의 빠르기

일정한 거리를 이동한 물체의 빠르기를 비교하는 방법

일정한 거리를 이동한 물체의 빠르기는 물체가 이동하는 데 걸린 시간으로 비교해요. 일정한 거리를 이동하는 데 짧은 시간이 걸린 물체가 긴 시간이 걸린 물체보다 더 빠릅니다. 예를 들어 50 m 달리기에서 결승선에 먼저 도착한 사람을 더 빠르다고 해요. 그건 결승선에 먼저 도착한 사람은 나중에 도착한 사람보다 일정한 거리를 이동하는 데 걸린 시간이 더 짧기 때문이에요.

일정한 거리를 이동하는 데 걸린 시간을 측정해 빠르기를 비교하는 운동 경기

수영, 스피드 스케이팅, 조정, 봅슬레이, 마라톤, 쇼트 트랙, 알파인 스키, 100 m 달리기, 사이클, 카약, 카누, 자동차 경주 등이 있습니다.

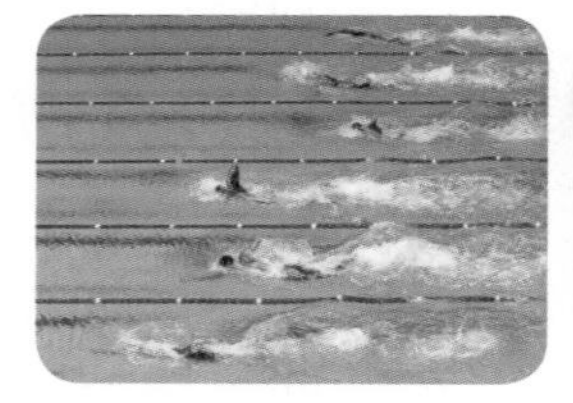
▲ 수영

▲ 스피드 스케이팅

▲ 조정

▲ 봅슬레이

일정한 시간 동안 이동한 물체의 빠르기를 비교하는 방법

일정한 시간 동안 이동한 물체의 빠르기는 물체가 이동한 거리로 비교해요. 일정한 시간 동안 긴 거리를 이동한 물체가 짧은 거리를 이동한 물체보다 더 빠릅니다.

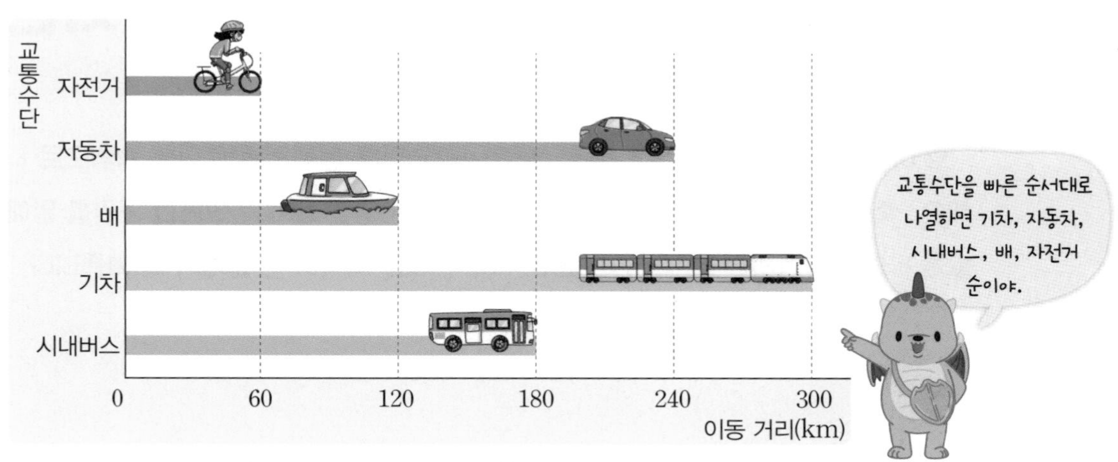

▲ 3시간 동안 여러 교통수단이 이동한 거리 비교 그래프

예를 들어 3시간 동안 여러 교통수단이 이동한 거리를 비교한 그래프에서 3시간 동안 300 km를 이동한 기차가 같은 시간 동안 180 km를 이동한 시내버스보다 더 빠르다고 해요. 그건 기차가 시내버스보다 같은 시간 동안 더 긴 거리를 이동했기 때문이에요.

일정한 시간 동안 이동한 물체의 빠르기 비교하기

❶ 바닥에 출발선을 표시하고 줄자를 출발선과 수직으로 펼쳐 놓은 뒤, 경주 시간을 정합니다.
❷ 종이 자동차를 출발선에 놓은 뒤 출발 신호를 보내면 부채질을 하면서 종이 자동차를 출발시킵니다.
❸ 경주 시간이 끝나면 정지 신호를 보내고, 그 순간 종이 자동차의 위치에 붙임쪽지를 붙여 이동 거리를 측정합니다.

(경주 시간: 4초)

구분	종이 자동차 1	종이 자동차 2	종이 자동차 3
이동 거리	120 cm	80 cm	60 cm

종이 자동차 1이 4초 동안 가장 긴 거리를 이동하였으므로 가장 빠릅니다.

39

이렇게 나타내!
(속력) = (이동 거리) ÷ (걸린 시간)

이동하는 데 걸린 시간과 이동 거리가 모두 다른 물체의 빠르기는 속력으로 나타내 비교해요. '속력'은 1초, 1분, 1시간 등과 같은 단위 시간 동안 물체가 이동한 거리를 말해요. 속력은 물체가 이동한 거리를 걸린 시간으로 나누어 구하고, 속력이 큰 물체가 더 빠릅니다.

(속력) = (이동 거리) ÷ (걸린 시간)

속력은 속력의 크기와 단위를 함께 쓰며, 속력의 단위에는 km/h와 m/s 등이 있어요. 예를 들어 3시간 동안 240 km를 이동한 자동차의 속력은 240 km ÷ 3 h = 80 km/h로 나타내고 '팔십 킬로 미터 퍼 아워' 또는 '시속 팔십 킬로 미터'라고 읽어요.

2시간 동안 280 km를 이동한 기차의 속력
→ 280 km ÷ 2 h = 140 km/h
4시간 동안 160 km를 이동한 배의 속력
→ 160 km ÷ 4 h = 40 km/h
자전거의 속력
→ 18 km/h

우리 생활에서 물체의 빠르기를 속력으로 나타낸 예는 교통수단, 날씨, 동물, 운동 경기 등에서 찾을 수 있어요.

13 m/s는 '십삼 미터 퍼 세컨드' 또는 '초속 십삼 미터'라고 읽어.
최대 풍속은 13 m/s입니다.

▲ 바람의 속력

말은 67 km/h로 달립니다.

▲ 말이 달리는 속력

야구공의 속력은 150 km/h입니다.

▲ 야구 경기에서 투수가 던진 공의 속력

헬리콥터의 속력

속력이 큰 물체가 더 빠르므로 헬리콥터, 기차, 자동차, 버스, 배, 자전거 순으로 빨라.

→ 60 km÷1 h=60 km/h

재미있는 개념 퀴즈!

1 숲속 친구들이 '무궁화 꽃이 피었습니다.' 놀이를 하고 있어요. 운동하지 않은 친구는 누구인지 쓰세요. (단, 술래는 포함하지 않아요.)

2 일정한 거리를 이동하는 데 걸린 시간을 측정해 빠르기를 비교하는 운동 경기를 골라 색칠하세요.

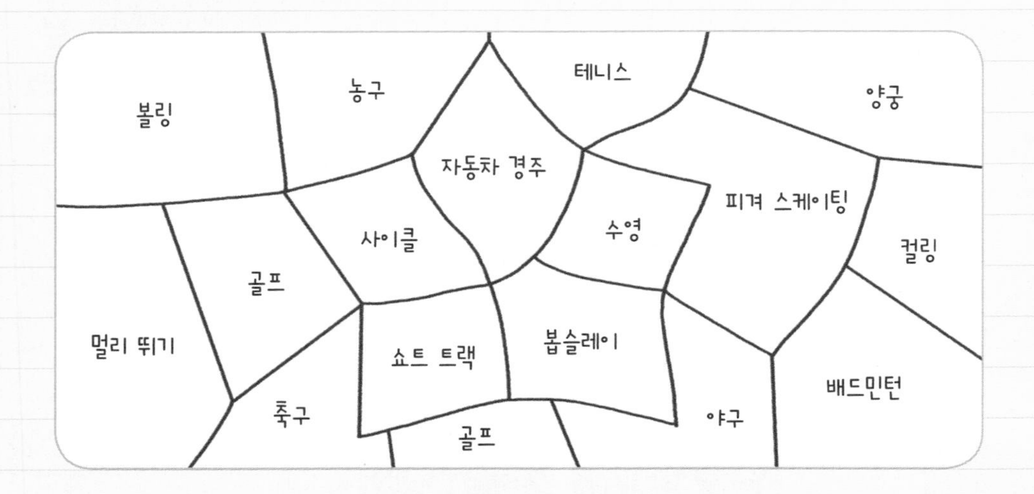

3

일정한 시간 동안 이동한 물체의 빠르기를 비교하는 방법을 바르게 설명한 외계인은 누구인지 쓰세요.

물체가 이동한 거리로 비교해.
무무
물체가 이동한 방향으로 비교해.
제제
물체가 이동하는 데 걸린 시간으로 비교해.
샤샤

4

사다리를 타고 내려가면 각 교통수단이 이동하는 데 걸린 시간과 이동 거리를 알 수 있어요. 속력이 가장 큰 교통수단은 무엇인지 쓰세요.

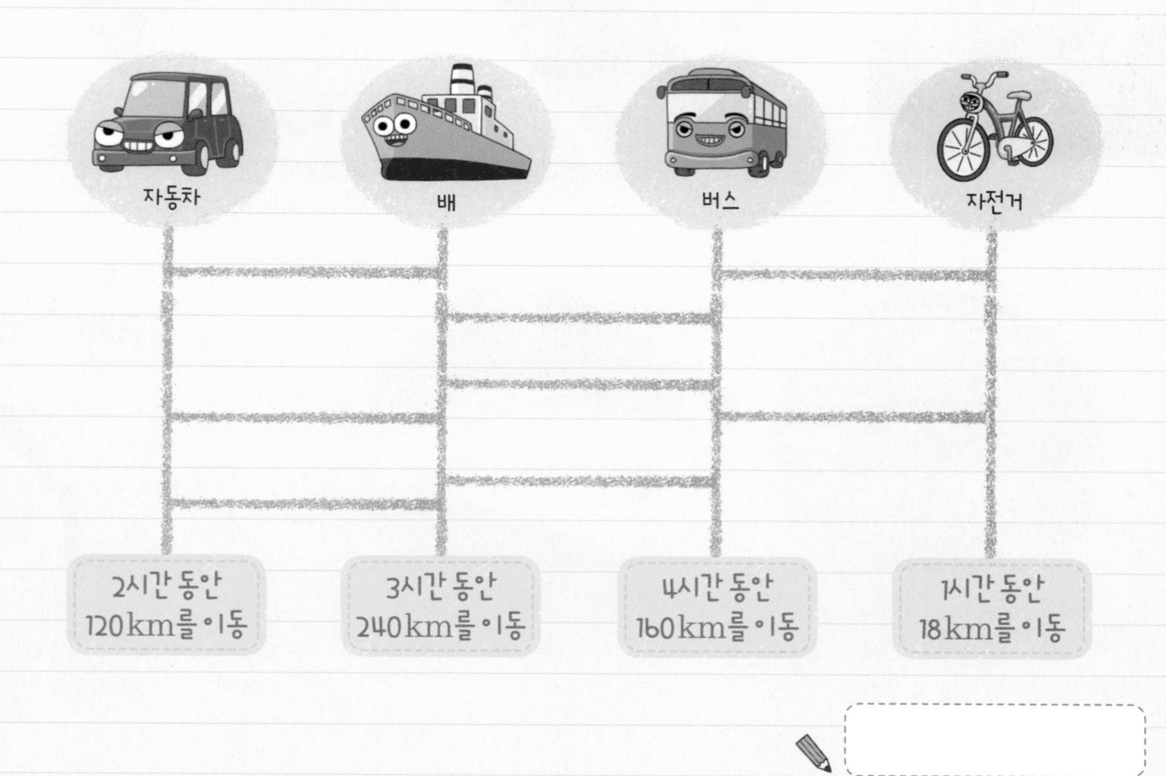

설치해, 속력과 관련된 안전장치!

우리 사회에서는 교통 안전사고를 예방하거나 사고가 발생하더라도 피해를 줄일 수 있도록 자동차나 도로에 다양한 안전장치를 설치하고, 도로마다 자동차가 일정한 속력 이상으로 달리지 못하도록 법으로 제한하기도 합니다.

자동차 충돌 실험: 자동차의 속력이 클수록 충돌할 때 큰 충격이 가해져 ▶ 자동차 탑승자와 보행자가 크게 다칠 수 있고, 속력이 크면 운전자가 제동 장치를 밟더라도 자동차를 바로 멈출 수 없어 위험합니다.

속력과 관련된 다양한 안전장치

안전띠

긴급 상황에서 자동차 탑승자의 몸을 고정합니다.

에어백

충돌 사고에서 자동차 탑승자의 몸에 가해지는 충격을 줄여줍니다.

횡단보도

도로에서 보행자가 안전하게 길을 건널 수 있도록 보행자를 보호하는 구역입니다.

과속 방지 턱

도로에서 자동차의 속력을 줄여서 사고를 막습니다.

어린이 보호 구역 표지판

학교 주변 도로에서 자동차의 속력을 제한해 어린이들의 교통 안전사고를 막습니다.

실천해, 교통안전 수칙!

'교통안전 수칙'은 도로 주변에서 안전을 위해 지켜야 하는 규칙을 말합니다.

도로 주변에서 일어날 수 있는 안전사고

▲ 도로 주변에서 바퀴 달린 신발을 타다가 보행자와 충돌할 뻔합니다.

▲ 스마트 기기를 보며 길을 건너다 자동차와 충돌할 뻔합니다.

▲ 차도에서 버스를 기다리다 버스와 충돌할 뻔합니다.

▲ 도로 주변에서 공놀이를 하고 있어 위험합니다.

도로 주변에서 지켜야 할 교통안전 수칙

버스가 정류장에 도착할 때까지 인도에서 기다립니다.
횡단보도에서는 자전거에서 내려 자전거를 끌고 길을 건넙니다.
바퀴 달린 신발은 안전한 장소에서 탑니다.
도로 주변에서 공은 공 주머니에 넣고 다닙니다.
횡단보도에서 좌우를 살피며 길을 건넙니다.
어린이보호구역
30

재미있는 개념 퀴즈!

1 속력과 관련된 안전장치를 알아보려고 합니다. 초성을 보고, 어떤 안전장치인지 쓰세요.

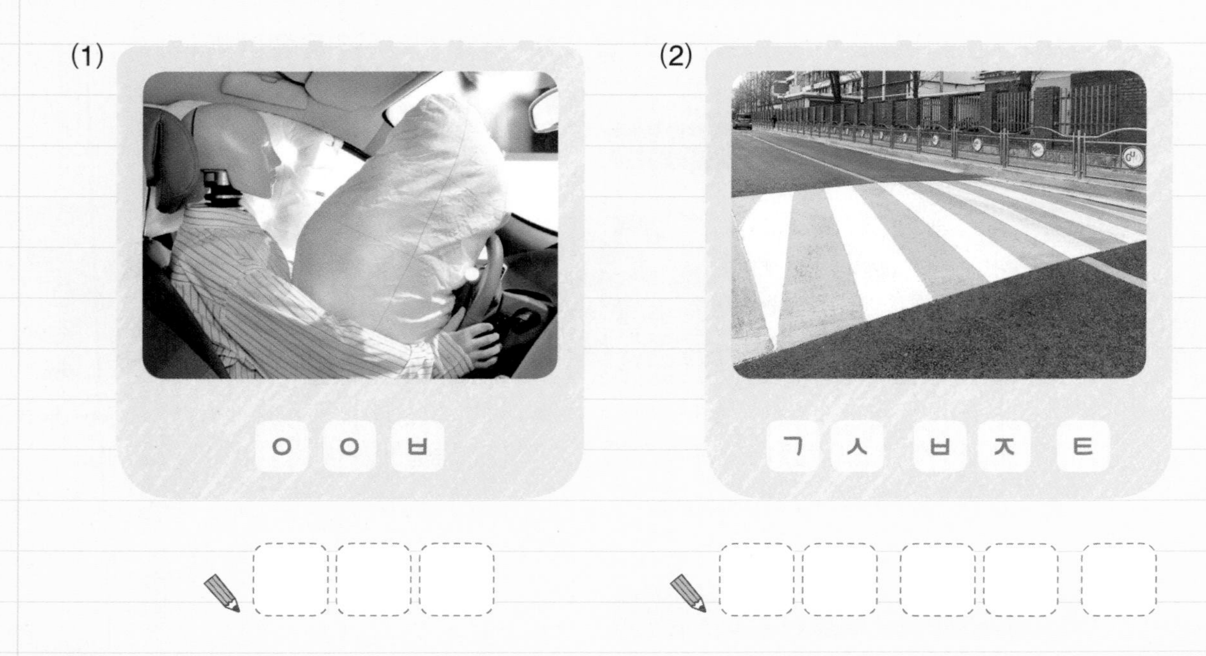

2 다음 빈칸에 들어갈 글자에 해당하는 징검돌을 순서대로 밟아야 징검다리를 건널 수 있어요. 놀이공원에 가기 위해 유진이가 밟아야 하는 징검돌을 따라 선으로 연결하세요.

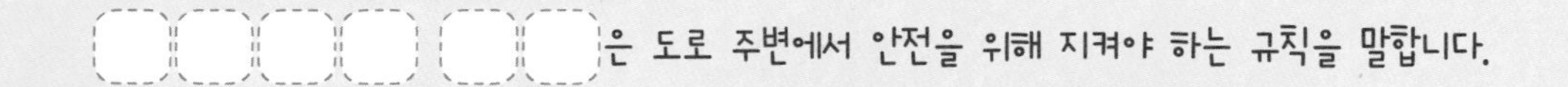

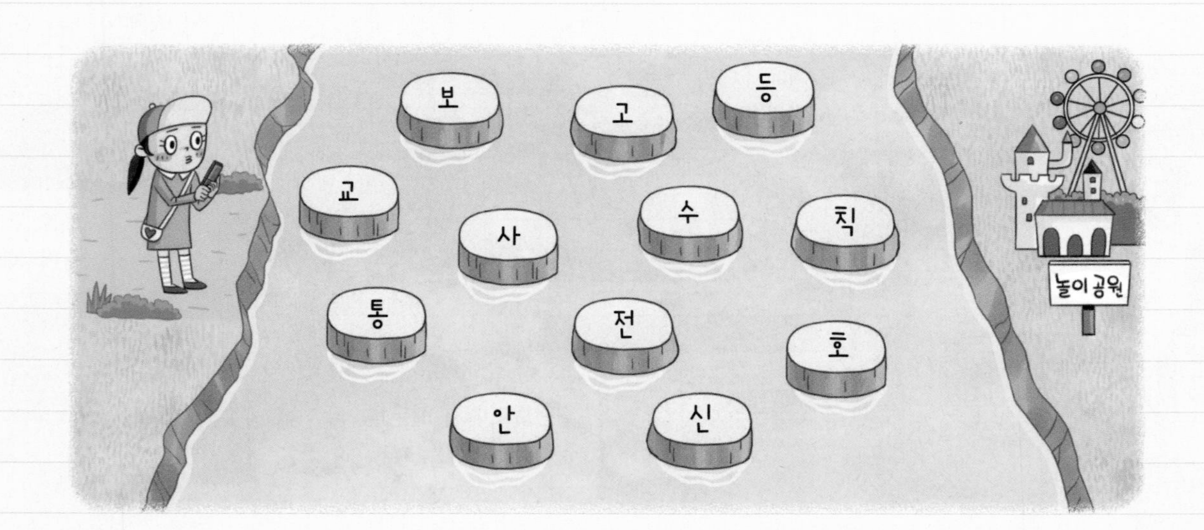

3 진우가 숲속에서 길을 잃었어요. 도로 주변에서 어린이가 지켜야 할 교통안전 수칙에 대한 ○× 퀴즈를 풀어 숲속을 빠져나가 보세요.

○: ➡ ×: ➡

도로 주변에서 바퀴 달린 신발을 탑니다.
도로 주변에서 공은 공 주머니에 넣고 다닙니다.
버스가 정류장에 도착할 때까지 인도에서 기다립니다.
횡단보도를 건널 때 스마트 기기를 봅니다.
횡단보도에서는 자전거를 타고 길을 건넙니다.

정답과 해설 21쪽

개념 잡는

생각 그물!

물체의 운동

물체의 운동

물체의 운동을 나타내는 방법

- 시간이 지남에 따라 물체의 ❶ [ ] 가 변할 때 물체가 운동한다고 함.
- 물체의 운동은 물체가 이동하는 데 걸린 시간과 이동 거리로 나타냄.
  예 자전거는 1초 동안 2 m를 이동했음.

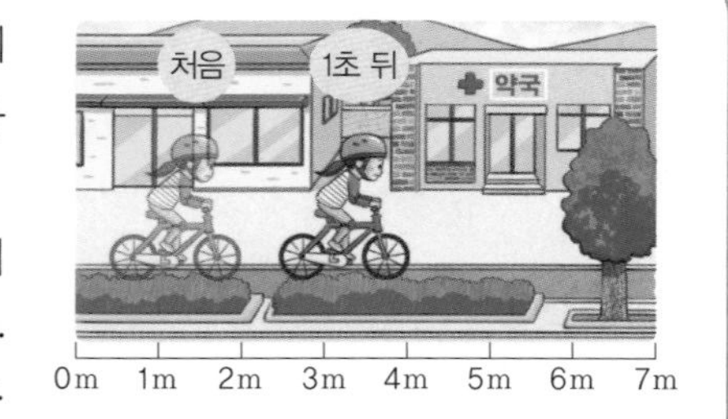

여러 가지 물체의 운동

- 빠르게 운동하는 물체와 느리게 운동하는 물체가 있음.
  예 달팽이보다 빠르게 운동하는 로켓, 로켓보다 느리게 운동하는 달팽이
- 빠르기가 변하는 운동을 하거나 빠르기가 일정한 운동을 하는 물체도 있음.
  예 빠르기가 변하는 운동을 하는 롤러코스터, 빠르기가 일정한 운동을 하는 자동계단

물체의 빠르기 비교

일정한 거리를 이동한 물체의 빠르기 비교

- 일정한 거리를 이동한 물체의 빠르기는 ❷ [ ] 으로 비교함.
- 일정한 거리를 이동하는 데 ❸ [ ] 시간이 걸린 물체가 긴 시간이 걸린 물체보다 더 빠름.

일정한 시간 동안 이동한 물체의 빠르기 비교

- 일정한 시간 동안 이동한 물체의 빠르기는 물체가 ❹ [ ] 로 비교함.
- 일정한 시간 동안 ❺ [ ] 거리를 이동한 물체가 짧은 거리를 이동한 물체보다 더 빠름.

물체의 속력을 나타내는 방법

속력

- 단위 시간 동안 물체가 이동한 거리
- 이동하는 데 걸린 시간과 이동 거리가 모두 다른 물체의 빠르기는 속력으로 나타내 비교함.

➔ 속력이 ❻ ________ 물체가 더 빠름.

속력을 나타내는 방법

- (❼ ________) = (이동 거리) ÷ (걸린 시간)
- 속력의 단위: km/h, m/s 등
- 3시간 동안 240 km를 이동한 자동차의 속력 = 240 km ÷ 3 h = ❽ ________

➔ '팔십 킬로미터 퍼 아워' 또는 '시속 팔십 킬로미터'라고 읽음.

속력과 관련된 안전장치와 안전 수칙

속력과 관련된 안전장치

- ❾ ________ 에 설치된 안전장치

▲ 안전띠

▲ 에어백

- ❿ ________ 에 설치된 안전장치

▲ 과속 방지 턱

▲ 어린이 보호 구역 표지판

속력과 관련된 안전 수칙

▲ 횡단보도를 건널 때 좌우를 살피기

▲ 버스는 인도에서 기다리기

▲ 도로 주변에서 공은 공 주머니에 넣기

▲ 횡단보도에서는 자전거를 끌고 길 건너기

개념 확인 체크! 체크!

- ☐ 물체의 운동을 물체가 이동하는 데 걸린 시간과 이동 거리로 이야기할 수 있어요. • 140쪽
- ☐ 빠르기가 일정한 운동과 빠르기가 변하는 운동을 구별해 이야기할 수 있어요. • 141쪽
- ☐ 물체가 이동하는 데 걸린 시간과 이동 거리로 물체의 빠르기를 비교할 수 있어요. • 142~143쪽
- ☐ 여러 가지 물체의 속력을 구하고, 속력으로 빠르기를 비교할 수 있어요. • 144~145쪽
- ☐ 속력과 관련된 안전장치와 안전 수칙을 이야기할 수 있어요. • 148~149쪽

정답과 해설 22쪽

개념 잡는

수행 평가!

1~2 다음은 1초 간격으로 나타낸 거리의 모습입니다. 물음에 답하시오.

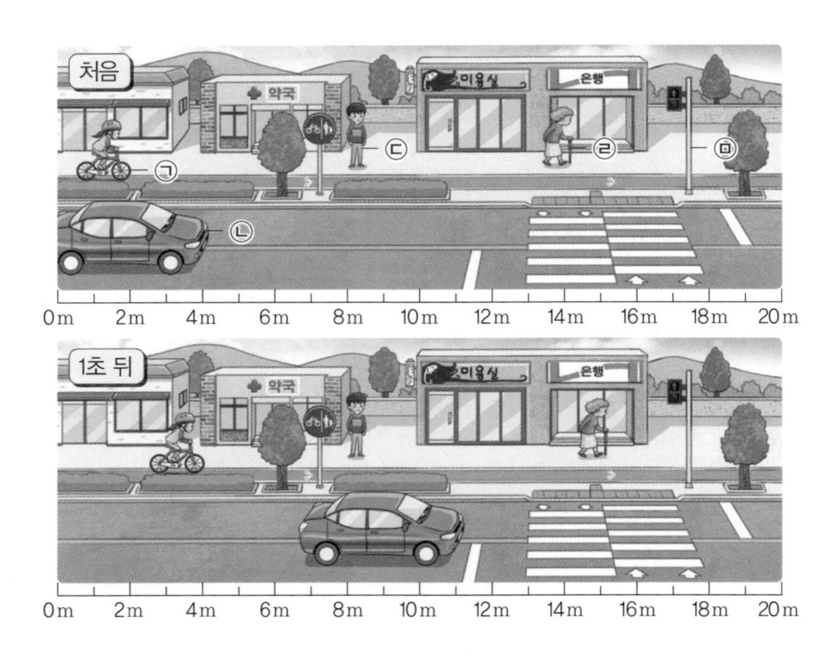

1 위 ㉠~㉤ 중 운동한 물체를 모두 골라 기호를 쓰고, 그렇게 생각한 까닭을 쓰시오.

(1) 운동한 물체: (   )

(2) 그렇게 생각한 까닭: ______________________________

____

2 위 1번에서 답한 물체의 운동을 이동하는 데 걸린 시간과 이동 거리로 나타내 쓰시오.

____

____

____

3 50 m 달리기에서 가장 빠른 사람을 정하는 방법을 쓰시오.

출발선에서 동시에 출발했을 때 결승선까지 이동하는 데 ______________ 이/가 걸린 사람이 가장 빠릅니다.

4 다음은 여러 교통수단이 이동하는 데 걸린 시간과 이동 거리를 나타낸 표입니다. 가장 빠른 교통수단을 쓰고, 그렇게 생각한 까닭을 각 교통수단의 속력을 구하는 과정을 포함하여 쓰시오.

구분	배	기차	버스
이동 거리(km)	160	420	120
걸린 시간(h)	4	3	2

(1) 가장 빠른 교통수단: (   )

(2) 그렇게 생각한 까닭: ______________

____

5 다음 두 안전장치의 기능을 각각 쓰시오.

(가)

▲ 안전띠

(나)

▲ 어린이 보호 구역 표지판

- (가): ______________
- (나): ______________

중학교 개념 엿보기

물체의 운동을 기록하는 방법

형! 텔레비전에서 치타가 달리는 모습을 보았는데, 빠르기가 아주 빨랐어.
이렇게 빠르게 달리는 치타의 속력은 어떻게 구하는 거야?

먼저, 달리는 치타를 1초 간격으로 같은 위치에서 2회 사진을 찍어.
그 다음 치타의 몸통 길이와 사진 두 장에 나타난 이동 거리를 비교하면 이동하는 데 '걸린 시간'과 '이동 거리'를 알 수 있지. 이제 '속력'을 구할 수 있겠지?

음 ……. 만약 몸통 길이가 1.5 m인 치타가 1초 동안 치타 몸통의 10배 정도인 15 m를 이동했다면, 이 치타는 1초 동안 15 m를 이동한 거니까 속력은 15 m/s네!

그렇지! 이처럼 움직이는 물체의 운동을 기록하면 속력을 구하거나 속력을 비교할 수 있어.

속력을 구하지 않고도 속력을 비교할 수 있어?

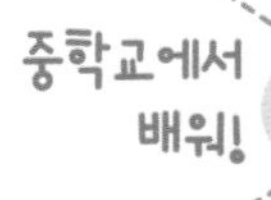

일정한 시간 간격으로 운동하는 물체를 촬영해 한 장의 사진으로 겹쳐보면 물체가 여러 번 나타나. 이때 물체 사이의 시간 간격이 일정하므로 물체가 이동한 거리로 속력을 비교할 수 있어. **물체 사이의 거리가 멀수록 속력이 빠르고, 가까울수록 속력은 느려.**

▲ 일정한 시간 간격으로 운동하는 물체를 촬영해 겹쳐 놓은 사진

이외에도 운동을 기록하는 방법에는 다중 섬광 사진, 시간기록계 등이 있어.

5-2 5단원

8 산과 염기

빨랫비누 물
식초
레몬즙
유리 세정제
사이다
석회수
묽은 염산

이 단원을
들어가기
전에
산과 염기를 나타낸 그림입니다.
과학 실험실에 숨은 그림을 찾아보세요.
컵
빗
튜브
삼각자
종이배
눈사람
고깔 모자
페놀프탈레인 용액
정답과 해설은
23쪽에 있어!

분류해, 여러 가지 용액!

여러 가지 용액을 분류할 때에는 용액의 성질을 관찰한 뒤 분류할 수 있는 기준을 세우고, 분류 기준에 따라 용액을 분류합니다.

여러 가지 용액 관찰하기

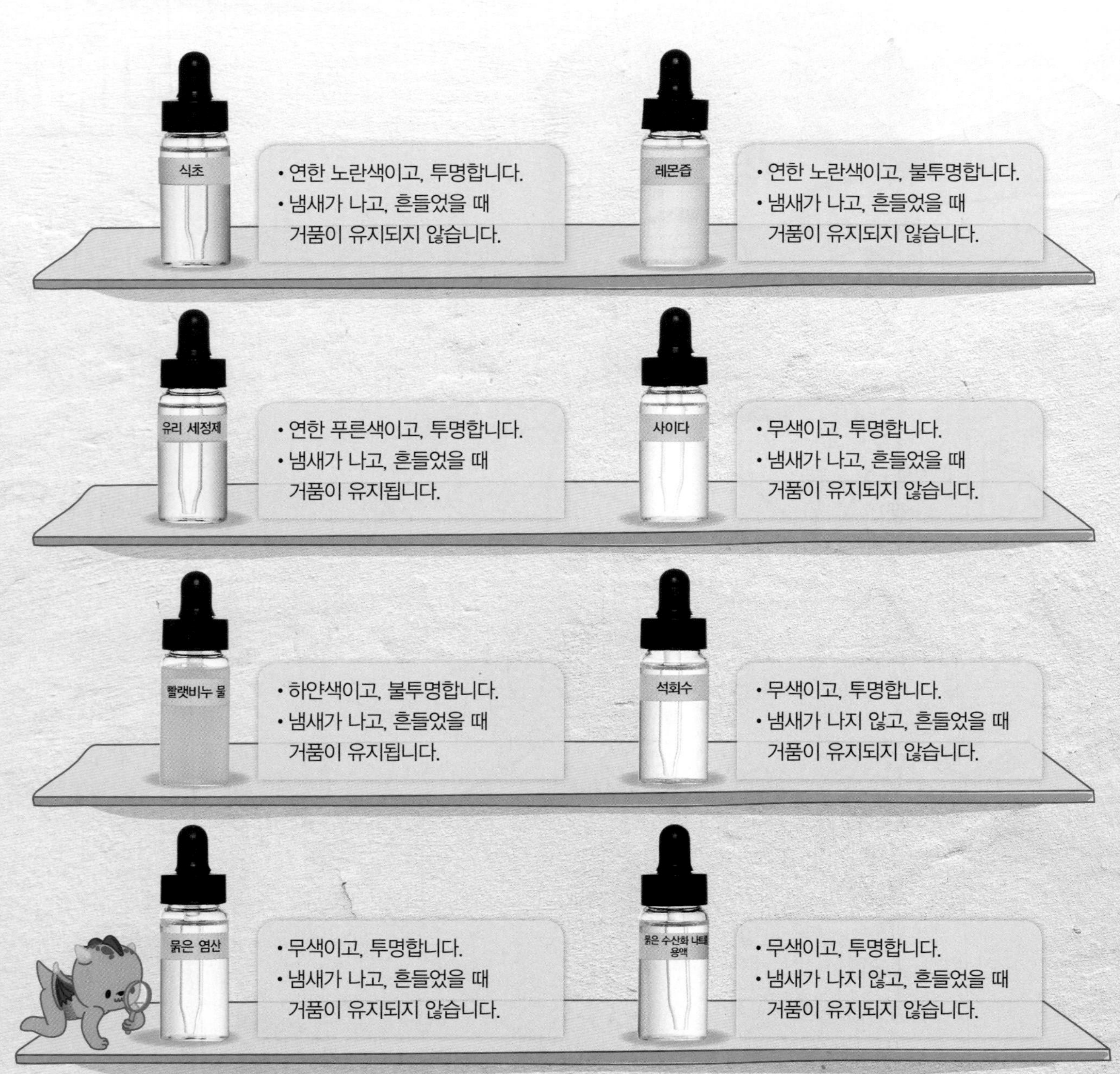

식초
• 연한 노란색이고, 투명합니다.
• 냄새가 나고, 흔들었을 때 거품이 유지되지 않습니다.
레몬즙
• 연한 노란색이고, 불투명합니다.
• 냄새가 나고, 흔들었을 때 거품이 유지되지 않습니다.
유리 세정제
• 연한 푸른색이고, 투명합니다.
• 냄새가 나고, 흔들었을 때 거품이 유지됩니다.
사이다
• 무색이고, 투명합니다.
• 냄새가 나고, 흔들었을 때 거품이 유지되지 않습니다.
빨랫비누 물
• 하얀색이고, 불투명합니다.
• 냄새가 나고, 흔들었을 때 거품이 유지됩니다.
석회수
• 무색이고, 투명합니다.
• 냄새가 나지 않고, 흔들었을 때 거품이 유지되지 않습니다.
묽은 염산
• 무색이고, 투명합니다.
• 냄새가 나고, 흔들었을 때 거품이 유지되지 않습니다.
묽은 수산화 나트륨 용액
• 무색이고, 투명합니다.
• 냄새가 나지 않고, 흔들었을 때 거품이 유지되지 않습니다.

여러 가지 용액 분류하기

투명한가?

그렇다. ▸▸▸▸▸▸ 식초, 유리 세정제, 사이다, 석회수, 묽은 염산, 묽은 수산화 나트륨 용액

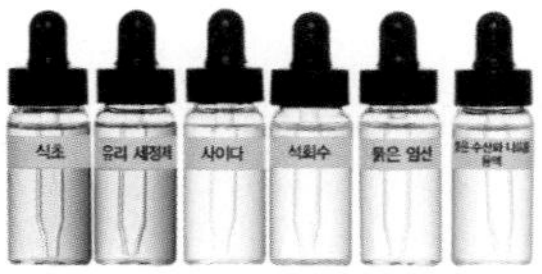

그렇지 않다. ▸▸▸ 레몬즙, 빨랫비누 물

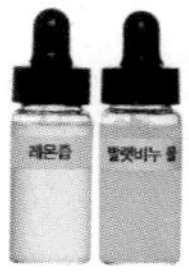

색깔이 있는가?

그렇다. ▸▸▸▸▸▸ 식초, 레몬즙, 유리 세정제, 빨랫비누 물

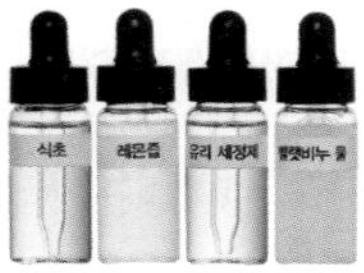

그렇지 않다. ▸▸▸ 사이다, 석회수, 묽은 염산, 묽은 수산화 나트륨 용액

흔들었을 때 거품이 3초 이상 유지되는가?

그렇다. ▸▸▸▸▸▸ 유리 세정제, 빨랫비누 물

그렇지 않다. ▸▸▸ 식초, 레몬즙, 사이다, 석회수, 묽은 염산, 묽은 수산화 나트륨 용액

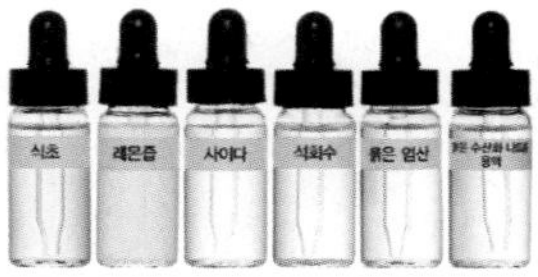

분류해, 산성 용액과 염기성 용액!

지시약 알아보기

'지시약'은 어떤 용액을 만났을 때에 그 용액의 성질에 따라 눈에 띄는 변화가 나타나는 물질입니다. 지시약을 이용하면 물질의 성질을 알아볼 수 있고, 여러 가지 용액을 효과적으로 분류할 수 있어요. 지시약에는 리트머스 종이, 페놀프탈레인 용액, 자주색 양배추 지시약 등이 있어요.

리트머스 종이와 페놀프탈레인 용액으로 용액 분류하기

❶ 실험판에 24홈판을 올려놓고 푸른색 리트머스 종이와 붉은색 리트머스 종이를 자른 뒤 각각의 홈에 넣습니다.
❷ 점적병에 담긴 용액을 리트머스 종이에 각각 한두 방울씩 떨어뜨린 뒤 색깔 변화를 관찰합니다.
❸ 실험판에 24홈판을 올려놓고 점적병에 담긴 용액을 각각의 홈에 $\frac{1}{3}$씩 넣습니다.
❹ 페놀프탈레인 용액을 각각의 홈에 한두 방울씩 떨어뜨린 뒤 색깔 변화를 관찰합니다.

리트머스 종이에 여러 가지 용액 떨어뜨리기

여러 가지 용액에 페놀프탈레인 용액 떨어뜨리기

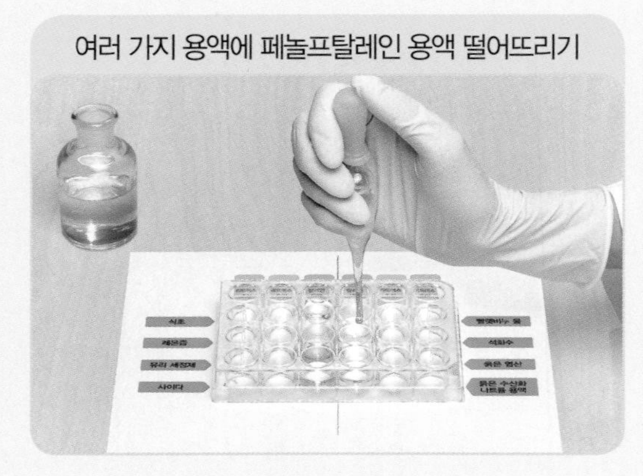

리트머스 종이와 페놀프탈레인 용액으로 산성 용액과 염기성 용액 분류하기

[리트머스 종이와 페놀프탈레인 용액으로 용액 분류하기] 탐구 활동에서  푸른색 리트머스 종이를 붉은색으로 변하게 하고, 페놀프탈레인 용액의 색깔을 변하지 않게 하는 용액을 '산성 용액'이라고 해요.

산성 용액				
식초, 레몬즙, 사이다, 묽은 염산	=	푸른색 리트머스 종이를 붉은색으로 변화시킨 용액	=	페놀프탈레인 용액의 색깔 변화가 없었던 용액

붉은색 리트머스 종이를 푸른색으로 변하게 하고, 페놀프탈레인 용액의 색깔을 붉은색으로 변하게 하는 용액을 '염기성 용액'이라고 합니다.

염기성 용액				
유리 세정제, 빨랫비누 물, 석회수, 묽은 수산화 나트륨 용액	=	붉은색 리트머스 종이를 푸른색으로 변화시킨 용액	=	페놀프탈레인 용액을 붉은색으로 변화시킨 용액

용액에 지시약을 넣으면 용액 자체의 색깔이 변하는 것이 아니라 지시약의 색깔이 변하는 거야.

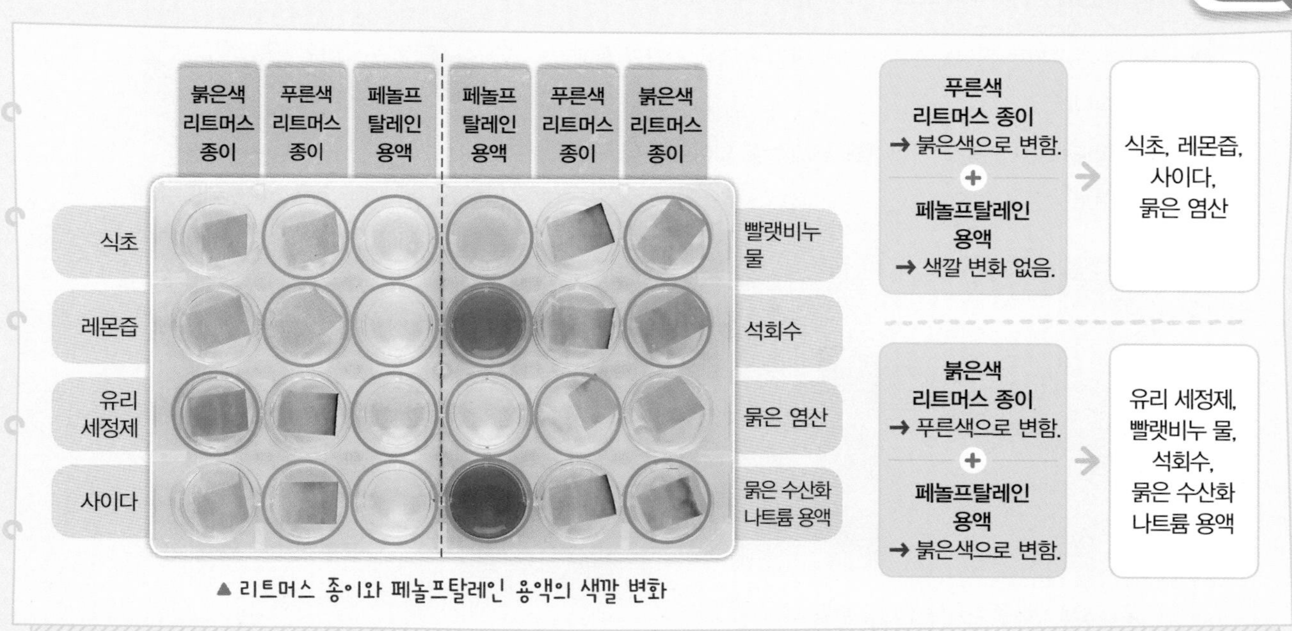

▲ 리트머스 종이와 페놀프탈레인 용액의 색깔 변화

자주색 양배추로 지시약을 만들어 산성 용액과 염기성 용액으로 분류하기

🔥 **자주색 양배추 지시약을 여러 가지 용액에 떨어뜨리면 용액의 색깔이 다르게 나타나요. 그 까닭은 용액의 성질에 따라 자주색 양배추에 들어 있는 물질이 서로 다른 색깔을 나타내기 때문입니다.** 그럼 자주색 양배추 지시약은 어떻게 만드는지 알아봐요.

자주색 양배추 지시약 만드는 방법

❶ 자주색 양배추를 잘게 잘라 비커에 담습니다.

❷ 비커에 자주색 양배추가 잠길 정도로 뜨거운 물을 넣습니다.

❸ 자주색 양배추를 우려낸 용액을 충분히 식혀 거른 뒤 사용합니다.

[자주색 양배추 지시약으로 용액 분류하기] 탐구 활동에서 🔥 **자주색 양배추 지시약은 산성 용액에서는 붉은색 계열의 색깔로 변하고, 염기성에서는 푸른색이나 노란색 계열의 색깔로 변해요.**

탐구 돋보기

자주색 양배추 지시약으로 용액 분류하기

❶ 실험판에 24홈판을 올려놓고 점적병에 담긴 용액을 각각의 홈에 $\frac{1}{3}$씩 넣습니다.

❷ 자주색 양배추 지시약을 각각의 홈에 두세 방울 떨어뜨린 뒤 색깔 변화를 관찰합니다.

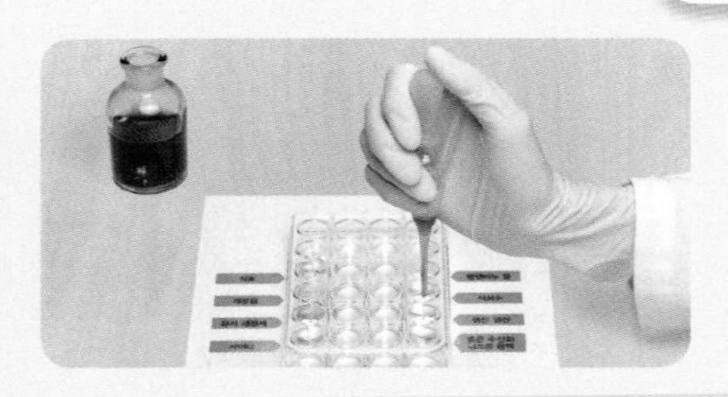

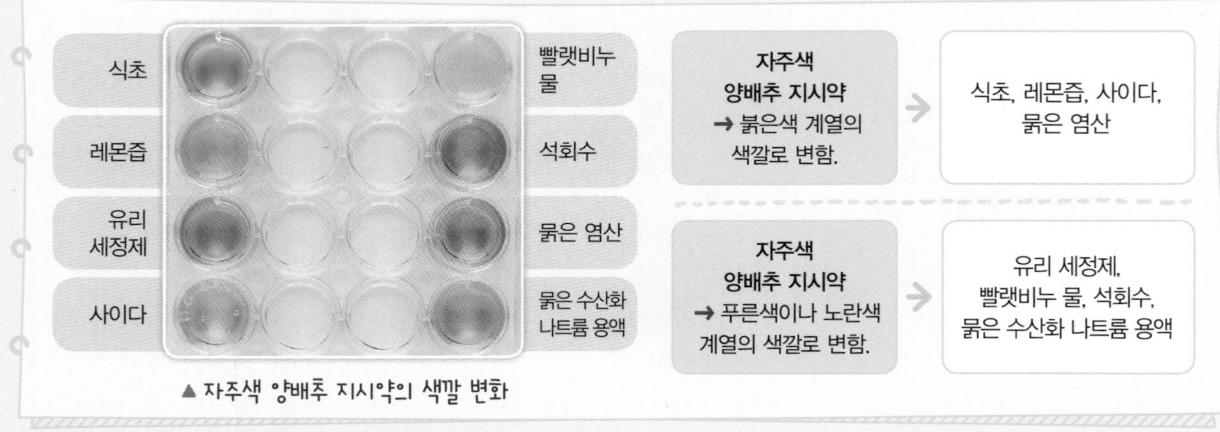

▲ 자주색 양배추 지시약의 색깔 변화

지시약으로 산성 용액과 염기성 용액 분류하기

앞의 **[리트머스 종이와 페놀프탈레인 용액으로 용액 분류하기]**와 **[자주색 양배추 지시약으로 용액 분류하기]** 탐구 활동에서 리트머스 종이와 페놀프탈레인 용액으로 용액을 분류한 결과와 자주색 양배추 지시약으로 용액을 분류한 결과가 일치해요. 이처럼 **리트머스 종이, 페놀프탈레인 용액, 자주색 양배추 지시약 등의 지시약을 이용하면 용액을 산성 용액과 염기성 용액으로 분류할 수 있어요.**

산성 용액	구분	염기성 용액
푸른색 리트머스 종이가 붉은색으로 변함.	리트머스 종이의 색깔 변화	붉은색 리트머스 종이가 푸른색으로 변함.
변화가 없음.	페놀프탈레인 용액의 색깔 변화	붉은색으로 변함.
붉은색 계열의 색깔로 변함.	자주색 양배추 지시약의 색깔 변화	푸른색이나 노란색 계열의 색깔로 변함.
식초, 레몬즙, 사이다, 묽은 염산	용액의 예	유리 세정제, 빨랫비누 물, 석회수, 묽은 수산화 나트륨 용액

지시약으로 만들어 사용할 수 있는 식물

자주색 양배추, 장미꽃, 비트, 가지, 검은콩 등에는 안토사이아닌이라는 색소가 들어 있습니다. 이 색소는 용액의 성질에 따라 다른 색깔을 나타내기 때문에 지시약으로 만들어 사용할 수 있습니다.

재미있는 개념 퀴즈!

1

여러 가지 용액을 분류하여 힌트의 답을 찾으면 혜린이네 집 전화번호를 알 수 있어요. 혜린이네 집 전화번호를 완성해 보세요.

혜린이네 집 전화번호 3 ㉠ 0 − 7 ㉡ 8 ㉢

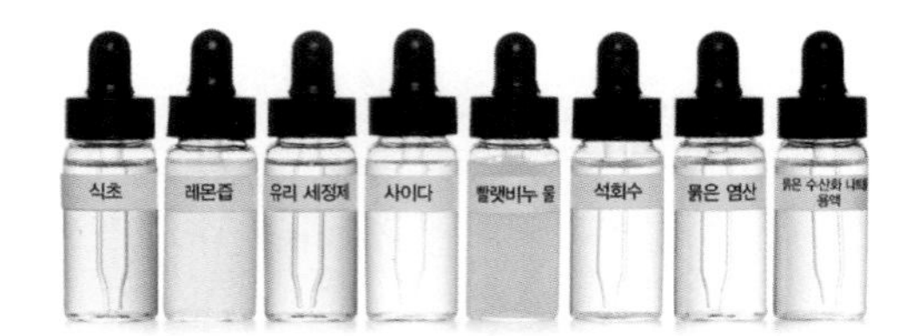

❶ 투명한 용액: (㉠)개
❷ 색깔이 있는 용액: (㉡)개
❸ 흔들었을 때 거품이 3초 이상 유지되는 용액: (㉢)개

혜린이네 집 전화번호: 3 [ ] 0 − 7 [ ] 8 [ ]

2

글자판에서 글자를 가로나 세로로 연결하여 다음과 같이 푸른색 리트머스 종이의 색깔을 붉은색으로 변화시킬 수 있는 용액을 찾아 ○표 하세요.

식	빨	사	제	유
리	레	오	초	스
세	몬	이	렌	사
염	즙	산	비	누
석	회	수	산	다

3

염기성 용액에서 리트머스 종이와 페놀프탈레인 용액의 색깔 변화에 대해 바르게 설명한 화살표를 따라 갔을 때 만들어지는 단어를 쓰세요.

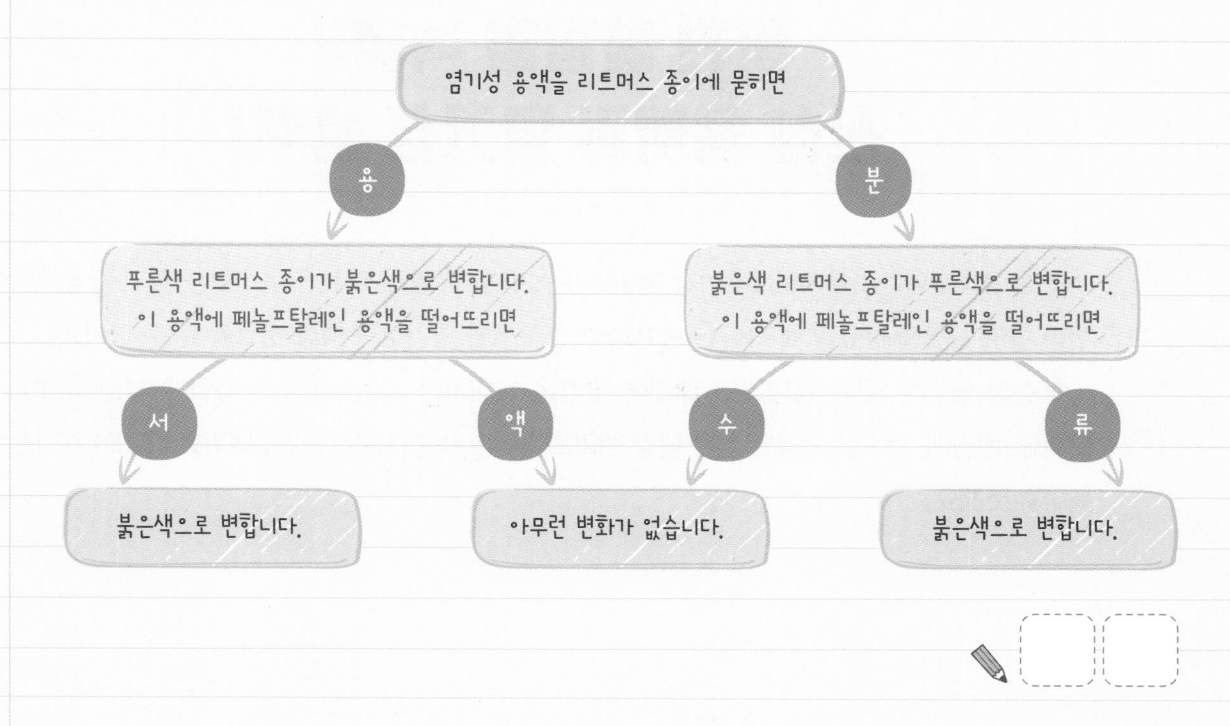
염기성 용액을 리트머스 종이에 묻히면
용
분
푸른색 리트머스 종이가 붉은색으로 변합니다.
이 용액에 페놀프탈레인 용액을 떨어뜨리면
붉은색 리트머스 종이가 푸른색으로 변합니다.
이 용액에 페놀프탈레인 용액을 떨어뜨리면
서
액
수
류
붉은색으로 변합니다.
아무런 변화가 없습니다.
붉은색으로 변합니다.

4

식탁 위에 누군가 용액을 잔뜩 흘리고 사라졌어요. 누가 흘린 것인지 찾기 위해 용액에 자주색 양배추 지시약을 떨어뜨렸더니 붉은색 계열의 색깔로 변했어요. 누가 흘린 것인지 찾아 기호를 쓰세요.

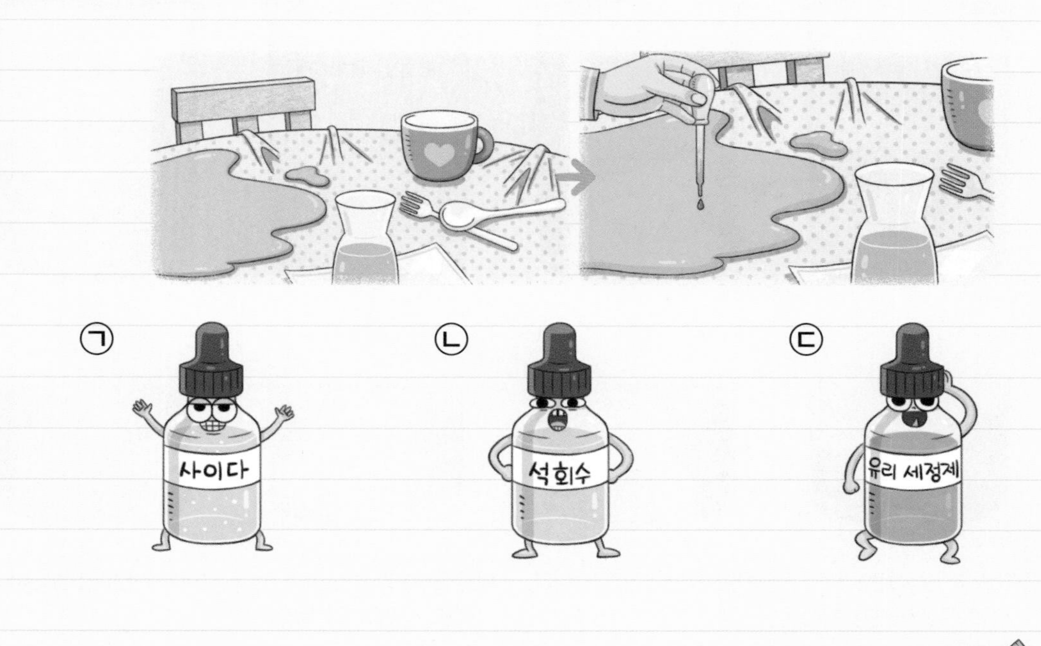

㉠ 사이다
㉡ 석회수
㉢ 유리 세정제

정답과 해설 24쪽

어떤 물질을 녹여? 산성 용액과 염기성 용액!

[산성 용액과 염기성 용액에 여러 가지 물질 넣어 보기] 탐구 활동에서 산성 용액과 염기성 용액에 여러 가지 물질을 넣었을 때 나타난 변화로 산성 용액과 염기성 용액의 성질을 알 수 있어요.

산성 용액은 달걀 껍데기와 대리석 조각을 녹이지만, 삶은 달걀 흰자와 두부는 녹이지 못해요. 반면에, 염기성 용액은 삶은 달걀 흰자와 두부는 녹이지만, 달걀 껍데기와 대리석 조각은 녹이지 못해요.

산성 용액과 염기성 용액에 여러 가지 물질 넣어 보기

산성 용액인 묽은 염산에 여러 가지 물질을 넣었을 때의 변화 관찰하기

묽은 염산 + 달걀 껍데기	묽은 염산 + 삶은 달걀 흰자	묽은 염산 + 대리석 조각	묽은 염산 + 두부
• 기포가 발생합니다. • 바깥쪽 껍데기가 녹아 없어집니다.	아무런 변화가 없습니다.	• 기포가 발생합니다. • 대리석 조각이 녹습니다.	아무런 변화가 없습니다.

산성을 띤 빗물이나 새의 배설물은 산성 물질이에요. 이러한 산성 물질이 대리석에 닿으면 대리석이 녹아요. 그래서 대리석으로 만든 서울 원각사지 십층 석탑의 훼손을 막기 위해 유리 보호 장치를 한 것이라고 해요.

서울 원각사지 십층 석탑 ▶

탐구 돋보기

염기성 용액인 묽은 수산화 나트륨 용액에 여러 가지 물질을 넣었을 때의 변화 관찰하기

 ↓ 	 ↓ 		
아무런 변화가 없습니다.	삶은 달걀 흰자가 녹아 흐물흐물해집니다. 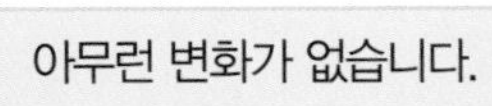	아무런 변화가 없습니다.	• 두부가 녹아 흐물흐물해집니다. • 용액이 뿌옇게 흐려집니다.

45

섞으면 성질이 약해져. 산성 용액과 염기성 용액!

[산성 용액과 염기성 용액을 섞으며 지시약의 색깔 변화 관찰하기] 탐구 활동에서 산성 용액과 염기성 용액을 서로 섞을 때 자주색 양배추 지시약의 색깔 변화로 용액의 성질 변화를 알 수 있어요.

산성 용액과 염기성 용액을 섞으며 지시약의 색깔 변화 관찰하기

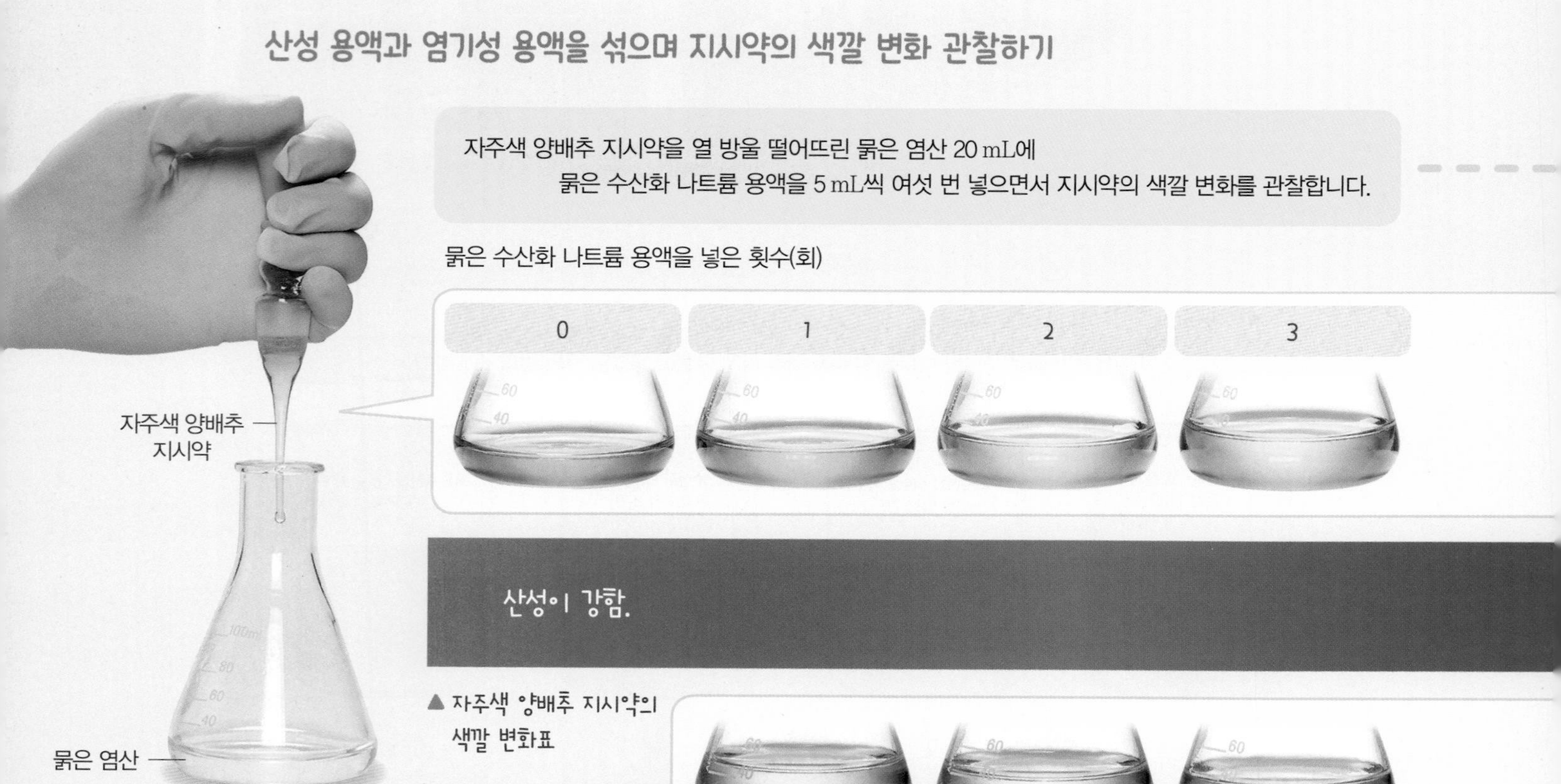
자주색 양배추 지시약을 열 방울 떨어뜨린 묽은 염산 20 mL에 묽은 수산화 나트륨 용액을 5 mL씩 여섯 번 넣으면서 지시약의 색깔 변화를 관찰합니다.
묽은 수산화 나트륨 용액을 넣은 횟수(회)
0
1
2
3
6
5
4
산성이 강함.
자주색 양배추 지시약
묽은 염산
묽은 수산화 나트륨 용액에 묽은 염산을 넣을수록 푸른색 계열의 색깔에서 붉은색 계열의 색깔로 변합니다.

▲ 자주색 양배추 지시약의 색깔 변화표

산성 용액에 염기성 용액을 넣을수록 산성이 점점 약해지고, 염기성 용액에 산성 용액을 넣을수록 염기성이 점점 약해져요. 그 까닭은 섞은 용액 속에 있는 산성을 띠는 물질과 염기성을 띠는 물질이 서로 짝을 맞추면서 각각의 성질을 잃어버리기 때문이에요. 그래서 공장에서 염산이 새어 나오는 염산 누출 사고가 발생하면 산성 용액인 염산의 성질이 점차 약해지게 하기 위해 염기성을 띤 소석회를 뿌려 사고를 수습해요.

▲ 염산이 누출된 사고 현장에 소석회를 뿌리는 모습

묽은 염산에 묽은 수산화 나트륨 용액을 넣을수록 붉은색 계열의 색깔에서 푸른색 계열의 색깔로 변합니다.

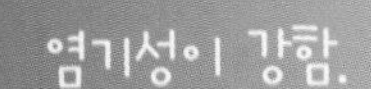

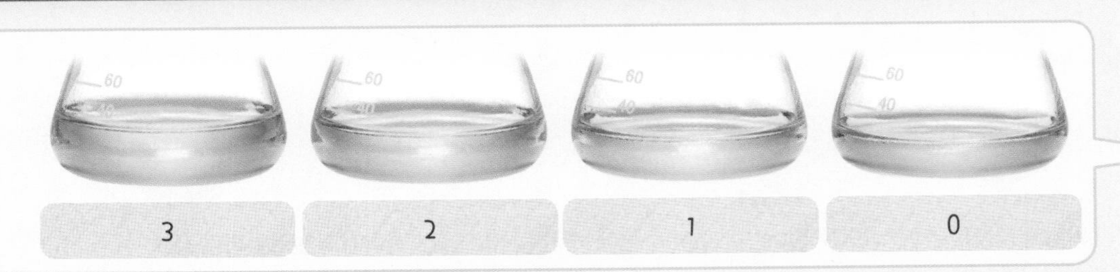

묽은 염산을 넣은 횟수(회)

자주색 양배추 지시약을 열 방울 떨어뜨린 묽은 수산화 나트륨 용액 20 mL에 묽은 염산을 5 mL씩 여섯 번 넣으면서 지시약의 색깔 변화를 관찰합니다.

이용해, 산성 용액과 염기성 용액!

[요구르트와 치약의 성질 알아보기] 탐구 활동을 통해 요구르트와 물에 녹인 치약이 산성 용액인지 염기성 용액인지 알아봐요.

요구르트와 치약의 성질 알아보기

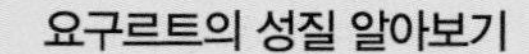

요구르트의 성질 알아보기

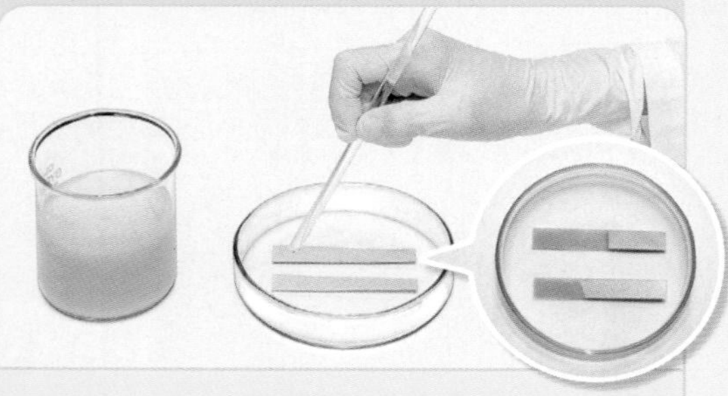

비커에 담긴 요구르트를 푸른색 리트머스 종이와 붉은색 리트머스 종이에 각각 묻히면 푸른색 리트머스 종이가 붉은색으로 변합니다.

요구르트가 담긴 비커에 페놀프탈레인 용액을 떨어뜨리면 아무런 변화가 없습니다.

요구르트는 산성 용액입니다.

치약의 성질 알아보기

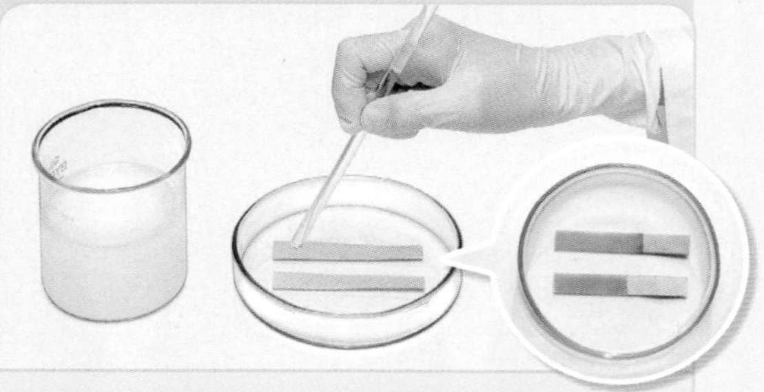

비커에 담긴 물에 녹인 치약을 푸른색 리트머스 종이와 붉은색 리트머스 종이에 각각 묻히면 붉은색 리트머스 종이가 푸른색으로 변합니다.

물에 녹인 치약이 담긴 비커에 페놀프탈레인 용액을 떨어뜨리면 붉은색 또는 분홍색으로 변합니다.

물에 녹인 치약은 염기성 용액입니다.

요구르트는 산성 용액이고, 물에 녹인 치약은 염기성 용액이에요. **요구르트를 마시면 입안이 산성 환경이 되고, 입안이 산성이 되면 충치를 만드는 세균이 활발히 활동해요. 이때 염기성 물질인 치약으로 양치질을 하면 산성 물질을 없애 세균의 활동을 억제할 수 있어요.** 그래서 요구르트와 같은 음료를 마시고 난 뒤 양치질을 해야 해요.

우리 생활에서는 산성 용액과 염기성 용액을 다양하게 이용하고 있어요.

▲ 산성 용액인 오렌지주스, 사이다, 레몬즙

산성 용액 이용

▲ 생선을 손질한 도마를 닦을 때 식초를 사용합니다.

▲ 변기를 청소할 때 변기용 세제를 사용합니다.

염기성 용액 이용

▲ 속이 쓰릴 때 제산제를 먹습니다.

▲ 욕실을 청소할 때 표백제를 사용합니다.

재미있는 개념 퀴즈!

1 선을 따라가면 이 용액에 달걀 껍데기, 삶은 달걀 흰자, 두부를 넣었을 때 나타나는 변화를 알 수 있어요. 이 용액의 성질은 산성 용액인지, 염기성 용액인지 쓰세요.

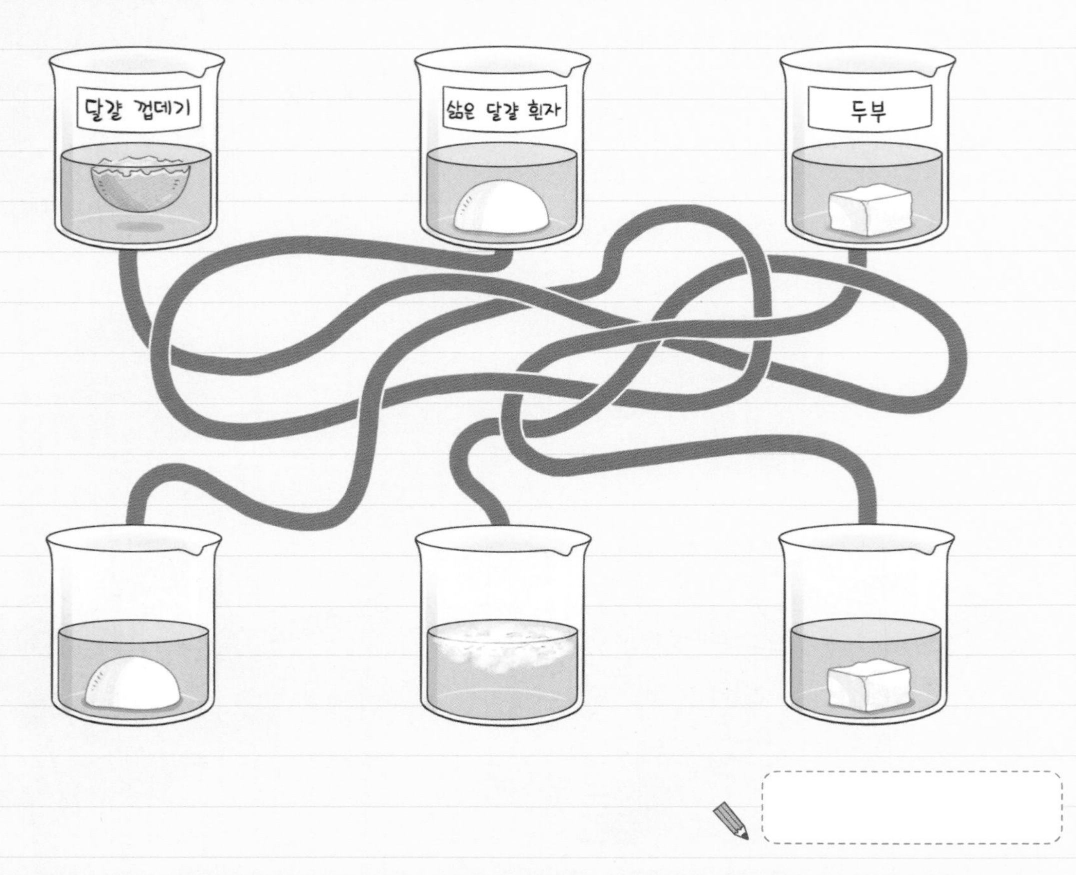

2 묽은 수산화 나트륨 용액 20 mL에 자주색 양배추 지시약을 열 방울 떨어뜨린 뒤, 묽은 염산을 5 mL씩 넣으면서 지시약의 색깔 변화를 관찰하려고 해요. 퍼즐을 맞추어 용액의 색깔 변화를 알아보고 색깔 변화 순서대로 기호를 쓰세요.

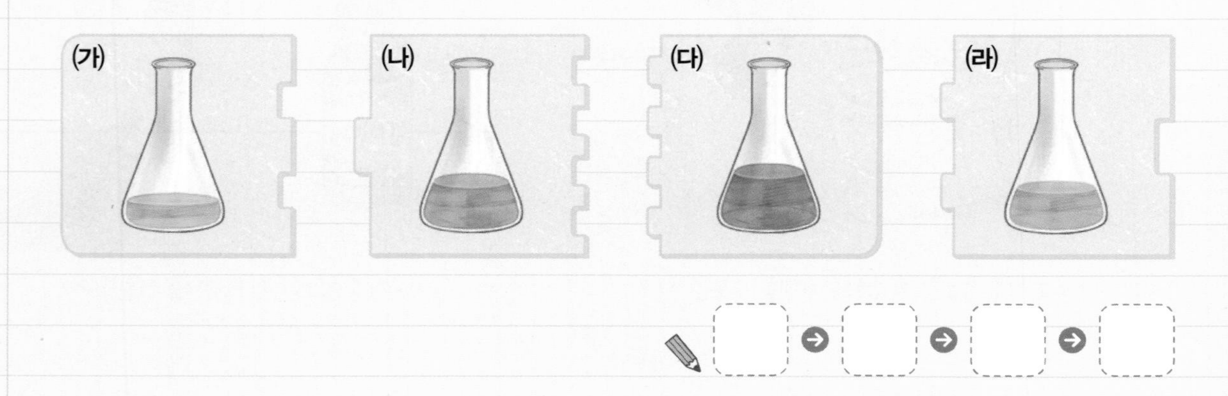

3

요구르트를 마신 외계인의 입안이 오른쪽과 같이 산성 환경이 되었어요. 입안의 산성 물질을 없애기 위해 필요한 물질로 가장 적절한 것을 보기 에서 골라 기호를 쓰세요.

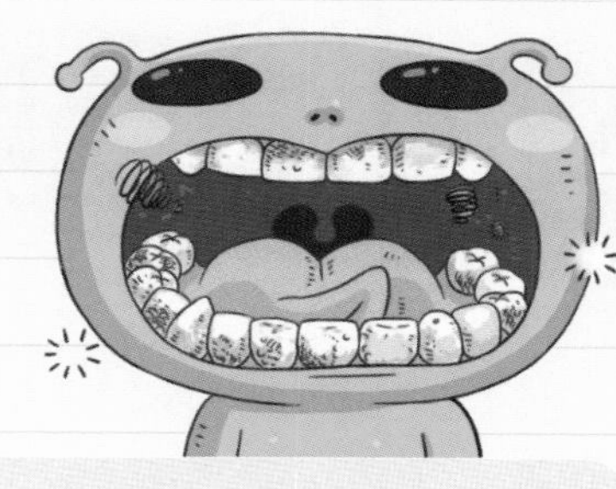

▲ 물

▲ 치약

▲ 사이다

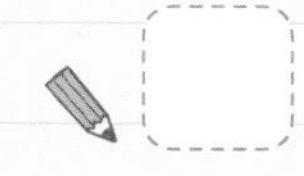

4

두 그림을 비교하면 생선을 손질한 도마를 닦기 위해 엄마가 가져간 물건을 알 수 있어요. 빈칸에 알맞은 말을 쓰세요.

생선을 손질한 도마는  ( ) 로 닦아 냅니다.

개념 잡는

생각 그물!

산과 염기

여러 가지 용액을 분류하는 방법

- 여러 가지 용액의 ❶ ______을 관찰한 뒤 분류할 수 있는 기준을 세워 용액을 분류함.
- 용액을 분류할 수 있는 성질: 색깔, 투명한 정도, 냄새, 흔들었을 때 3초 이상 거품이 유지되는지 여부 등

분류 기준: 예 색깔이 있는가?

그렇다. / 그렇지 않다.

지시약을 이용해 여러 가지 용액을 분류하는 방법

지시약

어떤 용액을 만났을 때에 그 용액의 성질에 따라 눈에 띄는 ❷ ______가 나타나는 물질

예 리트머스 종이, 페놀프탈레인 용액, 자주색 양배추 지시약 등

지시약의 색깔 변화

산성 용액	구분	염기성 용액
푸른색 리트머스 종이가 붉은색으로 변함.	**리트머스 종이의 색깔 변화**	붉은색 리트머스 종이가 ❸ ______으로 변함.
변화가 없음.	**페놀프탈레인 용액의 색깔 변화**	붉은색으로 변함.
❹ ______ 계열의 색깔로 변함.	**자주색 양배추 지시약의 색깔 변화**	푸른색이나 노란색 계열의 색깔로 변함.
식초, 레몬즙, 사이다, 묽은 염산	**용액의 예**	유리 세정제, 빨랫비누 물, 석회수, 묽은 수산화 나트륨 용액

산성 용액과 염기성 용액에 여러 가지 물질을 넣었을 때의 변화

· 묽은 염산에 물질을 넣었을 때

달걀 껍데기 ▶ ◀ 대리석 조각

➔ ⑤ [   ] 용액은 달걀 껍데기와 대리석 조각은 녹이지만, 삶은 달걀 흰자와 두부는 녹이지 못함.

· 묽은 수산화 나트륨 용액에 물질을 넣었을 때

삶은 달걀 흰자 ▶ ◀ 두부

➔ ⑥ [   ] 용액은 삶은 달걀 흰자와 두부는 녹이지만, 달걀 껍데기와 대리석 조각은 녹이지 못함.

산성 용액과 염기성 용액을 섞을 때의 변화와 생활에서의 이용

산성 용액과 염기성 용액을 섞을 때 자주색 양배추 지시약의 색깔 변화

산성 용액에 염기성 용액을 넣었을 때	염기성 용액에 산성 용액을 넣었을 때
붉은색 계열에서 푸른색 계열의 색깔로 변함. ➔ 산성 용액에 염기성 용액을 넣을수록 ⑦ [ ]이 점점 약해짐.	푸른색 계열에서 붉은색 계열의 색깔로 변함. ➔ 염기성 용액에 산성 용액을 넣을수록 ⑧ [ ]이 점점 약해짐.

산성 용액과 염기성 용액을 이용하는 예

· ⑨ [   ] 용액을 이용하는 예

식초 / 변기용 세제

· ⑩ [   ] 용액을 이용하는 예

제산제 / 표백제

개념 확인 체크! 체크!

- ☐ 여러 가지 용액을 분류하는 방법을 이야기할 수 있어요. • 160~161쪽
- ☐ 지시약을 이용해 용액을 산성 용액과 염기성 용액으로 분류할 수 있어요. • 162~165쪽
- ☐ 산성 용액과 염기성 용액에 여러 가지 물질을 넣은 뒤 그 변화를 이야기할 수 있어요. • 168~169쪽
- ☐ 산성 용액과 염기성 용액을 서로 섞을 때의 변화를 이야기할 수 있어요. • 170~171쪽
- ☐ 우리 생활에서 산성 용액과 염기성 용액을 이용하는 예를 이야기할 수 있어요. • 172~173쪽

정답과 해설 24쪽

개념 잡는 수행 평가!

1~2 다음 여러 가지 용액을 보고, 물음에 답하시오.

1 위 ㉠~㉢ 용액의 공통점을 쓰시오.

2 위 ㉠~㉢ 용액에 페놀프탈레인 용액을 각각 떨어뜨렸을 때의 결과를 쓰시오.

3 다음은 어떤 용액을 리트머스 종이에 떨어뜨린 모습입니다. 이 용액에 자주색 양배추 지시약을 떨어뜨릴 때의 색깔 변화를 용액의 성질과 관련지어 쓰시오.

▲ 푸른색 리트머스 종이가 붉은색으로 변합니다.

▲ 붉은색 리트머스 종이는 색깔 변화가 없습니다.

4

오른쪽은 어떤 용액에 삶은 달걀 흰자를 넣고 하루가 지난 후의 모습입니다. 삶은 달걀 흰자를 넣은 용액의 성질이 산성 용액인지, 염기성 용액인지 쓰고, 이 용액에 삶은 달걀 흰자 대신 두부를 넣었을 때의 결과를 쓰시오.

(1) 삶은 달걀 흰자를 넣은 용액: (   )

(2) 두부를 넣었을 때의 결과: ______________________________

____

5

다음은 산성 용액에 자주색 양배추 지시약을 열 방울 떨어뜨린 뒤, 염기성 용액을 넣었을 때의 색깔 변화를 나타낸 것입니다. 이것으로 보아 산성 용액의 성질은 어떻게 변하는지 쓰고, 그렇게 생각한 까닭을 쓰시오.

(1) 산성 용액의 성질 변화: ______________________________

(2) 그렇게 생각한 까닭: ______________________________

____

6

다음은 요구르트와 물에 녹인 치약을 리트머스 종이에 묻혀 보고, 각각의 용액에 페놀프탈레인 용액을 떨어뜨린 결과를 나타낸 표입니다. 이 실험 결과로 알 수 있는 요구르트와 물에 녹인 치약의 성질을 쓰시오.

구분	리트머스 종이의 색깔 변화		페놀프탈레인 용액의 색깔 변화
	푸른색 리트머스 종이	붉은색 리트머스 종이	
요구르트	붉은색으로 변함.	변화가 없음.	변화가 없음.
물에 녹인 치약	변화가 없음.	푸른색으로 변함.	붉은색으로 변함.

____

____

정답과 해설 25쪽

중학교 개념 엿보기

에너지를 방출하거나 흡수하는 화학 반응

묽은 염산에 묽은 수산화 나트륨 용액을 넣을 때 주변의 온도가 높아지는 것을 느꼈나요? 묽은 염산에 묽은 수산화 나트륨 용액을 넣으면 화학 반응이 일어나 주변의 온도가 높아지게 됩니다.

화학 반응은 어떤 물질이 성질이 다른 새로운 물질로 변하는 과정을 말해요. 나무가 탈 때 일어나는 화학 반응으로 주변의 온도가 높아지고, 물을 빠르게 얼리기 위해 얼음물에 소금을 넣을 때 일어나는 화학 반응으로 주변의 온도가 낮아지게 된답니다.

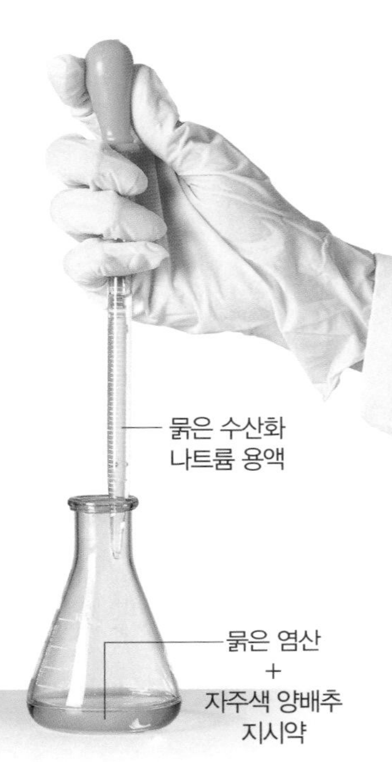

▲ 나무가 탈 때

화학 반응에서 출입하는 에너지의 활용

화학 반응이 일어날 때에는 주변으로 에너지를 방출하거나 주변으로부터 에너지를 흡수해. 이때 에너지를 방출하면 주변의 온도가 높아지고, 에너지를 흡수하면 주변의 온도가 낮아져. 우리 생활에서는 에너지를 방출하거나 흡수하는 화학 반응을 이용해 불 없이도 음식을 데우거나 조리하기도 하며, 난방을 하는 등 다양하게 활용하고 있어.

▲ 방출하는 에너지로 음식을 따뜻하게 하는 발열 도시락

▲ 방출하는 에너지로 발을 따뜻하게 하는 발열 깔창

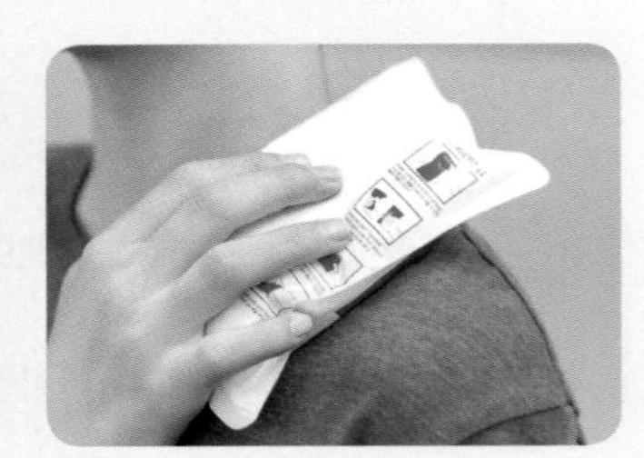
▲ 흡수하는 에너지로 몸을 차갑게 하는 냉찜질 주머니

부록1

용어 찾아보기

● 각 단원에 나오는 용어를 익히고 용어 퀴즈를 풀어 보세요.

1. 온도와 열

10쪽 **재배** (栽 심을 **재**, 培 북돋을 **배**)

식물을 심어 가꾸는 것

11쪽 **온도계** (溫 따뜻할 **온**, 度 법도 **도**, 計 셀 **계**)

물체의 온도를 측정하는 도구

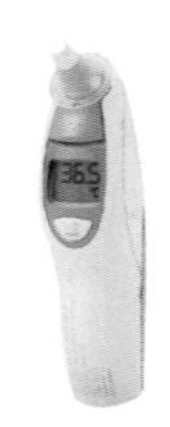
▲ 귀 체온계

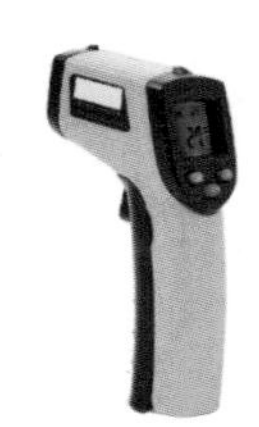
▲ 적외선 온도계

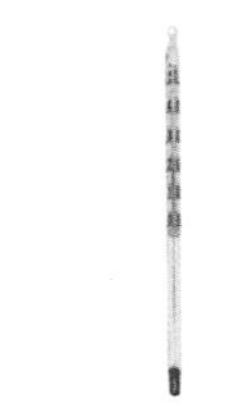
▲ 알코올 온도계

11쪽 **표면** (表 겉 **표** 面 겉 **면**)

사물의 가장 바깥쪽 또는 가장 윗부분

12쪽 **그늘**

물체 등에 가로막혀서 햇빛으로부터 빛을 받지 못하여 어두운 부분

13쪽 **접촉** (接 접할 **접**, 觸 닿을 **촉**)

서로 맞닿음.

예 온도가 다른 두 물질이 접촉한 예

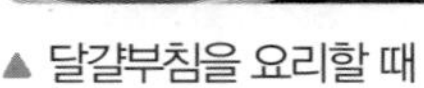
▲ 달걀부침을 요리할 때

▲ 삶은 면을 차가운 물로 헹굴 때

16쪽 **변색** (變 변할 **변**, 色 빛 **색**)

색깔이 변하여 달라지는 것

16쪽 **열 변색 붙임딱지**

물질의 차갑거나 따뜻한 정도에 따라 색깔이 변하는 성질을 가진 붙임딱지

▲ 열 변색 붙임딱지를 붙인 구리판 가열할 때

17쪽 **단열재** (斷 끊을 **단**, 熱 더울 **열**, 材 재목 **재**)

열이 밖으로 빠져나가거나 안으로 들어오는 것을 막는 데 쓰이는 재료

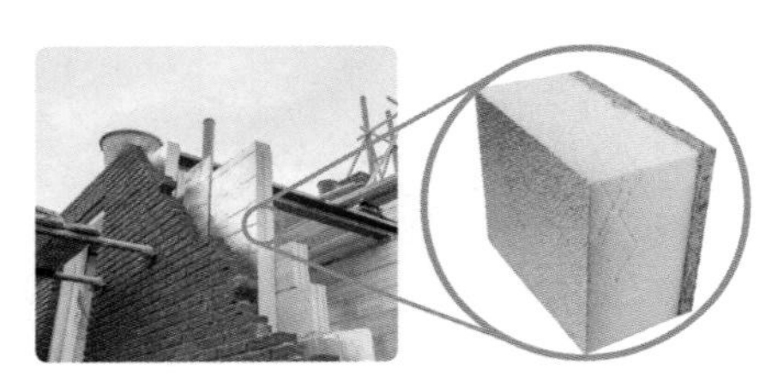
▲ 단열재를 이용한 집짓기

18쪽 **가열** (加 더할 **가**, 熱 더울 **열**)

어떤 물질에 열을 가함.

26쪽 **진공 상태**

물질이 전혀 존재하지 않는 상태

다음에서 설명하는 용어를 골라 바르게 줄로 이으시오.

(1) 식물을 심어 가꾸는 것

(2) 색깔이 변하여 달라지는 것

(3) 물체의 온도를 측정하는 도구

㉠ 온도계

㉡ 변색

㉢ 재배

정답 | (1) – ㉢ (2) – ㉡ (3) – ㉠

2. 태양계와 별

| 30쪽 | **천체** (天 하늘 **천**, 體 몸 **체**)

우주에 있는 모든 물체 예 별, 행성, 위성, 소행성 등

| 30쪽 | **대기** (大 큰 **대**, 氣 기체 **기**)

천체의 표면을 둘러싸고 있는 기체

| 31쪽 | **에너지**

물체가 가지고 있는 일을 하는 능력을 통틀어 이르는 말

| 33쪽 | **고리**

동그란 판처럼 나열된 행성 주위로 도는 먼지와 다른 작은 알갱이들

▲ 토성의 고리

| 33쪽 | **망원경** (望 바랄 **망**, 遠 멀 **원**, 鏡 거울 **경**)

두 개 이상의 볼록 렌즈를 맞추어서 멀리 있는 물체를 크고 정확하게 보도록 만든 도구

천체 망원경 ▶

| 39쪽 | **관측** (觀 볼 **관**, 測 잴 **측**)

맨눈이나 도구로 자연 현상을 관찰하여 측정하는 일 예 천체나 날씨의 상태, 변화 등

| 40쪽 | **나침반**

자석이 항상 북쪽과 남쪽을 가리키는 성질을 이용하여 방향을 찾을 수 있도록 만든 도구

| 41쪽 | **항해** (航 배 **항**, 海 바다 **해**)

배를 타고 바다 위를 다니는 것

| 41쪽 | **방위** (方 사방 **방**, 位 자리 **위**)

일정한 기준 방향에 대하여 나타내는 위치

| 48쪽 | **질량** (質 바탕 **질**, 量 헤아릴 **량**)

어떤 물체에 포함되어 있는 물질의 양

| 48쪽 | **밀도** (密 빽빽할 **밀**, 度 법도 **도**)

어떤 물질의 단위 부피 만큼의 질량

용어 퀴즈 다음에서 설명하는 용어를 찾아 글자판에 ○표 하세요.

❶ 우주에 있는 모든 물체
❷ 배를 타고 바다 위를 다니는 것
❸ 천체의 표면을 둘러싸고 있는 기체
❹ 일정한 기준 방향에 대하여 나타내는 위치
❺ 맨눈이나 도구로 자연 현상을 관찰하여 측정하는 일

천	이	사	화	방
체	공	산	소	위
육	대	기	행	성
질	량	발	항	무
지	밀	도	해	토
고	리	관	측	성

정답 | ❶ 천체 ❷ 항해 ❸ 대기 ❹ 방위 ❺ 관측

3. 용해와 용액

52쪽 **용해**

어떤 물질이 다른 물질에 녹아 골고루 섞이는 현상 예 소금이 물에 녹는 것, 설탕이 물에 녹는 것

52쪽 **혼합물**

두 가지 이상의 물질이 성질이 변하지 않은 채 섞여 있는 것

▲ 혼합물인 김밥

▲ 혼합물인 팥빙수

52쪽 **균일** (均 고를 균, 一 하나 일)

한결같이 고름.

52쪽 **거름종이**

혼합물에 들어 있는 물질 중 녹지 않은 물질을 걸러내는 특수한 종이

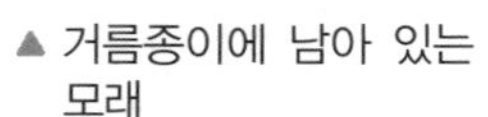

▲ 거름종이에 남아 있는 모래

▲ 거름종이를 빠져나간 소금물

56쪽 **베이킹 소다**

탄산수소 나트륨이라고도 하며, 빵이나 과자를 만들 때 제품을 부풀게 하여 맛을 좋게 하고 또 연하게 하여 소화가 잘 되도록 하기 위한 물질

58쪽 **용액의 진하기**

같은 양의 용매에 용해된 용질의 많고 적은 정도

예

▲ 사해의 물은 우리나라 물에 비해 용액의 진하기가 더 진해 사람의 몸이 물 위에 뜸.

58쪽 **겉보기 성질**

겉으로 보았을 때 쉽게 구분되는 성질

예 색깔, 냄새, 맛, 촉감 등

66쪽 **분리**

서로 나뉘어 떨어짐. 또는 그렇게 되게 함.

66쪽 **냉각** (冷 찰 냉, 却 물리칠 각)

식어서 차게 됨. 또는 식혀서 차게 함.

용어 퀴즈 다음에서 설명하는 용어를 골라 바르게 줄로 이으시오.

(1) 어떤 물질이 다른 물질에 녹아 골고루 섞이는 현상

(2) 겉으로 보았을 때 쉽게 구분되는 성질

(3) 같은 양의 용매에 용해된 용질의 많고 적은 정도

㉠ 겉보기 성질

㉡ 용해

㉢ 용액의 진하기

정답 | (1) – ㉡ (2) – ㉠ (3) – ㉢

4. 다양한 생물과 우리 생활

70쪽 **균사** (菌 버섯 균, 絲 실 사)

세포(생물체를 이루고 있는 기본 단위)들이 사슬처럼 연결된 하나의 가닥

70쪽 **포자** (胞 태보 포, 子 아들 자)

버섯이나 곰팡이 등이 생식을 위해 만드는 세포로, 작고 가벼워서 눈에 잘 보이지 않고 공기 중에 떠서 멀리 이동함.

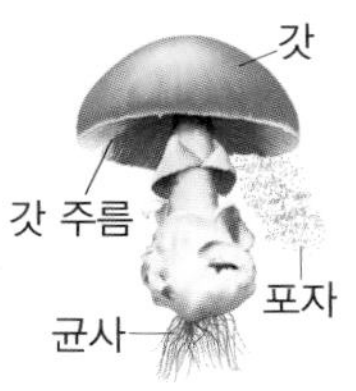

▲ 버섯의 구조

71쪽 **실체 현미경**

물체의 모습을 돋보기보다 더 확대해서 볼 수 있는 도구로, 물체를 입체적으로 관찰할 수 있음.

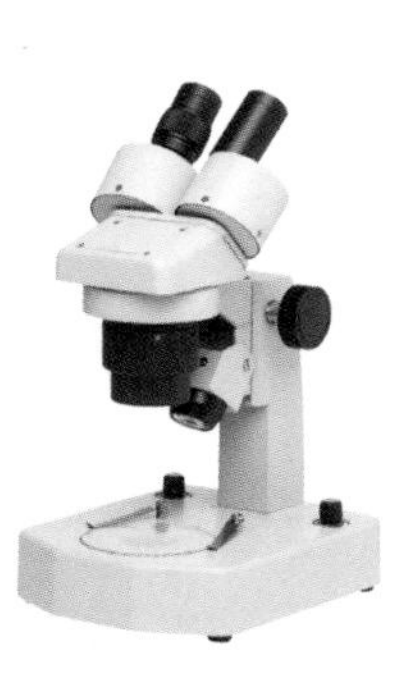

71쪽 **배율**

현미경으로 물체의 모습을 확대하는 정도

예 현미경의 배율은 접안렌즈×대물렌즈 배율로, 접안렌즈가 10배, 대물렌즈가 4배라면 물체를 40배로 관찰할 수 있음.

73쪽 **광학 현미경**

맨눈으로 관찰하기 어려운 생물을 자세히 볼 수 있는 도구

73쪽 **영구 표본**

표본을 오랫동안 보존하여 관찰할 수 있게 만든 것

▲ 짚신벌레 영구 표본

79쪽 **적조** (赤 붉을 적, 潮 조수 조)

원생생물의 수가 급격하게 늘어나 바다와 강, 호수 등의 색깔이 붉은색으로 변하는 현상

80쪽 **생명 과학**

생물의 특성, 생명 현상을 연구하거나 이를 통해 알게 된 사실을 우리 생활에 활용하는 모든 것

81쪽 **생산**

인간이 생활하는 데 필요한 각종 물건을 만들어 냄.

다음에서 설명하는 용어를 찾아 글자판에 ○표 하세요.

❶ 현미경으로 물체의 모습을 확대하는 정도

❷ 버섯이나 곰팡이 등이 생식을 위해 만드는 세포

❸ 표본을 오랫동안 보존하여 관찰할 수 있게 만든 것

❹ 세포(생물체를 이루고 있는 기본 단위)들이 사슬처럼 연결된 하나의 가닥

❺ 원생생물의 수가 급격하게 늘어나 바다와 강, 호수 등의 색깔이 붉은색으로 변하는 현상

가	균	사	망	녹
방	역	암	적	조
생	호	포	경	물
명	두	자	지	배
과	루	페	구	율
영	구	표	본	학

정답 | ❶ 배율 ❷ 포자 ❸ 영구 표본 ❹ 균사 ❺ 적조

5. 생물과 환경

| 93쪽 | **양분** (兩 두 **양**, 分 나눌 **분**)
영양이 되는 성분

| 93쪽 | **배출물**
동물이 섭취한 음식물을 소화하여 항문으로 내보내어지는 물질

| 93쪽 | **멸종** (滅 멸망할 **멸**, 種 씨 **종**)
생물의 한 종류가 아주 없어짐. 또는 생물의 한 종류를 아주 없애 버림.

| 97쪽 | **회복**
원래의 상태로 돌이키거나 원래의 상태를 되찾음.

| 100쪽 | **떡잎**
씨가 싹 뜨면서 최초로 나오는 잎으로, 보통의 잎과 형태가 다르고 양분을 저장하고 있는 것이 있음. 예 콩나물의 떡잎은 흔히 '콩나물 머리'라고 이야기 하는 부분임.

| 100쪽 | **떡잎 아래 몸통**
자라서 줄기가 되는 부분으로, 위쪽은 떡잎과 어린 싹이 되며 아래쪽은 어린 뿌리가 됨.
예 콩나물의 떡잎 아래 몸통은 아래의 하얗고 가느다란 부분임.

| 101쪽 | **단풍**
기온에 따라 식물의 잎이 붉은빛이나 누런빛으로 변하는 현상 또는 그렇게 변한 잎

| 102쪽 | **고원**
바닷물의 표면으로부터 계산하여 측정한 높이가 4000 m 이상의 높은 곳

| 103쪽 | **포식자** (捕 사로잡을 **포**, 食 먹을 **식**, 者 놈 **자**)
다른 동물을 먹이로 하는 동물

| 104쪽 | **매립** (埋 묻을 **매**, 立 설 **립**)
우묵한 땅이나 하천, 바다 등을 돌이나 흙 등으로 채움.

| 105쪽 | **유조선** (油 기름 **유**, 槽 구유 **조**, 船 배 **선**)
석유, 휘발유 등을 주로 실어 나르는 배

다음에서 설명하는 용어를 골라 바르게 줄로 이으시오.

(1) 기온에 따라 식물의 잎이 붉은빛이나 누런빛으로 변하는 현상

(2) 영양이 되는 성분

(3) 다른 동물을 먹이로 하는 동물

㉠ 양분　㉡ 포식자　㉢ 단풍

정답 | (1) - ㉢ (2) - ㉠ (3) - ㉡

6. 날씨와 우리 생활

117쪽 **제습제**

옷장이나 신발장 등 밀폐된 공간에 넣어 내부 습기를 제거하는 용도로 쓰이는 도구

117쪽 **숯**

공기의 공급을 차단 또는 아주 적게 하여 목재를 가열하였을 때 생기는 고체 물질

118쪽 **응결** (凝 엉길 응, 結 맺을 결)

공기 중 수증기가 물방울로 변하는 현상

120쪽 **액정 온도계**

현재의 온도가 색깔 변화로 표시되는 온도계

28 26 24 22 20

▲ 초록색 = 현재 온도 ➡ 24 ℃

28 26 24 22 20

▲ 파란색 = 현재보다 낮은 온도 ➡ 현재 온도 23 ℃

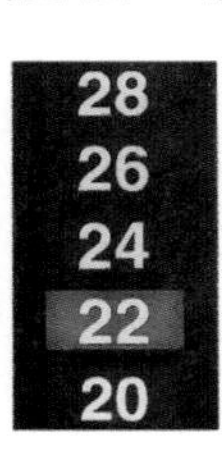

▲ 갈색 = 현재보다 높은 온도 ➡ 현재 온도 23 ℃

126쪽 **지면** (地 땅 지, 面 겉 면)

땅의 표면

126쪽 **수면** (水 물 수, 面 겉 면)

물의 표면

128쪽 **장마**

여름철에 여러 날을 계속해서 비가 내리는 현상이나 날씨

129쪽 **열사병** (熱 더울 열, 射 쏠 사, 病 병들 병)

무덥고 습한 곳에서 몸의 열을 몸 밖으로 내보내지 못하여 생기는 병

129쪽 **탈진** (脫 벗을 탈, 盡 다할 진)

기운이 다 빠져 없어짐.

129쪽 **과로**

몸이 고달플 정도로 지나치게 일함. 또는 그로 인한 지나친 피로

136쪽 **기류** (氣 기체 기, 流 무리 류)

공기의 흐름

다음에서 설명하는 용어를 찾아 글자판에 ○표 하세요.

❶ 공기의 흐름
❷ 공기 중 수증기가 물방울로 변하는 현상
❸ 여름철에 여러 날을 계속해서 비가 내리는 현상이나 날씨
❹ 무덥고 습한 곳에서 몸의 열을 몸 밖으로 내보내지 못하여 생기는 병
❺ 옷장이나 신발장 등 밀폐된 공간에 넣어 내부 습기를 제거하는 용도로 쓰이는 도구

제	가	습	기	류
습	역	소	압	정
제	장	나	탈	진
명	마	비	지	열
응	결	증	발	사
과	로	상	숯	병

정답 | ❶ 기류 ❷ 응결 ❸ 장마 ❹ 열사병 ❺ 제습제

7. 물체의 운동 / 8. 산과 염기

140쪽 위치

공간의 특정한 기준점으로부터의 방향과 직선 거리로 설명되는 공간의 한 점

140쪽 도로 표지판

자동차 운전자나 보행자에게 도로의 방향을 안내하거나 위험 사항을 경계시키며, 일정한 사항을 규제하거나 지시하는 등의 내용을 간단한 글이나 문자로 나타낸 표지판

145쪽 풍속 (風 바람 풍, 速 빠를 속)

바람의 속력 예 풍속이 클수록 바람은 빠르게 붊.

148쪽 제동 장치

자동차의 속력을 줄이거나 멈추기 위해 사용되는 장치

148쪽 보행자 (步 걸음 보, 行 다닐 행, 者 놈 자)

걸어서 길거리를 가고 오고 하는 사람

149쪽 충돌 (衝 찌를 충, 突 부딪칠 돌)

서로 맞부딪히거나 맞섬.

165쪽 안토사이아닌

꽃이나 과일 등에 주로 포함되어 있는 색소로, 꽃이 다양한 색깔을 띠는 까닭이기도 함.

171쪽 누출

액체나 기체 등이 밖으로 새어 나옴. 또는 그렇게 함.

171쪽 소석회

수산화 칼슘이라고도 하며, 물에 녹아 석회수가 되는 물질

173쪽 억제

정도나 한도를 넘어서 나아가려는 것을 억눌러 그치게 하는 것

173쪽 제산제

위산의 분비를 억제하거나 위산의 성질을 약화시키는 약

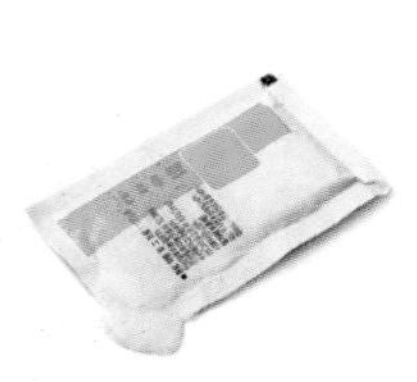

173쪽 표백제

여러 가지 섬유나 염색 재료 속에 들어 있는 색소를 없애는 물질

다음에서 설명하는 용어를 골라 바르게 줄로 이으시오.

(1) 바람의 속력

(2) 위산의 분비를 억제하거나 위산의 성질을 약화시키는 약

(3) 물에 녹아 석회수가 되는 물질

㉠ 풍속 ㉡ 소석회 ㉢ 제산제

정답 | (1) – ㉠ (2) – ㉢ (3) – ㉡

부록 2

단원 평가

• 각 단원에 나오는 중요 문제를 풀어 보세요.

단원 평가 1회 | 1. 온도와 열

5학년 반

이름

1 다음 중 온도에 대한 설명으로 바르지 않은 것은 어느 것입니까? ( )

① 온도계로 측정한다.
② 몸의 온도를 기온이라고 한다.
③ 숫자에 단위를 붙여 나타낸다.
④ 온도의 단위는 ℃(섭씨도)이다.
⑤ 온도를 사용하면 물질의 차갑거나 따뜻한 정도를 정확하게 나타낼 수 있다.

2 다음에서 설명하는 온도계를 골라 기호를 쓰시오.

- 주로 고체 물질의 온도를 측정할 때 사용합니다.
- 측정하려는 물질의 표면을 겨누고 측정 버튼을 누르면 온도 표시 창에 물질의 온도가 나타납니다.

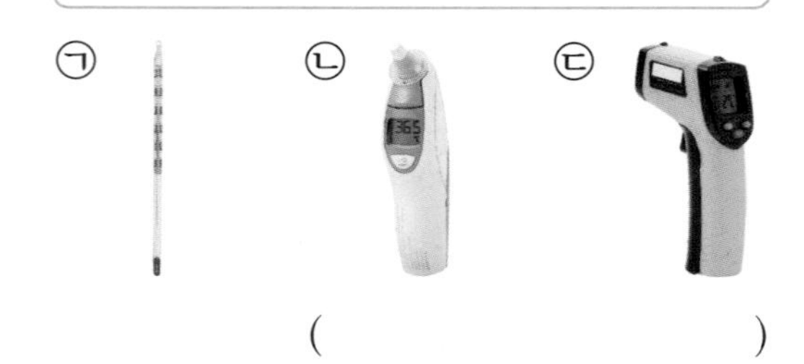

( )

서술형

3 물질의 온도를 온도계로 측정하는 까닭을 쓰시오.

4 다음과 같이 차가운 물이 담긴 음료수 캔(㉠)과 따뜻한 물이 담긴 비커(㉡)가 접촉할 때, 두 물질의 온도 변화에 대한 설명으로 바른 것을 두 가지 고르시오. (,)

① ㉠에 담긴 물은 온도가 높아진다.
② ㉡에 담긴 물은 온도가 변하지 않는다.
③ 시간이 지나면 ㉠과 ㉡에 담긴 물의 온도는 같아진다.
④ 열의 이동으로 ㉠과 ㉡에 담긴 물 모두 온도가 변하지 않는다.
⑤ 열은 온도가 낮은 ㉠에 담긴 물에서 온도가 높은 ㉡에 담긴 물로 이동한다.

5 다음과 같이 열 변색 붙임딱지를 붙인 세 가지 모양의 구리판을 가열하였습니다. ㉠~㉢ 중 열의 이동 방향을 화살표로 바르게 나타낸 것을 골라 기호를 쓰시오.

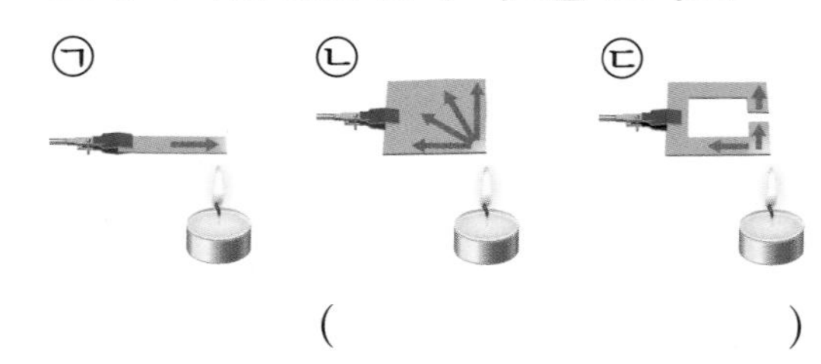

( )

서술형

6 다음과 같이 열 변색 붙임딱지를 붙인 구리판, 유리판, 철판을 뜨거운 물이 담긴 비커에 동시에 넣었을 때, 열 변색 붙임딱지의 색깔이 변하는 빠르기를 비교하여 그렇게 생각한 까닭과 함께 쓰시오.

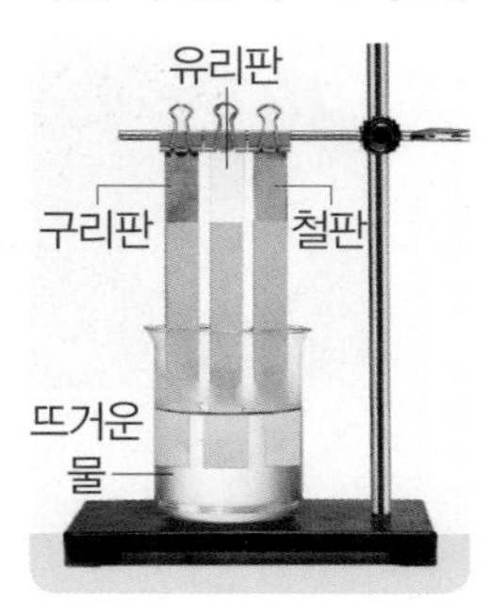

____

____

____

7 다음과 같이 차가운 물을 넣은 사각 수조의 바닥에 파란색 잉크를 넣은 뒤, 파란색 잉크의 아랫부분에 뜨거운 물이 담긴 종이컵을 놓았습니다. 파란색 잉크의 움직임을 바르게 설명한 것은 어느 것입니까? ( )

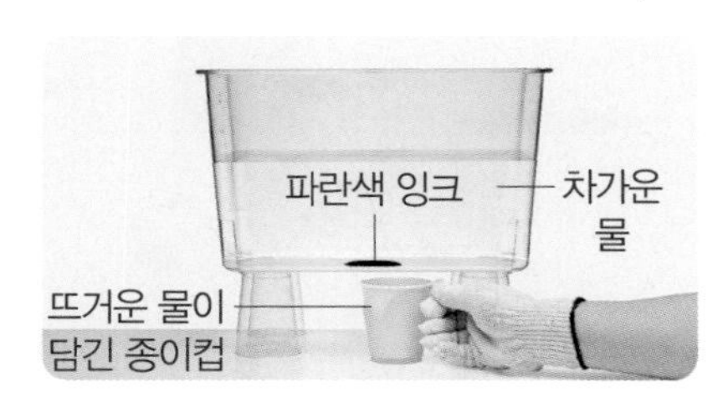

① 파란색 잉크가 위로 올라간다.
② 파란색 잉크가 옆으로만 퍼진다.
③ 파란색 잉크가 붉은색으로 변한다.
④ 파란색 잉크는 아무런 변화가 없다.
⑤ 파란색 잉크가 작은 방울로 변해 사방으로 퍼진다.

8 다음과 같이 알코올램프의 불을 붙이지 않았을 때와 불을 붙였을 때, 각각 삼발이의 위쪽에 비눗방울을 불었습니다. ㉠과 ㉡ 중 비눗방울이 알코올램프 주변에서 위로 올라가는 경우를 골라 기호를 쓰시오.

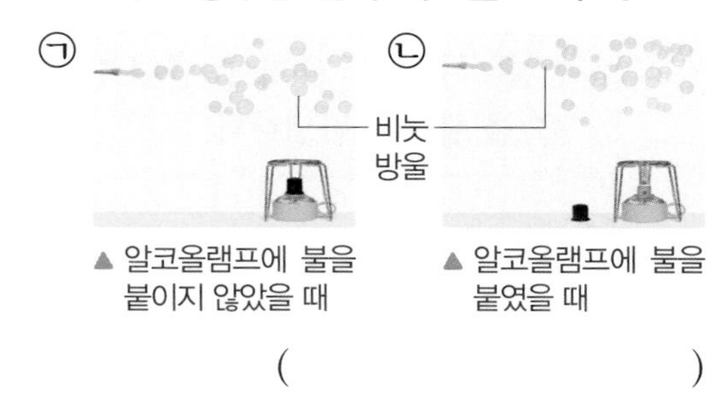

▲ 알코올램프에 불을 붙이지 않았을 때 ▲ 알코올램프에 불을 붙였을 때

( )

9 액체와 기체에서 열이 이동하는 방법을 무엇이라고 하는지 보기 에서 골라 기호를 쓰시오.

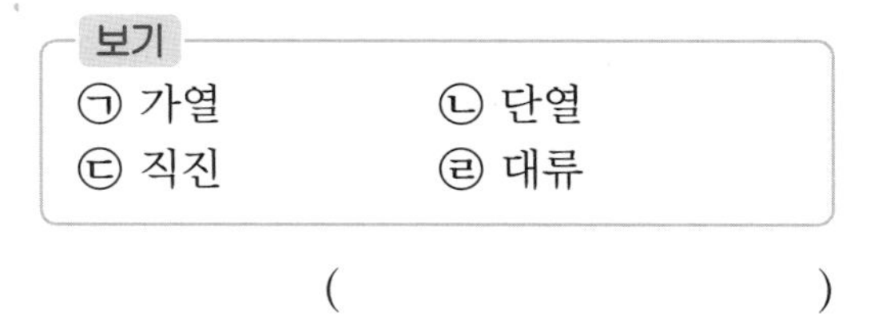
보기
㉠ 가열 ㉡ 단열
㉢ 직진 ㉣ 대류

( )

10 다음 중 기체에서의 열의 이동과 관련된 예로 바른 것은 어느 것입니까? ( )

① 냄비를 가열하여 국을 따뜻하게 데운다.
② 뜨거운 국에 숟가락을 담가 두면 숟가락이 뜨거워진다.
③ 프라이팬의 바닥을 가열하면 프라이팬 전체가 뜨거워진다.
④ 겨울철에 난방 기구를 한 곳에만 켜 놓아도 집 안 전체가 따뜻해진다.
⑤ 뜨거운 고기를 집게로 잡고 있으면 집게와 고기가 맞닿은 집게 아래쪽부터 뜨거워진다.

단원 평가 2회

1. 온도와 열

5학년 반

이름

1 다음 ( ) 안에 들어갈 말을 각각 쓰시오.

- 물질의 차갑거나 따뜻한 정도는 (㉠)(으)로 나타냅니다.
- (㉠)은/는 숫자에 단위 (㉡)을/를 붙여 나타냅니다.

㉠: ( ) ㉡: ( )

2 오른쪽 온도계에 대한 설명으로 바르지 않은 것을 두 가지 고르시오. (,)

① 알코올 온도계이다.
② 고리, 몸체, 액체샘으로 이루어져 있다.
③ 주로 고체의 온도를 측정할 때 사용한다.
④ 온도계의 눈금을 읽을 때에는 액체 기둥의 끝이 닿은 위치에 눈높이를 맞춘다.
⑤ 주변보다 따뜻한 물에 온도계를 넣으면 액체샘에 있는 빨간색 액체가 아래로 내려간다.

3 다음 중 여러 장소에서 물질의 온도를 측정할 때에 대한 설명으로 바르지 않은 것은 어느 것입니까? ( )

① 같은 물질의 온도는 항상 같다.
② 다른 물질이라도 온도가 같을 수 있다.
③ 물질의 온도는 측정 시각에 따라 다를 수 있다.
④ 물질의 온도는 햇빛의 양에 따라 다를 수 있다.
⑤ 쓰임새에 맞는 온도계를 사용해야 온도를 정확하게 측정할 수 있다.

서술형

4 다음과 같이 뜨거운 프라이팬에 달걀을 올려놓았을 때 두 물질 사이에서 열은 어떻게 이동하는지 쓰시오.

5 다음과 같이 열 변색 붙임딱지를 붙인 세 가지 모양의 구리판을 가열하였더니, 열 변색 붙임딱지의 색깔이 화살표 방향을 따라 변했습니다. 이 실험으로 알 수 있는 사실로 바른 것을 보기 에서 골라 기호를 쓰시오.

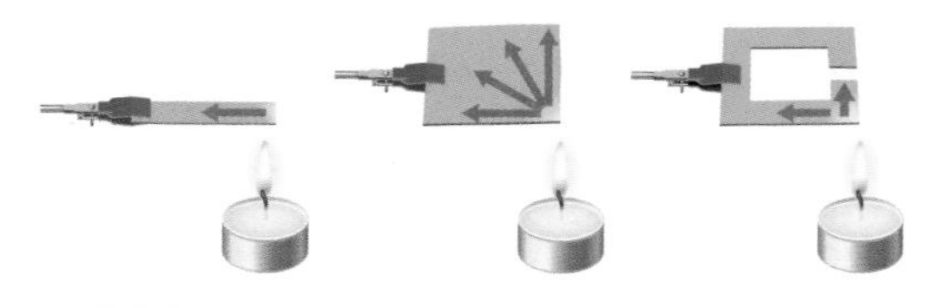

보기

㉠ 열은 구리판을 따라 이동합니다.
㉡ 열은 가열한 부분에만 머물러 있고 이동하지 않습니다.
㉢ 고체 물질이 끊겨 있어도 열은 그 방향으로 이동합니다.

( )

정답과 해설 26쪽 맞은 개수 개

6 다음과 같이 구리판, 유리판, 철판에 크기가 같은 버터 조각을 붙이고 비커에 각각 넣은 뒤, 같은 온도의 뜨거운 물을 붓고 두꺼운 종이로 비커 윗부분을 덮었습니다. 버터가 빨리 녹는 순서대로 기호를 쓰시오.

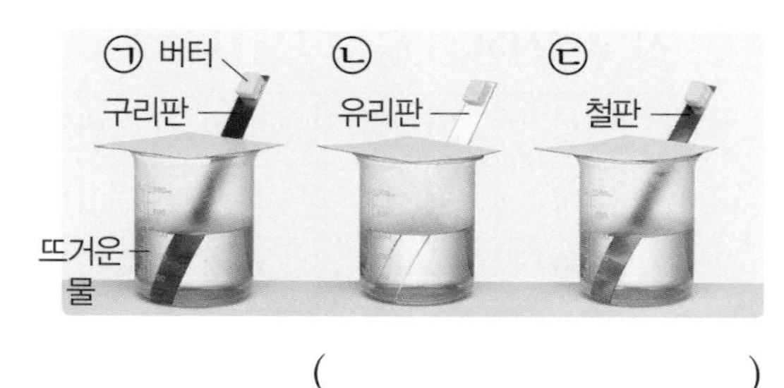

( )

7 다음 중 고체 물질의 종류에 따라 열이 이동하는 빠르기가 다른 성질을 이용한 예로 바르지 않은 것은 어느 것입니까? ( )

① 냄비 받침은 열이 잘 이동하지 않는 물질로 만든다.
② 주전자의 바닥은 열이 잘 이동하는 금속으로 만든다.
③ 빵 굽는 틀은 열이 이동하는 빠르기가 느린 물질로 만든다.
④ 다리미 손잡이는 열이 잘 이동하지 않는 플라스틱으로 만든다.
⑤ 냄비 손잡이는 열이 잘 이동하지 않는 나무나 플라스틱으로 만든다.

서술형

8 오른쪽과 같이 물이 담긴 주전자의 바닥을 가열하면 물 전체가 따뜻해지는 까닭을 쓰시오.

____

____

9 다음은 알코올램프에 불을 붙이지 않았을 때와 불을 붙였을 때 삼발이의 위쪽에 비눗방울을 분 모습입니다. 이를 통해 알 수 있는 사실로 바른 것은 어느 것입니까? ( )

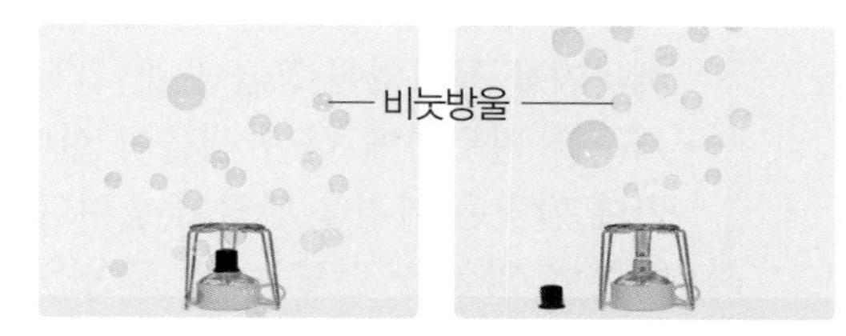

▲ 알코올램프에 불을 붙이지 않았을 때 ▲ 알코올램프에 불을 붙였을 때

① 비눗방울은 항상 위로 이동한다.
② 온도가 높아진 공기는 위로 올라간다.
③ 공기를 가열해도 열은 이동하지 않는다.
④ 온도가 낮아진 공기는 옆으로만 이동한다.
⑤ 온도가 높아진 공기는 모든 방향으로 퍼져 나간다.

10 다음 보기 에서 대류를 통해 열이 이동하는 경우가 아닌 것을 골라 기호를 쓰시오.

보기
㉠ 집 안에서 난방 기구를 켜 두면 집 안 전체가 따뜻해집니다.
㉡ 차가운 물이 담긴 욕조의 한쪽에 따뜻한 물을 넣으면 욕조의 물 전체가 따뜻해집니다.
㉢ 뜨거운 국에 숟가락을 담가 두면 국에 직접 닿지 않았던 숟가락의 손잡이가 뜨거워집니다.

( )

단원 평가 1회 2. 태양계와 별

5학년 반

이름

1 다음과 같은 영향을 미치는 천체는 무엇인지 쓰시오.

- 지구에 있는 물이 순환하는 데 필요한 에너지를 끊임없이 공급해 줍니다.
- 지구를 따뜻하게 하여 생물이 살아가기에 알맞은 환경을 만들어 줍니다.
- 식물이 양분을 만드는 데 도움을 주며, 일부 동물은 식물이 만든 양분을 먹고 삽니다.

( )

2 다음 중 태양계에 대한 설명으로 바르지 않은 것은 어느 것입니까? ( )

① 행성은 태양의 주위를 돈다.
② 태양은 태양계의 중심에 있다.
③ 태양계는 태양, 행성, 위성, 혜성, 소행성 등으로 구성된다.
④ 위성은 태양계에서 유일하게 스스로 빛을 내는 천체이다.
⑤ 태양계는 태양과 태양의 영향을 받는 천체들 그리고 그 공간을 말한다.

3 다음에서 설명하는 태양계 행성은 무엇인지 쓰시오.

붉은색을 띠고 표면이 암석과 흙으로 이루어져 있으며, 대기가 있으나 지구보다 훨씬 적습니다.

( )

4 다음은 지구의 반지름을 1로 보았을 때 태양계 행성의 상대적인 크기를 나타낸 표입니다. 이에 대해 바르게 설명한 것을 두 가지 고르시오. (,)

행성	반지름	행성	반지름
수성	0.4	목성	11.2
금성	0.9	토성	9.4
지구	1.0	천왕성	4.0
화성	0.5	해왕성	3.9

① 수성과 금성은 지구보다 작다.
② 토성은 천왕성보다 작은 행성이다.
③ 지구와 크기가 가장 비슷한 행성은 화성이다.
④ 가장 작은 행성은 수성이고, 가장 큰 행성은 목성이다.
⑤ 화성, 목성, 토성은 상대적으로 크기가 큰 행성에 속한다.

서술형

5 태양에서 행성까지의 거리를 비교할 때 다음과 같이 상대적인 거리로 비교하는 까닭을 쓰시오.

태양 수성 0.4 금성 0.7 지구 1.0 화성 1.5
목성 5.2 토성 9.6 천왕성 19.1 해왕성 30.0

▲ 태양에서 지구까지의 거리를 1로 보았을 때 태양에서 행성까지의 상대적인 거리

6 다음은 태양에서 행성까지의 상대적인 거리를 나타낸 것입니다. 이에 대해 바르게 설명한 것은 어느 것입니까? ( )

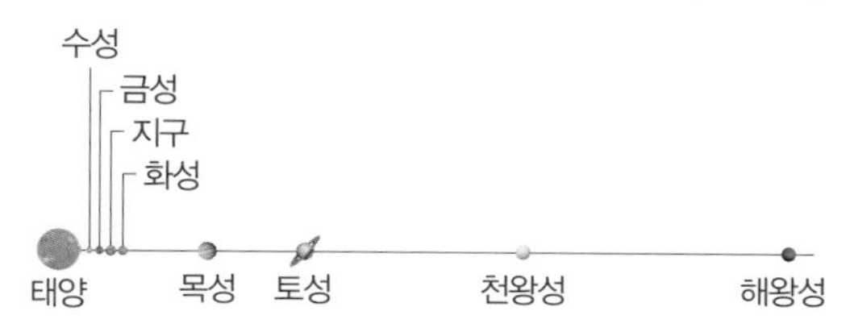

① 태양에서 거리가 가장 먼 행성은 토성이다.
② 태양에서 거리가 가장 가까운 행성은 금성이다.
③ 태양에서 거리가 멀어질수록 행성의 크기가 커진다.
④ 목성은 금성에 비해 상대적으로 태양에서 멀리 떨어져 있다.
⑤ 태양에서 거리가 멀어질수록 행성 사이의 거리는 가까워진다.

7 다음 보기 에서 별과 별자리에 대한 설명으로 바르지 않은 것을 골라 기호를 쓰시오.

보기
㉠ 별은 스스로 빛을 내는 천체입니다.
㉡ 별자리는 망원경을 통해서 보이는 별만 연결한 것입니다.
㉢ 옛날 사람들은 밤하늘의 밝은 별을 연결해 별자리를 만들었습니다.
㉣ 별자리는 별의 무리를 구분해 사람이나 동물 또는 물건의 모습으로 떠올리고 이름을 붙인 것입니다.

( )

8 다음 중 북극성에 대한 설명으로 바르지 않은 것은 어느 것입니까? ( )

① 정확한 남쪽에 항상 있는 별이다.
② 옛날부터 나침반의 역할을 해 왔다.
③ 북극성을 찾으면 방위를 알 수 있다.
④ 북극성은 북두칠성을 이용하여 찾을 수 있다.
⑤ 바다 한가운데에서 항해하는 배가 뱃길을 찾아내는 데 북극성을 이용했다.

서술형

9 다음 북쪽 밤하늘에 보이는 별자리 (가)는 무엇인지 쓰고, 이 별자리를 이용하여 북극성을 찾는 방법을 쓰시오.

10 다음 ( ) 안의 알맞은 말에 ○표 하시오.

여러 날 동안 같은 밤하늘을 관측하면 (별, 행성)은 보이는 위치가 변합니다.

단원 평가 2회

2. 태양계와 별

5학년 반
이름

1 다음 보기 에서 태양이 생물과 우리 생활에 소중한 까닭에 대한 설명으로 바르지 않은 것을 골라 기호를 쓰시오.

보기
㉠ 물의 순환이 일어나지 않게 하기 때문입니다.
㉡ 태양이 있어 사람은 밝은 낮에 활동할 수 있기 때문입니다.
㉢ 식물은 태양 빛이 있어야 양분을 만들 수 있기 때문입니다.
㉣ 지구를 따뜻하게 하여 생물이 살 수 있는 환경을 만들기 때문입니다.

( )

2 다음 중 태양계 행성에 대한 설명으로 바른 것은 어느 것입니까? ( )

① 태양의 주위를 돈다.
② 태양계의 중심에 있다.
③ 모든 행성에는 고리가 있다.
④ 지구의 주위를 도는 달은 행성이다.
⑤ 태양계에서 유일하게 스스로 빛을 낸다.

서술형

3 다음은 태양계 행성을 분류한 것입니다. ㉠과 ㉡ 행성의 표면의 상태를 비교하여 어떤 점이 서로 다른지 쓰시오.

㉠	수성, 금성, 지구, 화성
㉡	목성, 토성, 천왕성, 해왕성

4 다음은 지구의 반지름을 1로 보았을 때 태양계 행성의 상대적인 크기를 나타낸 표입니다. 지구보다 크기가 큰 행성과 크기가 작은 행성으로 분류할 때, 나머지와 다르게 분류되는 것은 어느 것입니까? ( )

행성	반지름	행성	반지름
수성	0.4	목성	11.2
금성	0.9	토성	9.4
지구	1.0	천왕성	4.0
화성	0.5	해왕성	3.9

① 화성 ② 목성
③ 토성 ④ 천왕성
⑤ 해왕성

5 다음은 태양에서 지구까지의 거리를 두루마리 휴지 한 칸으로 정했을 때 태양에서 각 행성까지는 두루마리 휴지가 얼마나 필요한지를 나타낸 표입니다. 이 표로 보아 태양에서 가장 가까운 행성과 지구에서 가장 가까운 행성은 무엇인지 차례대로 쓰시오.

행성	휴지 칸 수	행성	휴지 칸 수
수성	0.4	목성	5.2
금성	0.7	토성	9.6
지구	1.0	천왕성	19.1
화성	1.5	해왕성	30.0

( )

정답과 해설 28쪽 맞은 개수 개

6 다음 보기 에서 태양에서 행성까지의 거리에 대한 설명으로 바른 것을 골라 기호를 쓰시오.

보기
㉠ 목성은 화성보다 태양 가까이에 있습니다.
㉡ 태양에서 각 행성까지의 거리는 모두 같습니다.
㉢ 태양에서 거리가 멀어질수록 행성 사이의 거리도 멀어집니다.

( )

7 다음 ( ) 안에 들어갈 말을 각각 쓰시오.

- (㉠)은/는 스스로 빛을 내는 천체입니다.
- (㉡)은/는 밤하늘에 무리 지어 있는 (㉠)을/를 연결해 사람이나 동물 또는 물건의 모습으로 떠올리고 이름을 붙인 것입니다.

㉠: ( ) ㉡: ( )

8 다음 중 밤하늘에서 북극성을 찾는 것이 중요한 까닭에 대한 설명으로 바른 것은 어느 것입니까? ( )

① 북극성이 가장 큰 별이기 때문이다.
② 북극성이 가장 밝은 별이기 때문이다.
③ 북극성은 봄에만 볼 수 있기 때문이다.
④ 북극성의 위치가 계속 변하기 때문이다.
⑤ 북극성은 정확한 북쪽에 항상 있기 때문이다.

9 다음 밤하늘에 보이는 별자리에 대한 설명으로 바른 것은 어느 것입니까? ( )

① (나)는 북두칠성이다.
② (가)는 카시오페이아자리이다.
③ 남쪽 밤하늘을 관찰한 것이다.
④ (나)의 ㉠과 ㉡을 연결하고, 그 거리의 열 배만큼 떨어진 곳에서 북극성을 찾을 수 있다.
⑤ (가)의 ❶과 ❷를 연결하고, 그 거리의 다섯 배만큼 떨어진 곳에서 북극성을 찾을 수 있다.

서술형

10 다음은 여러 날 동안 같은 밤하늘을 관측해 나타낸 그림입니다. ㉠은 행성과 별 중 무엇인지 쓰고, 그렇게 생각한 까닭을 쓰시오.

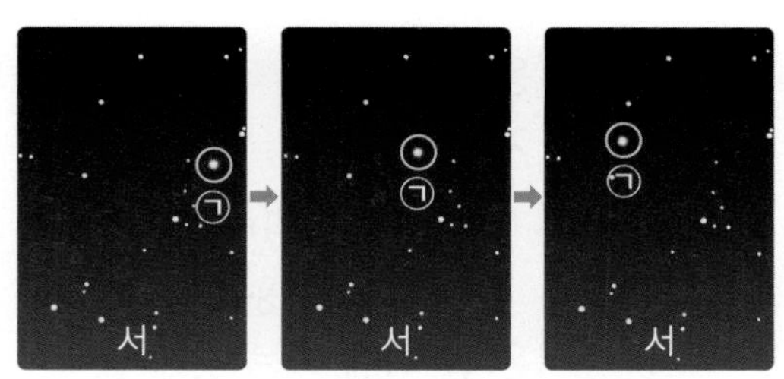

▲ 첫째 날 초저녁 ▲ 7일 뒤 초저녁 ▲ 15일 뒤 초저녁

단원 평가 1회 3. 용해와 용액

5학년 반
이름

1 다음과 같이 온도가 같은 물이 50 mL씩 담긴 비커 세 개에 소금, 설탕, 멸치 가루를 두 숟가락씩 넣고 유리 막대로 저었을 때, 물에 녹는 물질을 모두 쓰시오.

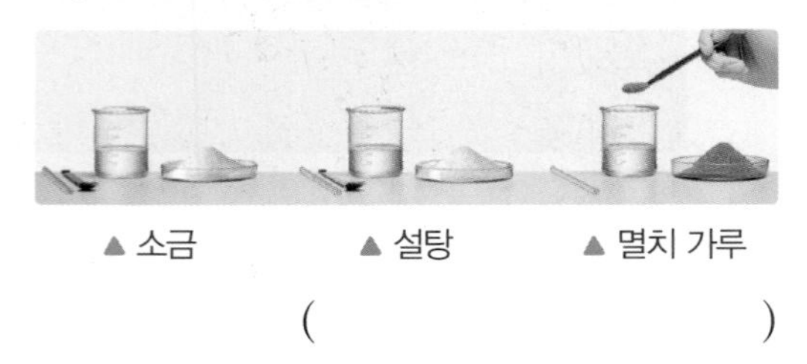

▲ 소금 ▲ 설탕 ▲ 멸치 가루

( )

2 다음 용매, 용질, 용액과 관련있는 설명을 찾아 바르게 줄로 이으시오.

(1) 용매 • • ㉠ 녹는 물질

(2) 용질 • • ㉡ 녹이는 물질

(3) 용액 • • ㉢ 녹는 물질이 녹이는 물질에 골고루 섞여 있는 물질

3 다음 중 용해와 용액에 대한 설명으로 바른 것을 두 가지 고르시오. (,)

① 모든 용액은 불투명하다.
② 모든 물질은 물에 용해된다.
③ 용액은 물 위에 뜨는 것이 없다.
④ 용액은 시간이 지나면 바닥에 가라앉는 것이 있다.
⑤ 어떤 물질이 다른 물질에 녹아 골고루 섞이는 현상을 용해라고 한다.

4 오른쪽과 같이 각설탕을 물에 넣었을 때 나타나는 변화에 대한 설명으로 바르지 않은 것은 어느 것입니까? ( )

① 각설탕이 부스러지면서 크기가 작아진다.
② 설탕이 물에 용해되어 눈에 보이지 않는다.
③ 시간이 많이 흐른 뒤에는 투명한 설탕물이 된다.
④ 작아진 설탕은 더 작은 크기의 설탕으로 나뉘어 물에 골고루 섞인다.
⑤ 처음에는 각설탕이 부서지다가 시간이 흐르면 다시 뭉쳐져서 더 큰 설탕 덩어리가 된다.

서술형

5 다음과 같이 각설탕이 물에 용해되기 전과 용해된 후의 무게를 비교하였습니다. ㉠에 알맞은 무게를 쓰고, 무게가 이와 같이 나타난 까닭을 쓰시오.

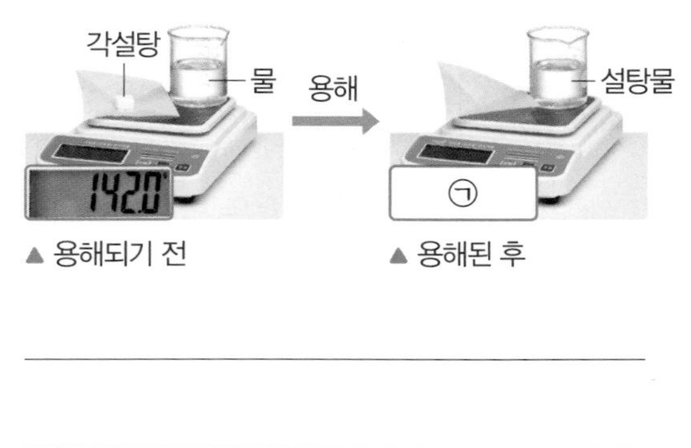

▲ 용해되기 전 ▲ 용해된 후

6 다음은 온도가 같은 물 50 mL에 설탕, 소금, 베이킹 소다를 각각 한 숟가락씩 더 넣으면서 유리 막대로 저은 결과입니다. 이 결과를 보고 같은 온도와 양의 물에 용해되는 양이 많은 용질부터 순서대로 쓰시오.

구분	설탕	소금	베이킹 소다
두 숟가락 넣었을 때			
여덟 숟가락 넣었을 때			더 넣지 않음.

( )

7 다음 실험을 통해 알 수 있는 백반이 물에 용해되는 양에 영향을 주는 요인은 어느 것입니까? ( )

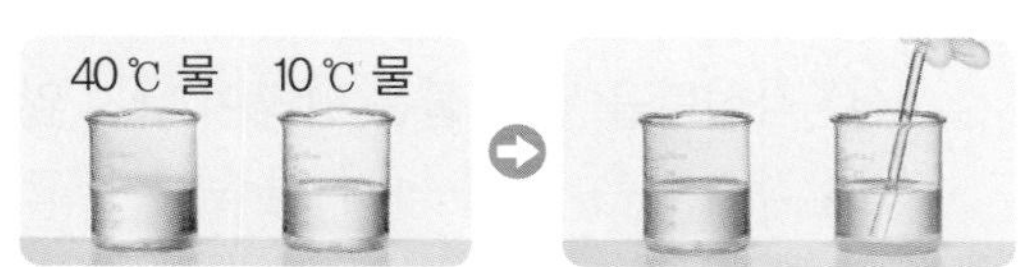

▲ 비커 두 개에 40 ℃의 물과 10 ℃의 물 50 mL를 각각 담습니다.

▲ 백반을 두 숟가락씩 각 비커에 넣고 유리 막대로 젓습니다.

① 물의 양
② 물의 온도
③ 비커의 크기
④ 백반 알갱이 크기
⑤ 유리 막대로 젓는 빠르기

서술형

8 위 **7**번 실험에서 40 ℃의 물에서 모두 용해된 백반 용액이 든 비커를 얼음물에 넣으면 어떤 변화가 나타나는지 쓰시오.

9 다음과 같이 온도와 양이 같은 물에 황색 각설탕의 개수를 각각 다르게 넣어 용해하였을 때, 세 용액의 진하기를 바르게 비교한 것은 어느 것입니까? ( )

① 단맛이 가장 많이 나는 ㉠이 가장 진한 용액이다.
② 용액의 높이가 가장 높은 ㉡이 가장 진한 용액이다.
③ 용액의 색깔이 가장 진한 ㉢이 가장 진한 용액이다.
④ 용액의 무게가 가장 가벼운 ㉢이 가장 진한 용액이다.
⑤ ㉠, ㉡, ㉢ 용액은 물의 양이 같기 때문에 용액의 진하기도 모두 같다.

10 다음은 온도와 양이 같은 물에 각각 각설탕 한 개와 열 개를 넣어 용해한 뒤, 같은 방울토마토를 각각 넣은 결과입니다. 두 용액 중 용액의 진하기가 더 진한 용액을 골라 기호를 쓰시오.

㉠

㉡

( )

단원 평가 2회 3. 용해와 용액

5학년 반

이름

1 다음과 같이 같은 온도의 물이 50 mL씩 담긴 비커 두 개에 설탕과 멸치 가루를 각각 두 숟가락씩 넣고 유리 막대로 저으면서 일어나는 변화를 관찰하였습니다. 이 실험에 대한 설명으로 바른 것은 어느 것입니까? ( )

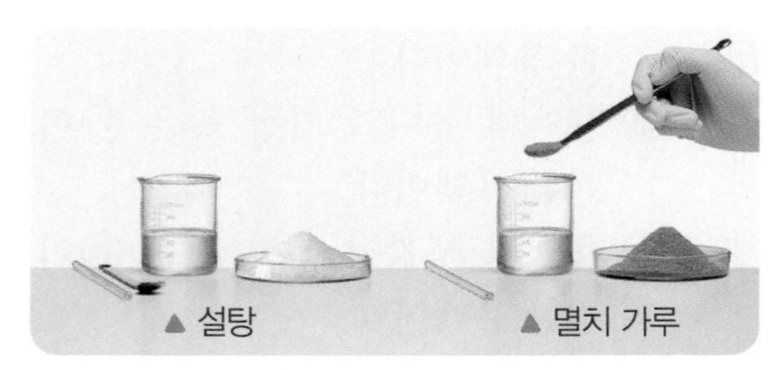
▲ 설탕 ▲ 멸치 가루

① 설탕과 멸치 가루 모두 물에 녹는다.
② 설탕과 멸치 가루 모두 물에 녹지 않는다.
③ 물에 넣은 설탕은 물과 섞여 뿌옇게 흐려진다.
④ 물에 넣은 멸치 가루는 점점 사라져 투명해진다.
⑤ 시간이 지나면 멸치 가루는 물 위에 뜨거나 바닥에 가라앉는다.

서술형

2 다음과 같이 소금이 물에 녹아 소금물이 만들어지는 현상을 용질, 용매, 용해, 용액이라는 용어를 사용하여 쓰시오.

---

3 다음과 같이 각설탕이 물에 용해되기 전(㉠)과 용해된 후(㉡)의 무게를 비교하여 ◯ 안에 >, =, <를 써넣으시오.

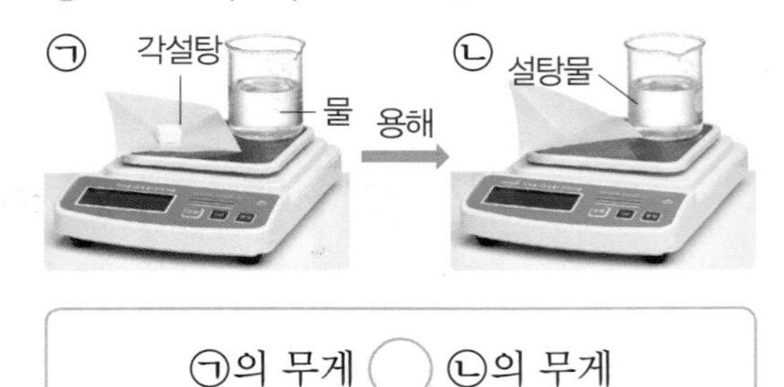

㉠의 무게 ◯ ㉡의 무게

4 위 3번의 실험 결과로 알 수 있는 사실은 어느 것입니까? ( )

① 설탕물은 용액이 아니다.
② 각설탕이 물에 녹으면 없어진다.
③ 각설탕이 녹은 물은 용액이 아니다.
④ 각설탕을 넣은 물은 단맛이 나지 않는다.
⑤ 각설탕은 물에 녹아 물속에 골고루 섞여 있다.

5 다음은 온도가 같은 물 50 mL에 소금, 설탕, 베이킹 소다를 넣으면서 용질이 다 용해되면 ○표, 용질이 다 용해되지 않고 바닥에 남으면 △표 한 것입니다. 온도가 같은 물 100 mL으로 이 실험을 할 때 물에 용해되는 양이 가장 많은 용질을 쓰시오.

용질	약숟가락으로 넣은 횟수(회)			
	2	4	6	8
소금	○	○	○	△
설탕	○	○	○	○
베이킹 소다	△	더 넣지 않음.		

( )

6 다음 실험으로 알 수 있는 사실로 바른 것은 어느 것입니까? ( )

40 ℃의 물과 10 ℃의 물 50 mL를 각각 담은 두 개의 비커에 백반을 두 숟가락씩 넣고 유리 막대로 젓습니다.

① 물의 양이 많을수록 백반이 더 많이 용해된다.
② 물의 양이 많을수록 백반이 더 적게 용해된다.
③ 물의 온도가 높을수록 백반이 더 많이 용해된다.
④ 물의 온도가 높을수록 백반이 더 적게 용해된다.
⑤ 물의 온도와 관계없이 백반이 용해되는 양은 일정하다.

7 물에 넣은 코코아 가루가 다 용해되지 않고 바닥에 남았습니다. 코코아 가루를 더 많이 용해할 수 있는 방법으로 가장 알맞은 것은 어느 것입니까? ( )

① 용액을 저어 준다.
② 용액을 흔들어 준다.
③ 코코아 가루를 더 넣어 준다.
④ 용액을 가열하여 온도를 높여 준다.
⑤ 용액을 냉장고에 넣어 차갑게 만든다.

8 온도와 양이 같은 물이 담긴 두 개의 비커에 각각 다른 양의 황설탕을 녹여 황설탕 용액을 만들었습니다. 더 진한 황설탕 용액의 특징을 보기 에서 모두 골라 기호를 쓰시오.

보기
㉠ 더 무겁습니다.
㉡ 맛이 덜 답니다.
㉢ 색깔이 더 진합니다.
㉣ 용액의 높이가 더 낮습니다.

( )

서술형

9 다음은 진하기가 다른 설탕물이 담긴 비커에 같은 방울토마토를 각각 넣은 모습입니다. 두 설탕물의 진하기를 비교하여 그 까닭과 함께 쓰시오.

㉠

㉡

10 다음 ( ) 안의 알맞은 말에 ○표 하시오.

오른쪽과 같이 설탕물에 넣었을 때 떠오른 메추리알을 가라앉게 하려면 (물 , 설탕)을 더 넣습니다.

단원 평가 1회

4. 다양한 생물과 우리 생활

5학년 반

이름

1 다음은 실체 현미경으로 물체를 관찰하는 과정입니다. ( ) 안에 들어갈 말을 각각 쓰시오.

(가) (㉠)을/를 돌려 대물렌즈의 배율을 가장 낮게 하고, 관찰할 물체를 재물대 위에 올립니다.
(나) 현미경을 옆으로 보면서 (㉡)(으)로 대물렌즈를 관찰할 물체에 최대한 가깝게 내립니다.
(다) 접안렌즈로 물체를 보면서 대물렌즈를 천천히 올려 초점을 맞추어 관찰합니다.
(라) 관찰한 결과를 기록합니다.

㉠: (   ) ㉡: (   )

2 다음 빵에 자란 곰팡이와 표고버섯을 실체 현미경으로 관찰한 결과로 바르지 않은 것은 어느 것입니까? (   )

▲ 빵에 자란 곰팡이

▲ 표고버섯

① 곰팡이는 색깔이 다양하다.
② 곰팡이는 크기가 작고 둥근 알갱이가 많이 보인다.
③ 곰팡이는 가는 실 같은 것이 거미줄처럼 엉켜 있다.
④ 버섯은 윗부분의 안쪽에 주름이 많고 깊게 파여 있다.
⑤ 버섯은 보통 식물에 있는 줄기와 잎과 같은 모양을 볼 수 있다.

서술형

3 곰팡이와 버섯과 같은 균류와 식물의 공통점을 두 가지 쓰시오.

4 다음 광학 현미경에서 표본의 상에 대한 정확한 초점을 맞출 때 사용하는 부분의 기호와 이름을 차례대로 쓰시오.

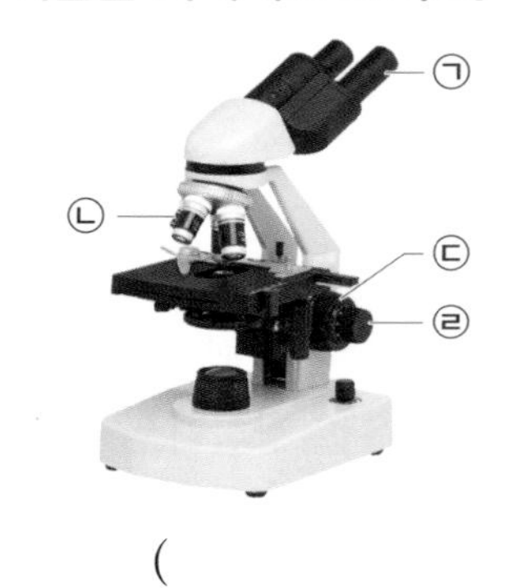

(   )

5 오른쪽 짚신벌레 영구 표본을 광학 현미경으로 관찰한 결과로 바른 것은 어느 것입니까? (   )

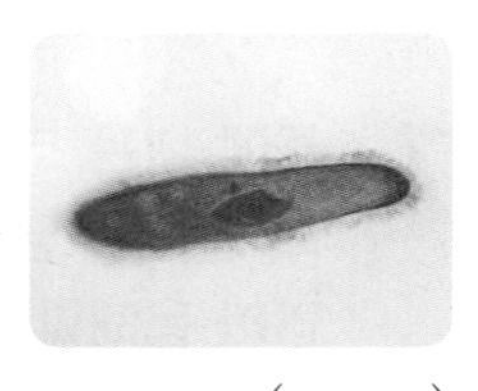

① 둥근 공 모양이다.
② 가는 실 모양이다.
③ 바깥쪽에 가는 털이 있다.
④ 뿌리, 줄기, 잎을 관찰할 수 있다.
⑤ 대나무와 같이 마디로 나누어져 있다.

6 오른쪽 해캄의 특징으로 바르지 않은 것을 보기 에서 골라 기호를 쓰시오.

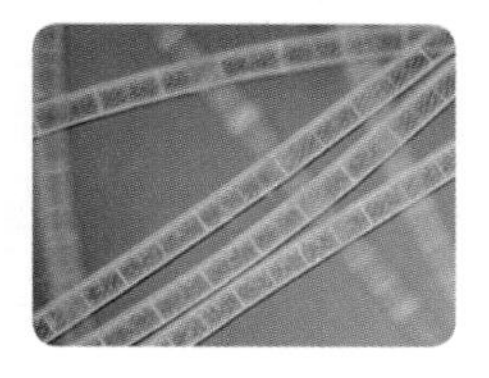

보기
㉠ 머리카락과 같은 모양입니다.
㉡ 균사와 포자로 이루어져 있습니다.
㉢ 초록색인 둥근 알갱이가 보입니다.
㉣ 여러 가닥의 해캄이 서로 뭉쳐 있습니다.

( )

서술형

7 다음과 같은 원생생물이 주로 사는 환경을 쓰시오.

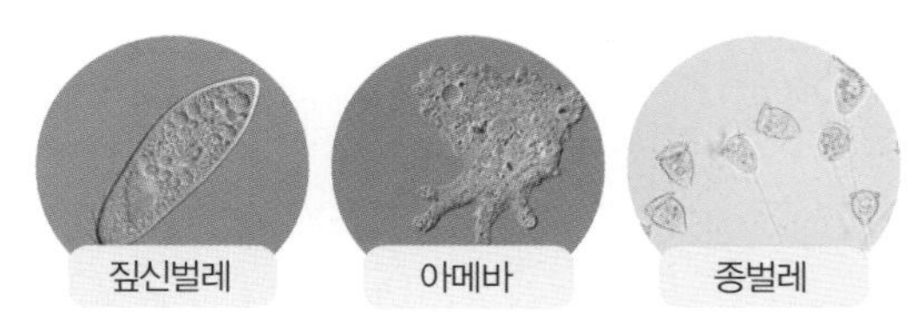

8 다음 중 세균에 대한 설명으로 바른 것은 어느 것입니까? ( )

① 종류가 매우 많다.
② 스스로 양분을 만든다.
③ 맨눈으로 쉽게 볼 수 있다.
④ 균류나 원생생물보다 크기가 크다.
⑤ 대부분 물에서 살고 공기 중에서는 살 수 없다.

9 다음 중 다양한 생물이 우리 생활에 미치는 해로운 영향을 바르게 설명한 것은 어느 것입니까? ( )

① 오염된 토양을 복원하는 데 세균을 이용한다.
② 곰팡이는 된장 등 여러 가지 음식을 만드는 데 도움을 준다.
③ 곰팡이와 세균은 죽은 생물을 분해하여 자연으로 되돌려 보낸다.
④ 우리 몸에 사는 유산균은 해로운 세균으로부터 건강을 지켜 준다.
⑤ 원생생물은 번식하기 좋은 환경에서 급격하게 수가 늘어나 적조를 일으킨다.

10 다음 여러 가지 생물이 첨단 생명 과학을 통해 우리 생활에 활용되는 예를 바르게 설명한 사람의 이름을 쓰시오.

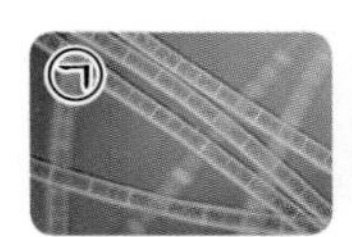

▲ 기름을 만드는 데 이용하는 해캄

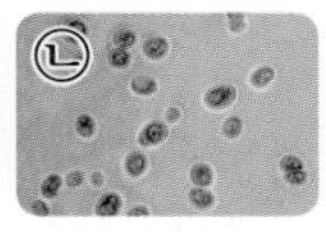

▲ 영양소가 풍부한 원생생물

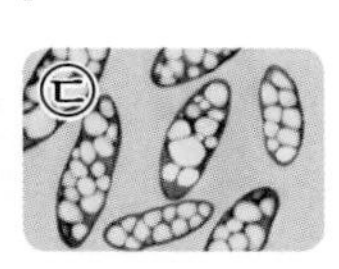

▲ 플라스틱의 원료를 가진 세균

- 다율: ㉠은 생물 연료로 활용해.
- 민재: ㉡은 생물 농약을 만드는 데 활용해.
- 유진: ㉢은 건강 보조 식품이나 우주 식량을 생산하는 데 활용해.

( )

단원 평가 2회

4. 다양한 생물과 우리 생활

5학년 반

이름

1 오른쪽 실체 현미경의 각 부분에 대한 설명으로 바른 것은 어느 것입니까? ( )

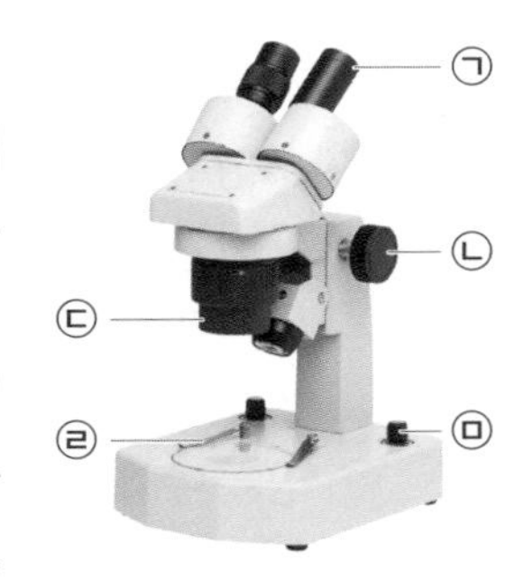

① ㉠은 조명의 밝기를 조절하는 나사이다.
② ㉡은 대물렌즈의 배율을 조절하는 나사이다.
③ ㉢은 물체의 상을 확대해 준다.
④ ㉣은 초점을 정확히 맞출 때 사용한다.
⑤ ㉤은 눈으로 보는 렌즈이다.

서술형

2 곰팡이와 버섯은 생김새와 번식 방법에서 어떤 공통점이 있는지 쓰시오.

---

3 다음 보기 에서 식물과 다른 균류의 특징을 골라 기호를 쓰시오.

보기
㉠ 생물이고 자랍니다.
㉡ 뿌리, 줄기, 잎이 있습니다.
㉢ 살아가는 데 공기가 필요합니다.
㉣ 다른 생물이나 죽은 생물에서 양분을 얻습니다.

( )

4 다음은 광학 현미경으로 짚신벌레 영구 표본을 관찰하는 과정을 순서 없이 나타낸 것입니다. 순서대로 기호를 쓰시오.

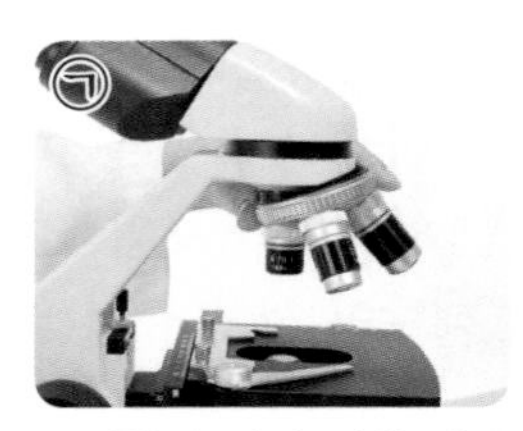

▲ 배율이 가장 낮은 대물렌즈가 중앙에 오게 조절하기

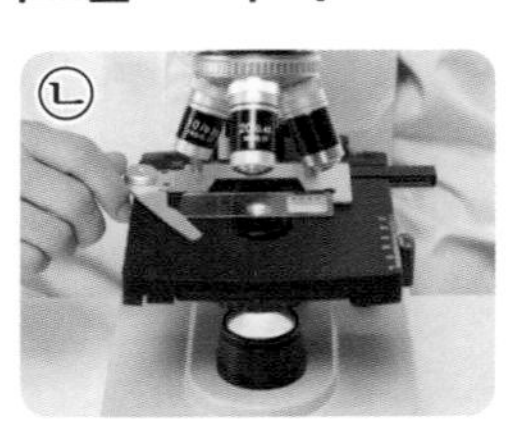

▲ 짚신벌레 영구 표본은 재물대의 가운데에 고정하기

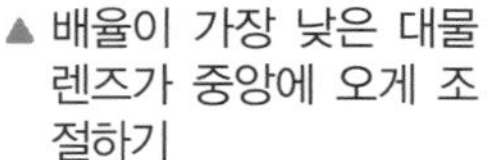

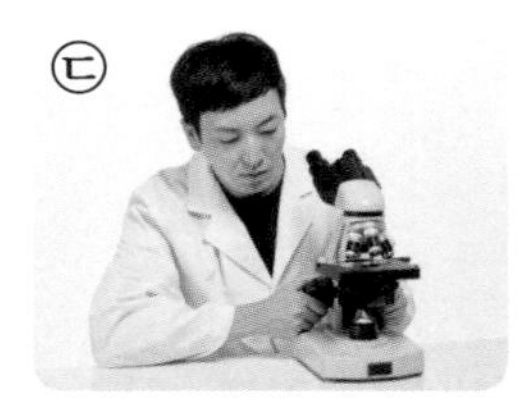

▲ 조동 나사로 영구 표본과 대물렌즈의 거리를 가깝게 하기

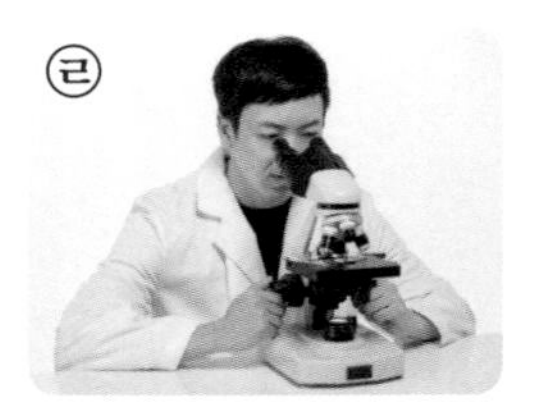

▲ 접안렌즈로 영구 표본을 보면서 조동 나사와 미동 나사로 초점 맞추기

( )

5 다음 중 짚신벌레와 해캄에 대한 설명으로 바르지 않은 것은 어느 것입니까? ( )

① 해캄은 대나무와 같이 마디가 있다.
② 짚신벌레는 동물이고, 해캄은 균류이다.
③ 짚신벌레는 길쭉한 모양이고 바깥쪽에 가는 털이 있다.
④ 짚신벌레와 해캄은 식물과 동물에 비해 단순한 모양이다.
⑤ 짚신벌레와 해캄은 주로 고인 물이나 물살이 느린 하천에서 산다.

6 다음 중 원생생물이 아닌 것을 골라 기호를 쓰시오.

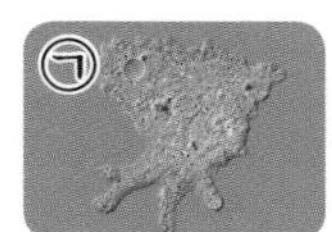
㉠ ▲ 아메바

㉡ ▲ 유글레나

㉢ ▲ 푸른곰팡이

( )

7 다음의 다양한 세균의 공통점이 아닌 것을 두 가지 고르시오. (,)

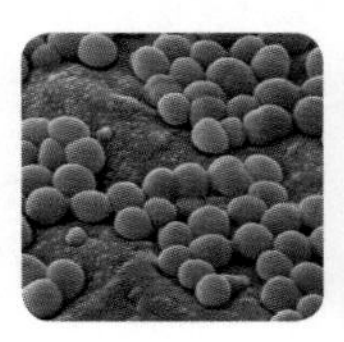
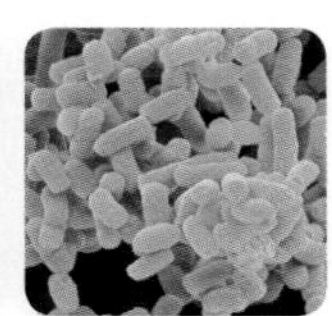
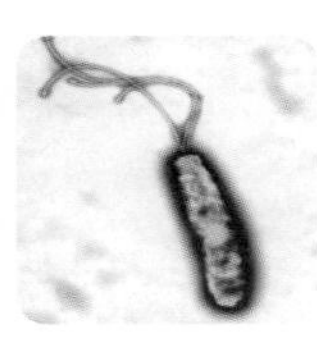

① 생물이다.
② 모양이 비슷하다.
③ 단순한 모양이다.
④ 번식 속도가 매우 느리다.
⑤ 맨눈으로 관찰하기 어렵다.

8 다음 보기 에서 세균이 사는 곳에 대한 설명으로 바른 것을 골라 기호를 쓰시오.

보기
㉠ 짠 바닷물에서는 살 수 없습니다.
㉡ 다른 생물의 몸에서는 살 수 없습니다.
㉢ 따뜻하고 축축한 환경에서만 살 수 있습니다.
㉣ 교실, 방, 화장실 등 어디에서나 살 수 있습니다.

( )

서술형

9 다음은 진우와 희수가 세균이 우리 생활에 미치는 영향에 대해 이야기를 나눈 내용입니다. 밑줄 친 곳에 들어갈 세균이 우리 생활에 미치는 이로운 영향을 두 가지 쓰시오.

세균은 우리 생활에 해롭기만 해. 음식을 상하게 하고 질병을 일으키잖아!

세균이 우리 생활에 해로운 영향만 주는 것은 아니야.

진우

희수

10 다음 중 우리 생활에서 첨단 생명 과학을 활용한 예로 바르지 않은 것은 어느 것입니까? ( )

① 해캄 등의 생물을 이용하여 플라스틱 제품을 만든다.
② 해충을 없애는 곰팡이를 이용하여 생물 농약으로 활용한다.
③ 물질을 분해하는 세균의 특징을 이용하여 하수 처리를 한다.
④ 원생생물 중에 영양소가 풍부한 것은 건강식품을 만드는 데 이용한다.
⑤ 사람에게 해로운 영향을 주는 세균을 죽이는 곰팡이로 질병을 치료한다.

단원 평가 1회 5. 생물과 환경

5학년 반

이름

1 다음 보기 에서 생물 요소와 비생물 요소를 각각 골라 기호를 쓰시오.

보기

㉠ 흙	㉡ 뱀
㉢ 공기	㉣ 여우
㉤ 온도	㉥ 감나무

(1) 생물 요소: (   )

(2) 비생물 요소: (   )

2 다음 중 양분을 얻는 방법이 나머지 생물과 다른 하나는 어느 것입니까? (   )

① 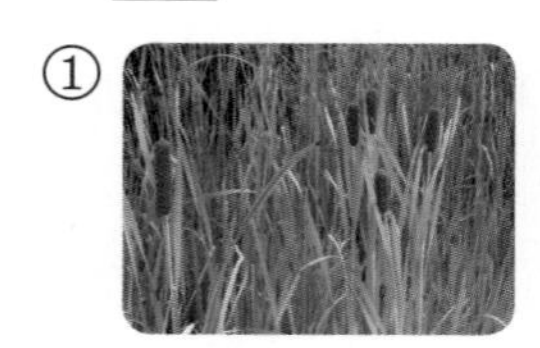

▲ 부들

② 

▲ 토끼

③ 

▲ 민들레

④ 

▲ 배추

3 다음 (   ) 안에 공통으로 들어갈 말을 쓰시오.

- 주로 죽은 생물이나 배출물을 분해하여 양분을 얻는 생물을 (   )(이)라고 합니다.
- (   )이/가 사라진다면 우리 주변이 죽은 생물과 생물의 배출물로 가득 차게 될 것입니다.

(   )

서술형

4 다음 먹이 사슬과 먹이 그물 중 생태계에서 여러 생물들이 함께 살아가기에 유리한 먹이 관계를 고르고, 그렇게 생각한 까닭을 쓰시오.

▲ 먹이 사슬

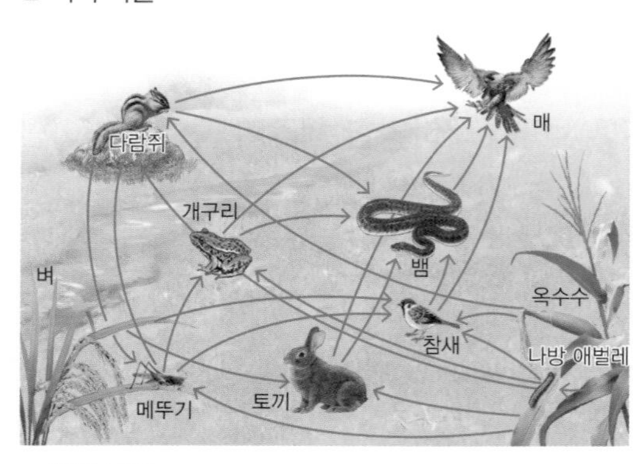

▲ 먹이 그물

5 오른쪽 생태 피라미드에 대한 설명으로 바른 것은 어느 것입니까? (   )

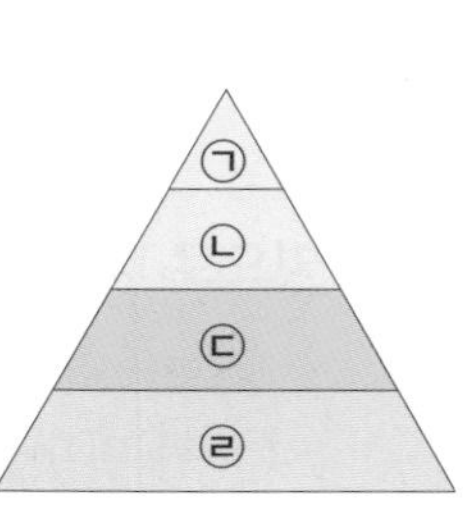

① ㉠은 생산자이다.

② ㉡은 1차 소비자이다.

③ ㉢은 2차 소비자이다.

④ ㉠~㉣ 중 ㉣의 수나 양이 가장 많다.

⑤ 어느 한 단계 생물의 수나 양이 갑자기 늘어나도 다른 단계 생물의 수나 양은 변하지 않는다.

서술형

6 다음의 국립 공원에 늑대를 다시 풀어놓았을 때 비버의 수는 어떻게 될지 예상하여 그 까닭과 함께 쓰시오.

> 어느 국립 공원에서 인간들의 무분별한 사냥으로 늑대가 모두 사라졌습니다. 늑대가 사라진 뒤 사슴의 수는 빠르게 늘어났고, 사슴은 강가의 풀과 나무 등을 닥치는 대로 먹었습니다. 그 결과 풀과 나무가 제대로 자라지 못하였고, 나무로 집을 짓고 나뭇가지 등을 먹는 비버가 국립 공원에서 거의 사라졌습니다.

____

____

____

7~8 다음과 같이 조건을 다르게 하여 콩나물의 자람을 관찰하였습니다. 물음에 답하시오.

㉠	㉡	㉢	㉣
햇빛 ○	햇빛 ○	햇빛 ×	햇빛 ×
물 ○	물 ×	물 ○	물 ×

7 위 실험에서 일주일 뒤 콩나물이 자란 모습을 바르게 설명한 것은 어느 것입니까? (　　)

① ㉠~㉣ 모두 잘 자랐다.
② ㉠은 떡잎이 노란색이다.
③ ㉡은 떡잎 아래 몸통이 굵어졌다.
④ ㉢은 떡잎이 초록색으로 변했다.
⑤ ㉣은 떡잎 아래 몸통이 매우 가늘어지고 시들었다.

8 앞의 실험 결과로 알 수 있는 식물이 자라는 데 영향을 주는 비생물 요소 두 가지를 쓰시오.

(　　　　　　　　　　)

9 다음 중 생김새를 통한 적응의 예가 아닌 것은 어느 것입니까? (　　)

①

▲ 대벌레의 몸

②

▲ 밤송이의 가시

③

▲ 몸을 오므리는 공벌레

④

▲ 선인장의 굵은 줄기와 뾰족한 가시

10 다음 보기 에서 우리 생활로 인해 환경이 오염되어 생물에 해로운 영향을 주는 일을 모두 골라 기호를 쓰시오.

> 보기
> ㉠ 음식물을 남깁니다.
> ㉡ 샴푸를 많이 사용합니다.
> ㉢ 일회용품을 사용하지 않습니다.
> ㉣ 겨울에 난방 온도를 적절하게 유지합니다.

(　　　　　　　　　　)

단원 평가 2회 5. 생물과 환경

5학년 반

이름

1 다음 중 생태계 구성 요소와 그 예를 바르게 짝 지은 것은 어느 것입니까? ( )

① 생산자 – 공벌레
② 소비자 – 다람쥐
③ 분해자 – 감나무
④ 생물 요소 – 햇빛
⑤ 비생물 요소 – 세균

2 다음 중 생산자가 없어진다면 생태계에는 어떤 일이 일어날지 바르게 예상한 사람의 이름을 쓰시오.

- 승아: 모든 생물이 멸종될 거야.
- 준서: 생물의 종류가 다양해질 거야.
- 채윤: 우리 주변이 죽은 생물과 생물의 배출물로 가득 차게 될 거야.

( )

3 다음 생물들의 먹이 관계를 먹이 사슬로 나타내려고 합니다. ( ) 안에 알맞은 생물의 기호를 각각 쓰시오.

㉠ 
▲ 메뚜기

㉡ 
▲ 개구리

㉢ 
▲ 뱀

㉣ 
▲ 벼

( ) → ( ) → ( ) → ( )

4 다음 중 먹이 사슬과 먹이 그물에 대한 설명으로 바르지 않은 것은 어느 것입니까? ( )

① 먹이 그물에서는 먹을 수 있는 먹이가 하나 밖에 없다.
② 먹이 사슬은 먹이 관계가 한 방향으로만 연결되어 있다.
③ 먹이 그물은 먹이 관계가 여러 방향으로 연결되어 있다.
④ 먹이 사슬보다 먹이 그물의 형태가 여러 생물이 함께 살아가기에 유리하다.
⑤ 먹이 사슬과 먹이 그물 모두 생물이 먹고 먹히는 관계에 있음을 보여 준다.

서술형

5 다음 생태 피라미드에서 1차 소비자의 수가 갑자기 줄어들면 생태계 구성 요소(생산자, 2차 소비자, 최종 소비자)의 수나 양은 일시적으로 어떻게 변화할지 쓰시오.

최종 소비자
2차 소비자
1차 소비자
생산자

6 다음 (　) 안에 들어갈 말을 쓰시오.

> 어떤 지역에 살고 있는 생물의 종류와 수 또는 양이 균형을 이루며 안정된 상태를 유지하는 것을 (　　　)(이)라고 합니다.

(　　　　　　　　)

7 다음은 콩나물의 자람에 어떤 비생물 요소가 미치는 영향을 알아보기 위한 실험 조건인지 쓰시오.

같게 해야 할 조건	콩나물의 양, 콩나물의 길이와 굵기, 콩나물에 주는 물의 양
다르게 해야 할 조건	콩나물이 받는 햇빛의 양

(　　　　　　　　)

8 다음 중 비생물 요소가 생물에 미치는 영향에 대한 설명으로 바르지 않은 것은 어느 것입니까? (　　)

① 물이 없으면 식물이 말라 죽는다.
② 흙의 영향으로 식물의 잎에 단풍이 든다.
③ 공기가 없으면 사람이 숨을 쉴 수 없다.
④ 온도는 개가 털갈이를 하는 것에 영향을 준다.
⑤ 햇빛은 식물이 스스로 양분을 만드는 데 꼭 필요하다.

서술형

9 오른쪽과 같이 흰 눈으로 뒤덮여 있는 서식지 환경에서 잘 살아남을 수 있는 여우 가족을 골라 기호를 쓰고, 그렇게 생각한 까닭을 쓰시오.

㉠

㉡

10 다음 중 토양 오염이 생물에 미치는 영향에 해당하는 것은 어느 것입니까? (　　)

▲ 강물이 오염되어 죽은 물고기

②

▲ 황사, 미세 먼지로 증가하는 질병

③

▲ 기름 유출로 파괴되는 생물의 서식지

④

▲ 쓰레기 매립으로 심각한 악취가 나는 생활 환경

단원 평가 1회

6. 날씨와 우리 생활

5학년 반

이름

1 오른쪽 건습구 습도계에서 ㉠의 온도가 22.0 ℃, ㉡의 온도가 19.0 ℃일 때, 다음 습도표를 이용하여 현재 습도를 구하면 얼마입니까? ( )

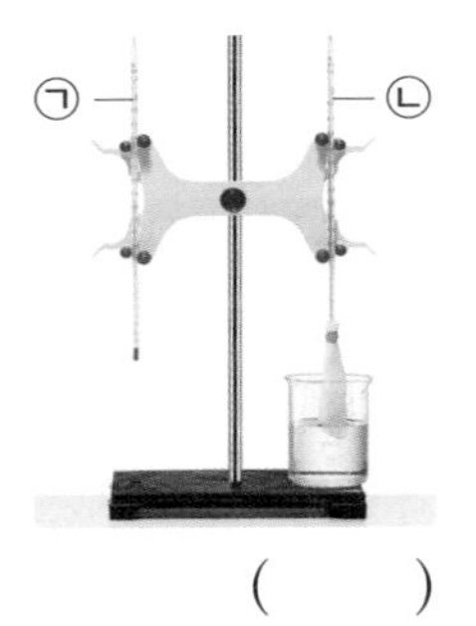

건구 온도(℃)	건구 온도와 습구 온도의 차(℃)				
	0	1	2	3	4
19	100	91	82	74	65
20	100	91	83	74	66
21	100	91	83	75	67
22	100	92	83	76	68

① 74% ② 75% ③ 76%
④ 82% ⑤ 83%

2 오른쪽과 같이 물과 조각 얼음을 넣은 집기병 표면에 물방울이 맺힌 것과 비슷한 자연 현상은 어느 것입니까? ( )

①

▲ 구름

②

▲ 이슬

③

▲ 안개

④

▲ 눈

서술형

3 다음 구름 발생 실험에서 공기 주입 마개 뚜껑을 열었을 때 페트병 안의 온도와 페트병 안에서 나타나는 변화를 쓰시오.

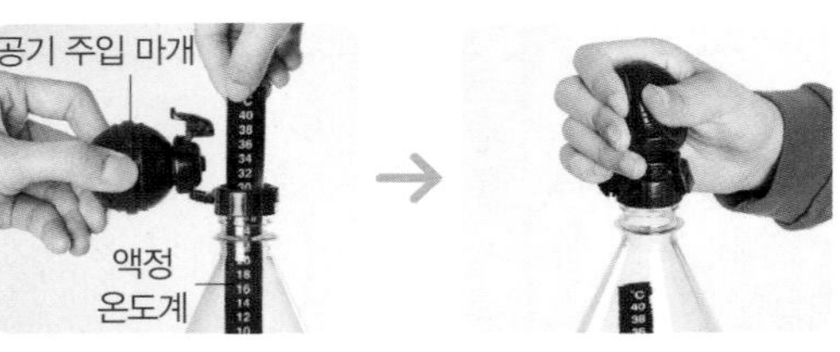

▲ 페트병에 액정 온도계를 넣은 뒤, 공기 주입 마개로 닫습니다.

▲ 공기 주입 마개를 눌러 페트병 안에 공기를 넣습니다.

____

____

4 다음에서 설명하는 자연 현상을 쓰시오.

> 구름 속 작은 물방울이 합쳐지면서 무거워져 떨어지거나, 크기가 커진 얼음 알갱이가 무거워져 떨어지면서 녹은 것입니다.

( )

5 다음 ( ) 안의 알맞은 말에 ○표 하시오.

> 일정한 부피에 들어 있는 차가운 공기는 따뜻한 공기보다 (무겁고 , 가볍고) 기압이 더 (높습니다 , 낮습니다).

6 다음 중 기압에 대한 설명으로 바르지 않은 것은 어느 것입니까? (　　)

① 공기는 저기압에서 고기압으로 이동한다.
② 기압 차로 공기가 이동하는 것을 바람이라고 한다.
③ 공기의 무게로 생기는 누르는 힘을 기압이라고 한다.
④ 상대적으로 공기가 무거운 것을 고기압이라고 한다.
⑤ 일정한 부피에 공기 알갱이가 많을수록 기압이 높아진다.

7 다음은 지면과 수면의 하루 동안 온도 변화를 나타낸 그래프입니다. 이에 대한 설명으로 바른 것을 두 가지 고르시오. (　　,　　)

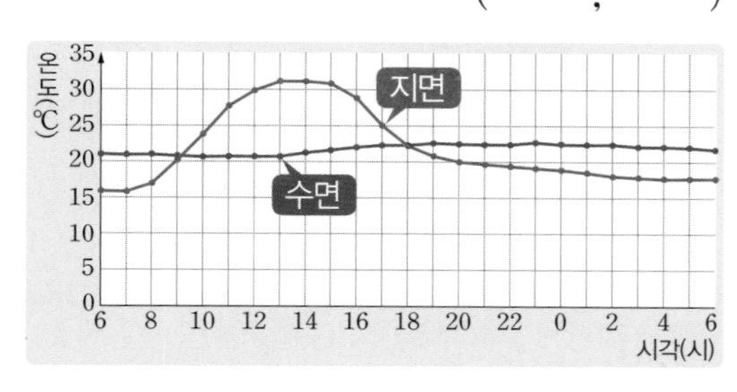

① 밤에는 수면이 지면보다 빠르게 식는다.
② 낮에는 지면이 수면보다 빠르게 데워진다.
③ 지면의 온도는 수면의 온도보다 항상 높다.
④ 지면은 수면보다 하루 동안 온도 변화가 더 크다.
⑤ 지면과 수면은 하루 동안 온도 변화가 비슷하게 나타난다.

서술형

8 오른쪽은 전등을 켜서 가열한 모래와 물을 투명한 상자로 덮은 뒤 향을 넣었을 때 향 연기의 움직임을 화살표로 나타낸 것입니다. 이와 같이 향 연기가 움직이는 까닭을 기압과 관련지어 쓰시오.

9 다음 중 우리나라의 가을 날씨에 영향을 미치는 공기 덩어리를 골라 기호를 쓰시오.

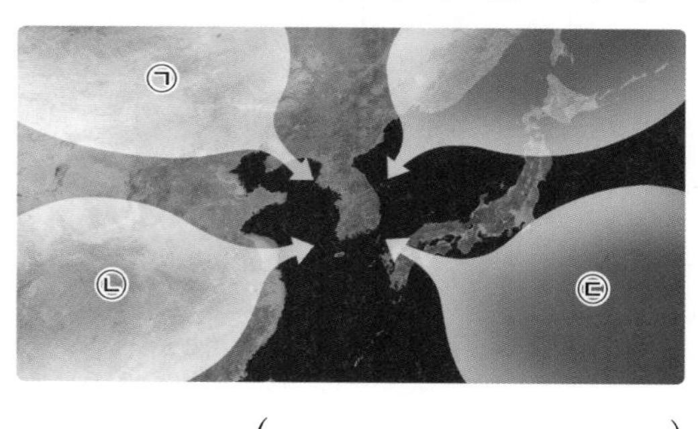

(　　　　　　)

10 다음 날씨에 따라 우리가 생활하는 데 필요한 것을 바르게 줄로 이으시오.

(1) 비가 내리는 날 • 　　• ㉠ 마스크
(2) 습도가 낮은 날 • 　　• ㉡ 우산
(3) 황사가 있는 날 • 　　• ㉢ 가습기

단원 평가 2회

6. 날씨와 우리 생활

5학년 반
이름

1 다음 보기 에서 습도가 우리 생활에 미치는 영향에 대한 설명으로 바른 것을 모두 골라 기호를 쓰시오.

보기
㉠ 습도가 낮으면 빨래가 잘 마릅니다.
㉡ 습도가 낮으면 곰팡이가 잘 핍니다.
㉢ 습도가 높으면 감기에 걸리기 쉽습니다.
㉣ 습도가 높으면 음식물이 부패하기 쉽습니다.

( )

서술형

2 다음 실험에서 집기병 안에서 나타나는 변화와 그렇게 생각한 까닭을 쓰시오.

㉠ 집기병에 따뜻한 물을 가득 넣어 집기병 안을 데운 뒤에 물을 버립니다.
㉡ 향에 불을 붙이고 집기병에 향을 넣었다가 뺍니다.
㉢ 조각 얼음이 담긴 페트리 접시를 집기병 위에 올려놓고, 집기병 안에서 나타나는 변화를 관찰합니다.

(1) 변화: ______

(2) 까닭: ______

______

3 다음 실험 결과 페트병 안에서 나타나는 변화와 비슷한 자연 현상은 어느 것입니까? ( )

▲ 공기 주입 마개를 눌러 페트병 안에 공기를 넣습니다.

→

▲ 공기 주입 마개 뚜껑을 열었더니 페트병 안이 뿌옇게 흐려집니다.

① 눈 ② 비 ③ 구름
④ 안개 ⑤ 이슬

4 다음 중 이슬, 안개, 구름의 공통점으로 바른 것은 어느 것입니까? ( )

① 수증기가 응결해 나타나는 현상이다.
② 물방울이 증발해 나타나는 현상이다.
③ 물방울이 물체 표면에 맺히는 현상이다.
④ 작은 물방울이 높은 하늘에 떠 있는 현상이다.
⑤ 작은 물방울이 지표면 근처에 떠 있는 현상이다.

5 다음과 같이 고기압과 저기압이 위치할 때, ㉠과 ㉡ 화살표 중 공기가 이동하는 방향을 바르게 나타낸 것을 골라 기호를 쓰시오.

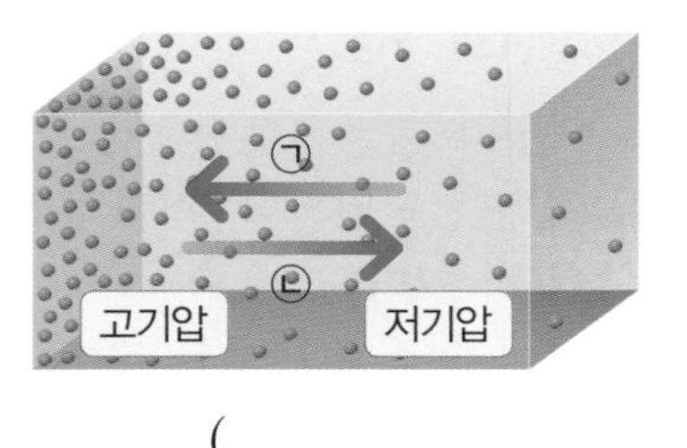

( )

6 지면과 수면의 하루 동안 온도 변화를 알아보기 위해 다음과 같이 장치하여 실험하였습니다. 이 실험에 대한 설명으로 바르지 않은 것은 어느 것입니까? ( )

▲ 전등을 켜고 2분 간격으로 10분 동안 모래와 물의 온도 변화 측정하기

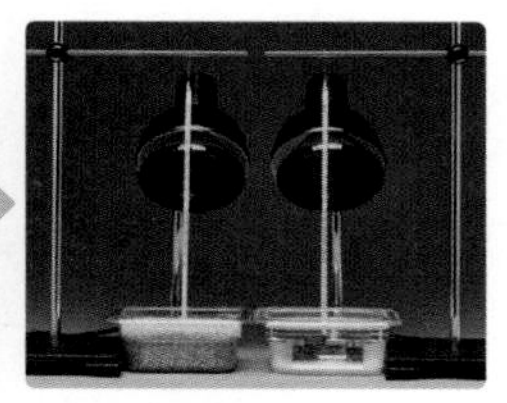
▲ 전등을 끄고 2분 간격으로 10분 동안 모래와 물의 온도 변화 측정하기

① 전등은 태양을 나타낸다.
② 모래는 물보다 온도 변화가 크다.
③ 모래는 육지, 물은 바다를 나타낸다.
④ 전등을 껐을 때 모래는 물보다 천천히 식는다.
⑤ 전등을 켰을 때 모래는 물보다 빨리 데워진다.

7 오른쪽과 같이 전등을 켜서 가열한 모래와 물을 투명한 상자로 덮은 뒤 향을 넣고 향 연기의 움직임을 관찰하였습니다. 이 실험에 대한 설명으로 바른 것을 보기 에서 골라 기호를 쓰시오.

보기
㉠ 물은 모래보다 온도가 높습니다.
㉡ 향 연기가 모래 쪽에서 물 쪽으로 이동합니다.
㉢ 물 위 공기는 고기압, 모래 위 공기는 저기압이 됩니다.

( )

서술형

8 다음과 같이 바람이 바닷가에서 낮과 밤에 다른 방향으로 부는 까닭을 쓰시오.

9 다음 ( ) 안에 들어갈 계절을 쓰시오.

우리나라는 ( )에 남동쪽 바다에서 이동해 오는 공기 덩어리의 영향을 받아 덥고 습합니다.

( )

10 다음 중 날씨에 따른 우리 생활 모습에 대한 설명으로 바르지 않은 것은 어느 것입니까? ( )

① 추운 날은 두꺼운 옷을 입는다.
② 맑고 따뜻한 날은 간편한 옷차림을 한다.
③ 미세 먼지가 많은 날은 외출을 자제한다.
④ 무덥고 습한 날에 장시간 야외 활동을 한다.
⑤ 기온이 높은 날은 오전 일찍 우유 급식을 한다.

단원 평가 1회 7. 물체의 운동

5학년 반

이름

1 다음은 1초 간격으로 거리의 모습을 나타낸 것입니다. 이에 대한 설명으로 바른 것은 어느 것입니까? ( )

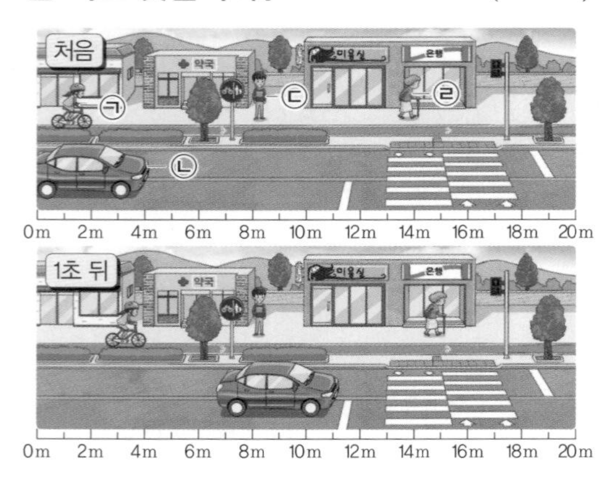

① ㉠~㉣ 모두 운동한 물체이다.

② ㉠은 1초 동안 5 m를 이동했다.

③ ㉣은 1초 동안 3 m를 이동했다.

④ ㉢은 시간이 지남에 따라 위치가 변했다.

⑤ ㉠~㉣ 중 ㉡이 1초 동안 가장 먼 거리를 이동했다.

2 다음 ㉠~㉣ 중 빠르기가 일정한 운동을 하는 물체를 모두 골라 기호를 쓰시오.

㉠ 

▲ 케이블카

㉡ 

▲ 자동계단

㉢ 

▲ 롤러코스터

㉣  

▲ 배드민턴공

( )

서술형

3 민아네 반에서 다음과 같이 모둠별로 50 m 달리기를 하였습니다. 가장 빠르게 달린 친구를 어떻게 알 수 있는지 쓰시오.

____

____

4 수영 경기에 출전한 선수들의 기록이 다음과 같을 때, 가장 빠른 선수는 누구입니까? ( )

	이름	걸린 시간
①	서연희	1분 12초 12
②	박경원	1분 10초 55
③	남지현	1분 10초 68
④	이성진	1분 11초 98
⑤	김민석	1분 11초 57

5 다음은 5초 동안 종이 자동차 경주를 한 결과입니다. 가장 빠른 종이 자동차부터 순서대로 기호를 쓰시오.

종이 자동차	㉠	㉡	㉢
이동 거리	100 m	125 m	107 m

( )

6 다음은 3시간 동안 여러 교통수단이 이동한 거리를 나타낸 그래프입니다. 3시간 동안 180 km를 이동한 시내버스보다 더 느린 교통수단을 모두 쓰시오.

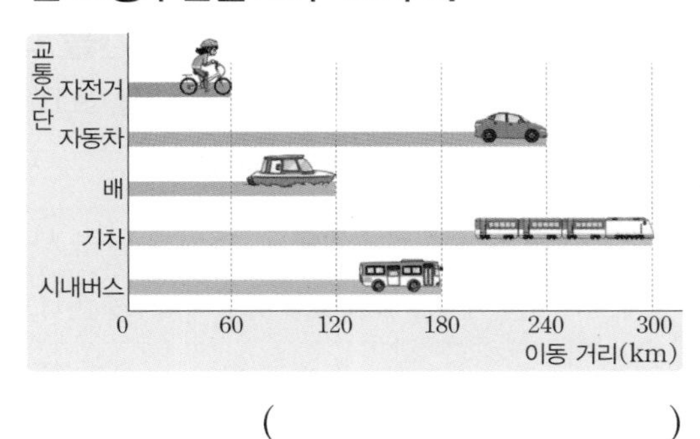

( )

7~8 다음은 여러 가지 물체의 운동을 나타낸 것입니다. 물음에 답하시오.

㉠ 10초 동안 80 m를 이동한 사람
㉡ 4초 동안 60 m를 이동한 바람
㉢ 2초 동안 44 m를 이동한 톰슨가젤

서술형

7 위와 같이 이동하는 데 걸린 시간과 이동 거리가 모두 다른 물체의 빠르기를 비교하는 방법을 쓰시오.

8 위 7번에서 답한 방법으로 물체 ㉠~㉢의 빠르기를 비교할 때, 가장 빠른 것을 골라 기호를 쓰시오.

( )

9 다음 안전장치에 대한 설명으로 바르지 않은 것은 어느 것입니까? ( )

㉠ 
▲ 안전띠

㉡ 
▲ 과속 방지 턱

① 모두 속력과 관련된 안전장치이다.
② 모두 도로에 설치된 안전장치이다.
③ ㉠은 긴급 상황에서 탑승자의 몸을 고정한다.
④ ㉡은 자동차의 속력을 줄여서 사고를 막는다.
⑤ ㉠과 ㉡은 교통 안전사고를 예방하거나 사고가 발생하더라도 피해를 줄이기 위해 설치한다.

10 다음 중 교통안전 수칙을 잘 지키는 사람은 누구입니까? ( )

① 
▲ 도로 주변에서 공놀이를 하는 민우

② 
▲ 차도로 내려와 버스를 기다리는 소영

③ 
▲ 횡단보도에서 좌우를 살피며 길을 건너는 승준

④ 
▲ 도로 주변에서 바퀴 달린 신발을 타는 상우

단원 평가 2회 7. 물체의 운동

5학년 반

이름

1 다음 보기 에서 물체의 운동에 대한 설명으로 바르지 않은 것을 골라 기호를 쓰시오.

보기
㉠ 시간이 지나도 제자리에 있는 물체는 운동하지 않은 물체입니다.
㉡ 시간이 지남에 따라 물체의 위치가 변할 때 물체가 운동한다고 합니다.
㉢ 물체의 운동은 물체가 이동하는 데 걸린 시간과 이동 방향으로 나타냅니다.

( )

2 다음 두 물체의 운동에 대한 설명으로 바른 것은 어느 것입니까? ( )

▲ 비행기

▲ 컬링 스톤

① 컬링 스톤은 비행기보다 빠르다.
② 모두 빠르기가 일정한 운동을 한다.
③ 모두 빠르기가 변하는 운동을 한다.
④ 비행기는 빠르기가 일정한 운동을 하고, 컬링 스톤은 빠르기가 변하는 운동을 한다.
⑤ 비행기는 빠르기가 변하는 운동을 하고, 컬링 스톤은 빠르기가 일정한 운동을 한다.

3 다음은 은우네 반에서 50 m 달리기를 하여 각 모둠에서 결승선에 가장 먼저 도착한 친구가 달리는 데 걸린 시간을 나타낸 표입니다. 은우네 반에서 가장 느리게 달린 친구는 누구인지 쓰시오.

모둠	이름	걸린 시간
1	은우	9초 45
2	소은	8초 57
3	태현	8초 78
4	채원	9초 12

( )

4 다음 중 일정한 거리를 이동하는 데 걸린 시간을 측정해 빠르기를 비교하는 운동 경기가 아닌 것은 어느 것입니까? ( )

① 수영 ② 축구
③ 조정 ④ 봅슬레이
⑤ 스피드 스케이팅

서술형

5 다음은 3시간 동안 여러 교통수단이 이동한 거리를 나타낸 그래프입니다. 가장 빠른 교통수단은 무엇인지 그렇게 생각한 까닭과 함께 쓰시오.

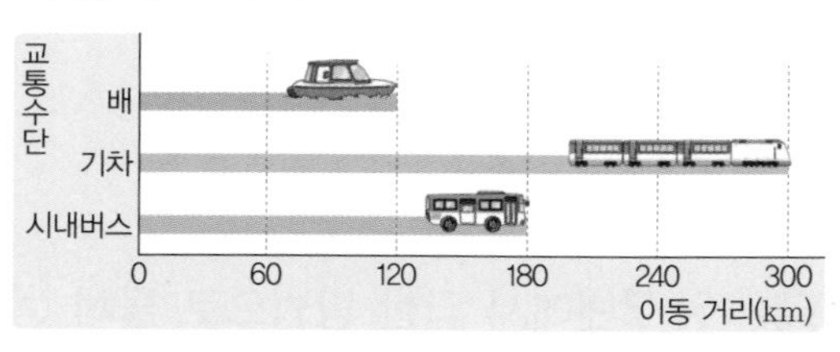

6 다음 ( ) 안에 들어갈 말을 각각 쓰시오.

- 일정한 거리를 이동한 물체의 빠르기는 물체가 이동하는 데 (㉠)(으)로 비교합니다.
- 일정한 시간 동안 이동한 물체의 빠르기는 물체가 (㉡)(으)로 비교합니다.

㉠: ( )
㉡: ( )

7 오른쪽 속력에 대한 설명으로 바르지 않은 것을 두 가지 고르시오.

$7\,m/s$

(,)

① m/s는 속력의 단위이다.
② '초속 칠 미터'라고 읽는다.
③ '시속 칠 미터'라고 읽는다.
④ '칠 미터 퍼 세컨드'라고 읽는다.
⑤ 1시간 동안 7 m를 이동한 물체의 속력을 나타낸다.

8 다음은 여러 가지 물체의 이동 거리와 걸린 시간을 나타낸 표입니다. 나머지 물체와 속력이 다른 하나를 골라 기호를 쓰시오.

물체	㉠	㉡	㉢
이동 거리(km)	150	120	250
걸린 시간(시간)	3	2	5

( )

9 다음 속력과 관련된 안전장치 중 도로에 설치된 장치가 아닌 것은 어느 것입니까? ( )

① 
▲ 에어백

② 
▲ 횡단보도

③
▲ 과속 방지 턱

④ 

▲ 어린이 보호 구역 표지판

서술형

10 다음은 학교 주변의 모습입니다. 위험하게 행동한 어린이의 이름을 쓰고, 행동을 어떻게 고쳐야 할지 쓰시오.

단원 평가 1회 8. 산과 염기

5학년 반

이름

1 다음 중 여러 가지 용액을 관찰한 내용으로 바른 것은 어느 것입니까? ( )

① 식초는 불투명하다.
② 사이다는 냄새가 난다.
③ 석회수는 연한 노란색이다.
④ 유리 세정제는 냄새가 나지 않는다.
⑤ 묽은 수산화 나트륨 용액은 푸른색이다.

2 여러 가지 용액을 다음과 같이 분류할 때, ㉠에 들어갈 분류 기준으로 알맞은 것은 어느 것입니까? ( )

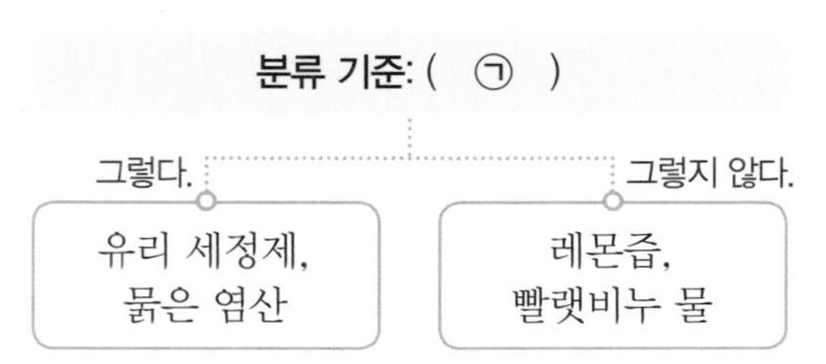

① 투명한가?
② 색깔이 있는가?
③ 냄새가 나는가?
④ 먹을 수 있는가?
⑤ 흔들었을 때 거품이 3초 이상 유지되는가?

3 다음 ( ) 안에 공통으로 들어갈 말을 쓰시오.

- ( )은/는 어떤 용액을 만났을 때에 그 용액의 성질에 따라 눈에 띄는 변화가 나타나는 물질입니다.
- ( )을/를 이용하면 용액을 산성 용액과 염기성 용액으로 분류할 수 있습니다.

( )

4 다음 용액을 리트머스 종이에 떨어뜨렸을 때의 색깔 변화를 바르게 줄로 이으시오.

(1) 레몬즙 •

(2) 석회수 •

(3) 사이다 •

• ㉠
▲ 푸른색 → 붉은색

• ㉡
▲ 붉은색 → 푸른색

5 어떤 용액에 페놀프탈레인 용액을 한두 방울 떨어뜨렸더니, 오른쪽과 같이 색깔이 변하였습니다. 이 용액에 자주색 양배추 지시약을 떨어뜨리면 어떤 계열의 색깔로 변하는지 용액의 성질과 관련지어 쓰시오.

정답과 해설 37쪽

6 어떤 용액에 대리석 조각을 넣었더니 오른쪽과 같이 기포가 발생했습니다. 이와 같은 변화가 나타나는 용액을 보기 에서 모두 골라 기호를 쓰시오.

보기
㉠ 식초 ㉡ 석회수
㉢ 묽은 염산 ㉣ 유리 세정제

( )

7 다음 중 염기성 용액에 넣었을 때 녹는 물질끼리 바르게 짝 지은 것은 어느 것입니까? ( )

① 두부, 달걀 껍데기
② 두부, 삶은 달걀 흰자
③ 달걀 껍데기, 대리석 조각
④ 삶은 달걀 흰자, 대리석 조각
⑤ 달걀 껍데기, 삶은 달걀 흰자

8 다음과 같이 삼각 플라스크 세 개에 묽은 염산을 넣고 자주색 양배추 지시약을 떨어뜨린 뒤, 묽은 수산화 나트륨 용액의 양을 각각 다르게 넣었습니다. 묽은 수산화 나트륨 용액을 가장 많이 넣은 것을 골라 기호를 쓰시오. (단, 용액의 양은 고려하지 않습니다.)

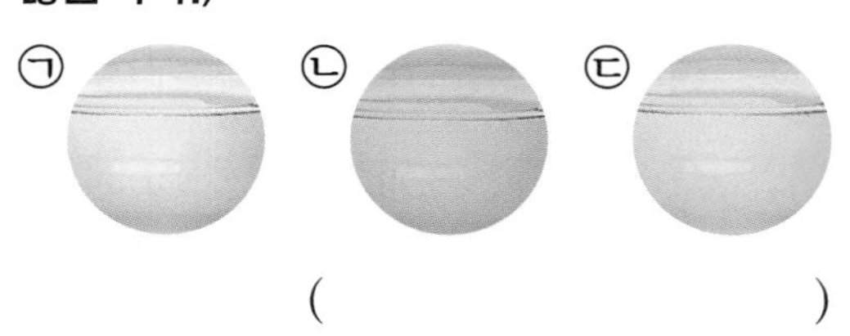

( )

서술형

9 다음은 자주색 양배추 지시약을 넣은 묽은 수산화 나트륨 용액에 묽은 염산을 넣으면서 지시약의 색깔 변화를 관찰한 뒤, 자주색 양배추 지시약의 색깔 변화표에 선으로 연결한 것입니다. 지시약의 색깔 변화로 알 수 있는 사실을 용액의 성질과 관련지어 쓰시오.

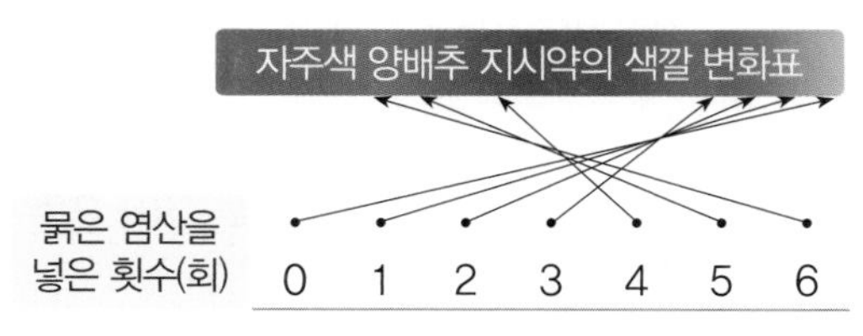

10 다음은 요구르트와 물에 녹인 치약을 묻힌 리트머스 종이의 색깔 변화를 관찰한 결과입니다. 이에 대한 설명으로 바르지 않은 것은 어느 것입니까? ( )

구분	푸른색 리트머스 종이	붉은색 리트머스 종이
요구르트	붉은색으로 변함.	변화 없음.
물에 녹인 치약	변화 없음.	푸른색으로 변함.

① 요구르트는 산성 용액이다.
② 물에 녹인 치약은 염기성 용액이다.
③ 요구르트를 마시면 입안이 산성 환경이 된다.
④ 요구르트에 페놀프탈레인 용액을 떨어뜨리면 붉은색으로 변한다.
⑤ 요구르트를 마시고 난 뒤 치약으로 양치질을 하면 입안의 산성 물질을 없앨 수 있다.

단원 평가 2회 8. 산과 염기

5학년 반

이름

1~2 다음 여러 가지 용액을 보고, 물음에 답하시오.

1 위 용액 중 다음과 같은 특징이 있는 용액은 무엇인지 쓰시오.

- 연한 푸른색이고 투명합니다.
- 흔들었을 때 거품이 3초 이상 유지됩니다.

( )

서술형

2 위 용액들을 다음 분류 기준에 따라 분류하여 쓰시오.

분류 기준: 냄새가 나는가?

3 다음 중 페놀프탈레인 용액을 떨어뜨렸을 때 나머지와 다른 색깔 변화가 나타나는 용액은 어느 것입니까? ( )

① 식초 ② 레몬즙
③ 사이다 ④ 묽은 염산
⑤ 빨랫비누 물

4 다음 보기 에서 산성 용액에 대한 설명으로 바른 것을 모두 골라 기호를 쓰시오.

보기

㉠ 페놀프탈레인 용액을 붉은색으로 변하게 합니다.
㉡ 페놀프탈레인 용액의 색깔을 변하지 않게 합니다.
㉢ 푸른색 리트머스 종이의 색깔을 붉은색으로 변하게 합니다.
㉣ 붉은색 리트머스 종이의 색깔을 푸른색으로 변하게 합니다.

( )

5 다음은 여러 가지 용액에 자주색 양배추 지시약을 떨어뜨린 모습입니다. ㉠~㉥을 산성 용액과 염기성 용액으로 바르게 분류한 것은 어느 것입니까? ( )

	산성 용액	염기성 용액
①	㉠, ㉡, ㉢	㉣, ㉤, ㉥
②	㉠, ㉣, ㉤	㉡, ㉢, ㉥
③	㉡, ㉢, ㉥	㉠, ㉣, ㉤
④	㉢, ㉤, ㉥	㉠, ㉡, ㉣
⑤	㉠, ㉣, ㉤, ㉥	㉡, ㉢

서술형

6 다음은 묽은 염산에 달걀 껍데기와 삶은 달걀 흰자를 넣었을 때의 변화를 나타낸 것입니다. 이를 통해 알 수 있는 산성 용액의 성질을 쓰시오.

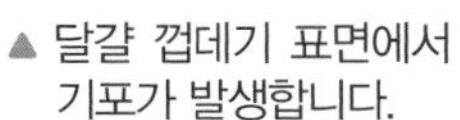
▲ 달걀 껍데기 표면에서 기포가 발생합니다.

▲ 아무런 변화가 없습니다.

7 다음 중 염기성 용액에 여러 가지 물질을 넣었을 때 일어나는 변화에 대한 설명으로 바른 것은 어느 것입니까? (   )

① 두부를 넣으면 변화가 없다.
② 달걀 껍데기를 넣으면 녹는다.
③ 염기성 용액은 모든 물질을 녹인다.
④ 대리석 조각을 넣으면 기포가 발생한다.
⑤ 삶은 달걀 흰자를 넣으면 흐물흐물해진다.

8 다음 (   ) 안의 알맞은 말에 ○표 하시오.

- 산성 용액에 염기성 용액을 넣을수록 (산성 , 염기성)이 점점 약해집니다.
- 염기성 용액에 산성 용액을 넣을수록 (산성 , 염기성)이 점점 약해집니다.

9 다음은 염산이 누출된 사고 현장에 소석회를 뿌리는 까닭에 대한 설명입니다. (   ) 안에 들어갈 말을 바르게 짝 지은 것은 어느 것입니까? (   )

(㉠) 용액인 염산에 (㉡)을 띤 소석회를 뿌리면 (㉢)이 점차 약해지기 때문입니다.

	㉠	㉡	㉢
①	산성	산성	산성
②	산성	염기성	산성
③	산성	염기성	염기성
④	염기성	산성	산성
⑤	염기성	염기성	염기성

10 다음 중 우리 생활에서 염기성 용액을 이용하는 예를 모두 골라 기호를 쓰시오.

▲ 변기용 세제로 변기 청소하기

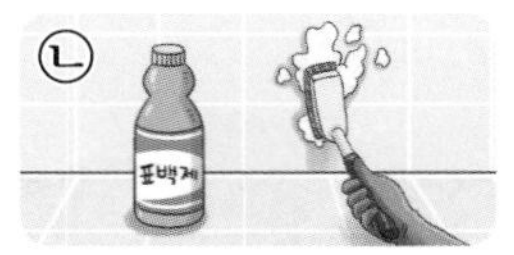

▲ 표백제로 욕실 청소하기

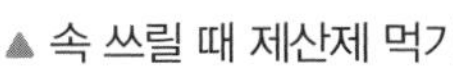
▲ 속 쓰릴 때 제산제 먹기

▲ 생선을 손질한 도마를 식초로 닦아 내기

(   )

MEMO

MEMO

MEMO

15개정 교육과정

이것만 알자!

초등 과학

5학년

정답과 해설

책 속의 가접 별책 (특허 제 0557442호)
'정답과 해설'은 본책에서 쉽게 분리할 수 있도록 제작되었으므로
유통 과정에서 분리될 수 있으나 파본이 아닌 정상제품입니다.

이것만 알자!

초등 과학

5학년

정답과 해설

1. 온도와 열

8~9쪽
이 단원을
들어가기
전에
온도와 열을 나타낸 그림입니다.
집안에 숨은 그림을 찾아보세요.
비커
망치
화분
다리미
사다리
온도계
옷걸이
정답과 해설은
2쪽에 있어!

| 그림 설명 |

- 따뜻한 밥을 그릇에 담으면 밥에서 그릇으로 열이 이동해 그릇이 따뜻해지는 모습 ⟶ [13쪽 04 **접촉하면 이동해. 열!**]에서 온도가 다른 두 물질이 접촉할 때 나타나는 두 물질의 온도 변화와 온도 변화가 나타나는 까닭에 대해 배웁니다.

- 뜨거운 불 위에 올려놓은 팬에서 열이 이동하여 음식이 익는 모습 ⟶ [16쪽 05 **어떻게 이동해? 고체에서 열**]에서 고체에서 열이 어떻게 이동하는지 배우며, 고체 물질의 종류에 따른 열이 이동하는 빠르기에 대해 배웁니다.

- 주전자의 아랫부분만 가열해도 물 전체가 따뜻해지는 모습 ⟶ [18쪽 06 **어떻게 이동해? 액체에서 열**]에서 액체에서 열이 어떻게 이동하는지 배웁니다.

- 거실 한 쪽에 켜 놓은 난로 때문에 집 안 공기 전체가 따뜻해지는 모습 ⟶ [19쪽 07 **어떻게 이동해? 기체에서 열**]에서 기체에서 열이 어떻게 이동하는지 배웁니다.

재미있는 개념 퀴즈! 14~15쪽

1 ❶

2 (1) 체온 (2) 기온 (3) 수온

3 220180

4 ❶ 컵 ❷ 우유 ❸ 얼음

1 분유를 탈 때, 목욕물의 온도가 적절한지 확인할 때, 아기가 열이 나 체온을 측정할 때에는 온도를 정확하게 측정해야 합니다.

더 알기 교과서에 나오는 차갑거나 따뜻한 정도를 표현하는 단어: 따뜻하다, 차갑다, 뜨겁다, 뜨뜻하다, 미지근하다, 시원하다, 쌀쌀하다 등

2 몸의 온도는 체온, 공기의 온도는 기온, 물의 온도는 수온이라고 합니다.

3 알코올 온도계는 주로 액체나 고체 물질의 온도를 측정할 때 사용합니다. 쓰임새에 맞는 온도계를 사용해야 온도를 정확하게 측정할 수 있고, 온도를 측정하기 편리합니다. 첫 번째 온도계의 온도는 22.0℃이고, 두 번째 온도계의 온도는 18.0℃이므로 첫 번째 온도계와 두 번째 온도계의 온도를 나란히 붙여 쓰면 220180입니다.

4 접촉한 두 물질 사이에서 열은 온도가 높은 물질에서 온도가 낮은 물질로 이동합니다.

❶ 뜨거운 물에서 컵으로 열이 이동합니다. ➡ 온도가 높아지는 물체: 컵

❷ 따뜻한 물에서 우유로 열이 이동합니다. ➡ 온도가 높아지는 물체: 우유

❸ 생선에서 얼음으로 열이 이동합니다. ➡ 온도가 높아지는 물체: 얼음

더 알기 교과서에 나오는 온도가 다른 두 물질이 접촉할 때 두 물질의 온도가 변하는 예

- 손으로 따뜻한 손난로를 잡으면 열은 손난로에서 손으로 이동합니다.
- 얼음주머니를 열이 나는 이마에 올려놓으면 열은 이마에서 얼음주머니로 이동합니다.
- 여름철 공기 중에 아이스크림이 있을 때 열은 공기에서 아이스크림으로 이동합니다.
- 갓 삶은 뜨거운 달걀을 차가운 물에 담그면 열은 뜨거운 달걀에서 차가운 물로 이동합니다.

재미있는 개념 퀴즈! 20~21쪽

1 ❸ **2** 원숭이

3

1 고체 물질의 한 부분을 가열하면 가열한 부분에서 멀어지는 방향으로 열이 이동합니다.

더 알기 교과서에 나오는 고기를 구울 때 열의 이동 방향

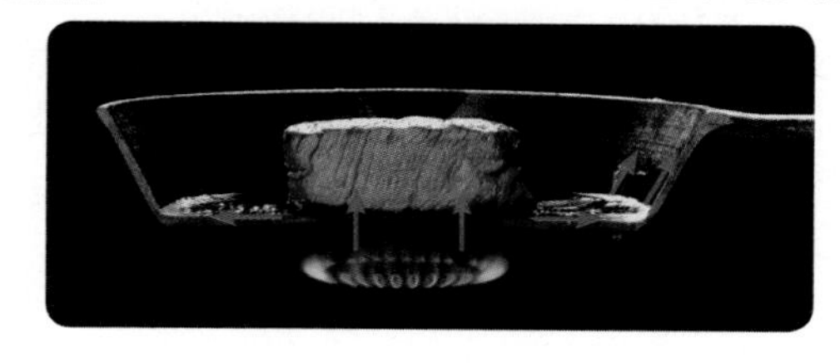

2 물을 가열하면 온도가 높아진 물은 위로 올라가고 위에 있던 물은 아래로 밀려 내려옵니다. 시간이 지나면 이 과정이 반복되면서 물 전체가 따뜻해집니다.

3
- 방 전체가 따뜻해질 수는 없어.(×) ➡ 난방 기구를 한 곳에만 켜 놓아도 시간이 지나면 공기가 대류하면서 집 안 전체의 공기가 따뜻해집니다.
- 에어컨을 방 아래쪽에 설치했으니 방 위쪽에 설치할 때보다 골고루 시원할 거야.(×) ➡ 에어컨은 위쪽에 설치해야 에어컨에서 나오는 차가운 공기가 아래로 내려오는 성질을 이용해 실내를 골고루 시원하게 할 수 있습니다.
- 냄비 손잡이가 플라스틱이라 너무 뜨거워!(×) ➡ 냄비의 손잡이는 열이 잘 이동하지 않는 플라스틱이나 나무로 만듭니다.

개념 잡는 생각 그물!

22~23쪽

❶ 온도계 ❷ 높은 ❸ 낮은
❹ 전도 ❺ 다름. ❻ 단열
❼ 높아진 ❽ 대류 ❾ 대류
❿ 높은

개념 잡는 수행 평가!

24~25쪽

1 (1) 적외선 온도계
(2) 예 같은 물질이라도 온도가 다를 수 있다는 것

2 (1) 예 높아지고, 예 낮아진다.
(2) 예 비커에 담긴 온도가 높은 물에서 음료수 캔에 담긴 온도가 낮은 물로 열이 이동하기 때문이다.

3 (다) **4** (다), (나), (가)

5 (1) 예 에어컨에서 나오는 차가운 공기가 아래로 내려오는 성질을 이용해 실내를 골고루 시원하게 할 수 있으므로 에어컨은 높은 곳에 설치한다.
(2) 예 난로 주변에서 데워진 따뜻한 공기가 위로 올라가는 성질을 이용해 실내를 골고루 따뜻하게 할 수 있으므로 난로는 낮은 곳에 설치한다.

평가 목표 : 물질의 온도는 물질이 놓인 장소, 측정 시각, 햇빛의 양 등에 따라 다르다는 것을 알고 서술할 수 있습니다.

1 (1) 쓰임새에 맞는 온도계를 사용해야 온도를 정확하게 측정할 수 있는데, 흙과 같은 고체 물질은 적외선 온도계로 측정해야 합니다. (2) 다른 물질이라도 온도가 같을 수 있고, 같은 물질이라도 온도가 다를 수 있습니다. 물질의 온도는 물질이 놓인 장소, 측정 시각, 햇빛의 양 등에 따라 다릅니다.

채점 기준
나무 그늘과 햇빛이 비치는 곳의 흙의 온도를 통해 알 수 있는 사실을 바르게 썼다.

더 알기 교과서에 나오는 같은 물질이라도 장소에 따라 온도가 다른 예: 교실의 기온과 운동장의 기온, 그늘에 주차된 자동차와 햇빛이 비치는 곳에 주차된 자동차

평가 목표 : 온도가 다른 두 물질이 접촉하였을 때 두 물질의 온도 변화를 알고 서술할 수 있습니다.

2 접촉한 두 물질 사이에서 열은 온도가 높은 물질에서 온도가 낮은 물질로 이동하기 때문에 접촉한 두 물질의 온도가 변합니다.

채점 기준
두 물질의 온도 변화와 두 물질의 온도가 변하는 까닭을 모두 바르게 썼다.

평가 목표 : 고체 물질의 종류에 따라 열이 이동하는 빠르기를 비교할 수 있습니다.

3 열 변색 붙임딱지의 색깔이 변하는 순서는 구리판((나)) → 철판((가))→유리판((다)) 순입니다. 따라서 구리판에서 열이 가장 빠르게 이동하고 유리판에서 열이 가장 느리게 이동합니다.

더 알기 교과서에 나오는 고체 물질의 종류에 따라 열이 이동하는 빠르기가 다른 성질을 이용한 예
- 다리미의 손잡이 부분은 열이 잘 이동하지 않는 플라스틱으로 만들고, 옷을 다리는 부분은 열이 잘 이동하는 철로 만듭니다.
- 빵 굽는 틀은 열이 이동하는 빠르기가 빠른 물질로 만듭니다.
- 냄비 손잡이는 열이 잘 이동하지 않도록 플라스틱으로 만듭니다.

평가 목표 : 불 위에 올려놓은 주전자의 물 전체가 따뜻해지는 과정을 액체에서 열의 이동과 관련지어 이해합니다.

4 액체에서 온도가 높아진 물질이 위로 올라가고, 위에 있던 물질이 아래로 밀려 내려오는 과정을 대류라고 합니다. 액체에서는 대류를 통해 열이 이동합니다.

평가 목표 : 에어컨과 난로를 설치하면 좋은 위치를 기체에서 열의 이동과 관련지어 서술할 수 있습니다.

5 에어컨을 높은 곳에 설치하면 에어컨에서 나오는 차가운 공기가 아래로 내려오는 성질을 이용해 실내를 골고루 시원하게 할 수 있습니다. 난로를 낮은 곳에 설치하면 난로 주변에서 데워진 따뜻한 공기가 위로 올라가는 성질을 이용해 실내를 골고루 따뜻하게 할 수 있습니다.

채점 기준
에어컨과 난로를 설치하면 좋은 위치를 차가운 공기와 따뜻한 공기의 성질과 관련지어 바르게 썼다.

2. 태양계와 별

30~31쪽
이 단원을
들어가기
전에
태양계와 별을 나타낸 그림입니다.
밤하늘에 숨은 자음자와 모음자를
이용하여 스스로 빛을 내는 천체가
무엇인지 알아맞혀 보세요.
답 별
정답과 해설은
5쪽에 있어!

| 그림 설명 |

- 천체 망원경으로 밤하늘에서 볼 수 있는 천체를 관측하는 모습 ⟶ [**38쪽 11 달라! 밤하늘의 별과 행성**]에서 밤하늘에서 볼 수 있는 별과 행성에 대해 배웁니다.
[**40쪽 12 북쪽을 알려줘, 북극성!**]에서 별자리에 대해 알아보고, 북쪽 밤하늘의 별자리를 이용해 북극성을 찾는 방법에 대해 배웁니다.

- 천문대에 전시된 태양계 행성을 살펴보는 모습 ⟶ [**32쪽 09 태양의 주위를 돌아, 태양계 행성! ~34쪽 10 비교해, 태양계 행성의 크기와 거리!**]에서 태양계 행성의 종류와 특징, 태양계 행성의 상대적인 크기와 거리에 대해 배웁니다.

재미있는 개념 퀴즈! 36~37쪽

1 태양 **2** 나리
3 (다)

1 태양은 태양계의 중심에 있으며 태양계에서 유일하게 스스로 빛을 내는 천체입니다. 지구는 행성이고, 달은 위성입니다.

더 알기 교과서에 나오는 태양이 생물과 우리 생활에 미치는 영향

- 일광욕을 즐깁니다.
- 식물은 태양 빛을 이용해 양분을 만듭니다.
- 밝은 낮에 야외에서 뛰어 놀 수 있습니다.
- 태양 빛으로 바닷물이 증발해 소금이 만들어집니다.
- 태양은 우리가 따뜻하게 생활할 수 있게 해 줍니다.
- 태양 빛으로 전기를 만들어 생활에 이용합니다.
- 태양은 물이 순환하는 데 필요한 에너지를 공급합니다.

2

~~화성~~	~~천왕성~~	혜성
~~수성~~	소행성	~~목성~~
위성	~~해왕성~~	~~금성~~

▲ 규휘의 빙고 놀이 판

혜성	~~천왕성~~	위성
~~수성~~	소행성	~~목성~~
~~해왕성~~	~~금성~~	~~화성~~

▲ 나리의 빙고 놀이 판

태양계는 태양, 행성, 위성, 소행성, 혜성 등으로 구성됩니다. 그중 행성에는 수성, 금성, 지구, 화성, 목성, 토성, 천왕성, 해왕성이 있습니다.

3 목성, 토성, 천왕성, 해왕성은 수성, 금성, 지구, 화성에 비해 상대적으로 태양에 멀리 있습니다.

더 알기 교과서에 나오는 태양에서 지구보다 가까이 있는 행성과 멀리 있는 행성

태양에서 지구보다 가까이 있는 행성	태양에서 지구보다 멀리 있는 행성
수성, 금성	화성, 목성, 토성, 천왕성, 해왕성

재미있는 개념 퀴즈! 42~43쪽

1

2 북, 별 **3** 북두칠성

1 • 밤하늘에서 별은 위치가 계속 변합니까?(×) ➡ 밤하늘에서 별은 위치가 변하지 않습니다.
• 행성이 밤하늘에서 빛나 보이는 것은 스스로 빛을 내기 때문입니까?(×) ➡ 행성은 태양 빛을 반사해 빛을 내는 것처럼 보입니다.

더 알기 교과서에 나오는 별자리를 관측할 시각과 장소
- 별이 보일 만큼 하늘이 충분히 어두워지는 때를 고려해 시각을 정합니다.
- 주변이 탁 트이고 밝지 않은 곳이 적당합니다.

2 북극성은 정확한 북쪽에 항상 있는 별로, 북극성을 찾으면 방위를 알 수 있습니다.

3 북극성은 북쪽 밤하늘의 별자리인 북두칠성과 카시오페이아자리를 이용하면 찾을 수 있습니다. 북두칠성은 국자 모양이고, 카시오페이아자리는 더블유(W) 또는 엠(M)자 모양입니다.

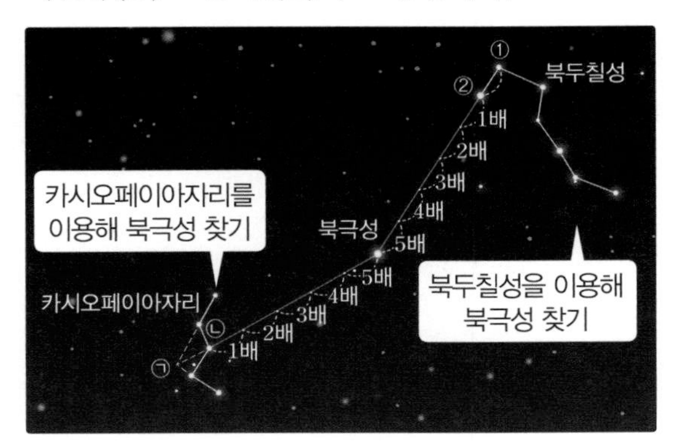

개념 잡는 생각 그물!

44~45쪽

❶ 에너지 ❷ 행성 ❸ 목성
❹ 해왕성 ❺ 빛 ❻ 별
❼ 북쪽 ❽ 카시오페이아자리
❾ 별 ❿ 행성

개념 잡는 수행 평가!

46~47쪽

1 예 표면에 땅이 있는 행성인 (가)와 표면이 기체로 이루어져 있는 행성인 (나)로 분류한 것이다.

2 금성

3 예 작은 행성, 예 큰 행성

4 (1) 행성
(2) 예 행성은 태양의 주위를 돌고, 별에 비해 지구에 가까이 있기 때문에 여러 날 동안 관측했을 때 위치가 조금씩 변할 것이다.

5 (1) 예 국자 모양 끝부분의 두 별을 연결하고, 그 거리의 다섯 배만큼 떨어진 곳에 있는 별을 찾는다.
(2) 예 바깥쪽 두 선을 연장해 만나는 점과 중앙의 별을 연결하고 그 거리의 다섯 배만큼 떨어진 곳에 있는 별을 찾는다.

평가 목표 : 태양계 행성의 표면 상태를 비교하고 어떤 점이 서로 다른지 알고 서술할 수 있습니다.

1 수성, 금성, 지구, 화성은 표면에 땅이 있고, 목성, 토성, 천왕성, 해왕성은 땅이 없으며 표면이 기체로 이루어져 있습니다.

채점 기준
행성을 분류한 기준을 행성의 표면 상태와 관련지어 바르게 썼다.

더 알기 교과서에 나오는 태양계 행성을 분류할 수 있는 기준: 표면의 상태, 고리

[2~3] 평가 목표 : 지구의 반지름을 1로 보았을 때 태양계 행성의 상대적인 크기를 비교하여 서술할 수 있습니다.

2 지구(1.0)와 크기가 가장 비슷한 행성은 금성(0.9)입니다.

더 알기 교과서에 나오는 상대적인 크기가 비슷한 행성: 수성(0.4) – 화성(0.5), 금성(0.9) – 지구(1.0), 해왕성(3.9) – 천왕성(4.0)

3 수성, 금성, 지구 화성은 상대적으로 크기가 작은 행성에 속하며, 목성, 토성, 천왕성, 해왕성은 상대적으로 크기가 큰 행성에 속합니다.

채점 기준
태양계 행성의 크기를 상대적으로 크기가 큰 행성과 크기가 작은 행성으로 바르게 비교하여 바르게 썼다.

더 알기 교과서에 나오는 지구보다 큰 행성과 작은 행성

지구보다 큰 행성	지구보다 작은 행성
목성, 토성, 천왕성, 해왕성	수성, 금성, 화성

평가 목표 : 여러 날 동안 밤하늘을 관측한 그림을 보고 행성과 별을 구별하여 서술할 수 있습니다.

4 별은 행성에 비해 지구에서 매우 먼 거리에 있습니다. 그렇기 때문에 여러 날 동안 같은 밤하늘을 관측하면 별은 움직이지 않는 것처럼 보입니다. 반면에 행성은 태양의 주위를 돌고, 별보다 지구에 가까이 있기 때문에 위치가 변하는 것을 볼 수 있습니다.

채점 기준
위치가 변한 천체가 행성이라고 쓰고, 그렇게 생각한 까닭을 바르게 썼다.

평가 목표 : 북쪽 밤하늘의 별자리를 이용해 북극성을 찾는 방법을 알고 서술할 수 있습니다.

5 북두칠성과 카시오페이아자리를 이용하면 북극성을 찾을 수 있습니다. 북두칠성의 국자 모양 끝부분의 두 별을 연결하고, 그 거리의 다섯 배만큼 떨어진 곳에 있는 별이 북극성입니다. 카시오페이아자리의 바깥쪽 두 선을 연장해 만나는 점과 중앙의 별을 연결하고, 그 거리의 다섯 배만큼 떨어진 곳에 있는 별이 북극성입니다.

채점 기준
북두칠성과 카시오페이아자리를 이용해 북극성을 찾는 방법을 바르게 썼다.

3. 용해와 용액

50~51쪽
이 단원을
들어가기 전에
용해와 용액을 나타낸 그림입니다.
집과 마당에 숨은 그림이 몇 개인지
알아맞혀 보세요.
답 6개
소금

| 그림 설명 |

- 장을 담글 때 달걀을 띄워 용액의 진하기를 확인하는 모습 → [58쪽 **17** 어떻게 비교해? 용액의 진하기]에서 용액의 진하기를 비교하는 방법을 배웁니다.

- 미숫가루를 탄 물에서 바닥에 미숫가루가 가라앉은 모습 → [52쪽 **13** 용질 + 용매 $\xrightarrow{\text{용해}}$ 용액]에서 용액의 특징에 대해 배웁니다.

- 소금이 물에 용해되어 물 위에 뜨는 것이 없는 모습 → [53쪽 **14** 없어지지 않아! 물에 용해된 각설탕]에서 용질이 물에 완전히 용해되었을 때의 변화에 대해 배웁니다.

재미있는 개념 퀴즈! 54~55쪽

1 용매

2 멸치 가루

3 5 3 9

4

1

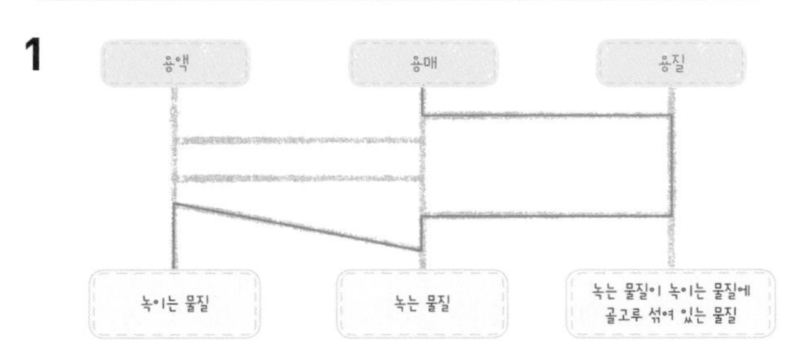

어떤 물질이 다른 물질에 녹아 골고루 섞이는 현상을 용해라고 합니다.

- 용액 —사다리→ 녹는 물질(×) ➡ 용액은 녹는 물질이 녹이는 물질에 골고루 섞여 있는 물질입니다.
- 용매 —사다리→ 녹이는 물질(○)
- 용질 —사다리→ 녹는 물질이 녹이는 물질에 골고루 섞여 있는 물질(×) ➡ 용질은 녹는 물질입니다.

2 소금, 설탕은 물에 용해됩니다. 멸치 가루는 물에 용해되지 않아 물에 뜨거나 가라앉습니다.

더 알기 교과서에 나오는 온도와 양이 같은 물에 설탕, 소금, 멸치 가루를 넣고 시간이 지난 뒤의 모습

▲ 소금 ▲ 설탕 ▲ 멸치 가루

3 물에 완전히 용해된 용질은 눈에 보이지는 않지만, 없어진 것이 아니라 매우 작게 변하여 물속에 골고루 섞여 있습니다. 이처럼 용질이 물에 용해되면 없어지는 것이 아니라 물과 골고루 섞여 용액이 됩니다.

4 물에 용해된 용질은 없어진 것이 아니라 매우 작게 변해 물속에 남아 있기 때문에 용질이 물에 용해되기 전과 용해된 후의 무게는 같습니다. 범인이 들고 있던 주전자에는 300g의 물이 들어 있고, 소금 100g을 훔쳐 물이 든 주전자에 넣었으므로 범인이 들고 있는 주전자의 무게는 400g입니다.

재미있는 개념 퀴즈! 60~61쪽

1 제제

2 ❷, ❸

3 물: ㈐, 소금: ㉠

4 1 3 2

1 온도와 양이 같은 물에 설탕이 가장 많이 용해되고, 베이킹 소다가 가장 적게 용해됩니다. 이처럼 물의 온도와 양이 같아도 용질마다 용해되는 양이 서로 다릅니다.

2 용해되지 않고 바닥에 가라앉은 코코아 가루를 더 많이 용해하려면 물을 더 넣거나, 전자레인지에 넣고 데워 코코아차의 온도를 높이면 됩니다. 용질을 물에 넣고 빠르게 저으면 용질이 빨리 용해되지만 더 많은 용질이 용해되는 것은 아닙니다.

3 용액의 진하기는 같은 양의 용매에 용질의 많고 적은 정도이며, 용매의 양이 같을 때 용질의 양이 많을수록 진하기가 진합니다. 따라서 진한 용액을 만들기 위해서는 용매의 양이 적고 용질의 양이 많아야 하므로 ㈐에 ㉠을 넣어 용해하면 됩니다.

4 용액이 진할수록 물체가 높이 떠오르므로, 가장 진한 용액은 2이고, 가장 연한 용액은 1입니다. 따라서 용액의 진하기가 연한 순서로 나열하면 1, 3, 2입니다.

더 알기 교과서에 나오는 용액의 진하기를 비교하기 적당한 물체: 방울토마토나 메추리알과 같이 너무 가볍거나 무겁지 않고 적당한 무게를 가진 물체여야 합니다.

개념 잡는 생각 그물!

62~63쪽

❶ 용해 ❷ 용액 ❸ 각설탕
❹ 같음. ❺ 다름. ❻ 높을수록
❼ 용질 ❽ 많을수록 ❾ 진한
❿ 높이

개념 잡는 수행 평가!

64~65쪽

1 (1) 소금물 (2) 소금 (3) 물

2 예 소금이 물에 녹아 골고루 섞이는 현상을 용해라고 한다.

3 예 소금이 물에 용해되기 전과 용해된 후의 무게가 같으므로 소금이 담긴 시약포지의 무게인 ㉠은 44 g이다.

4 예 백반 알갱이가 다시 생겨 바닥에 가라앉는다.

5 예 각설탕 열 개를 용해한 용액에서 방울토마토가 더 높이 뜬다. 또는 각설탕 한 개를 용해한 용액에서 방울토마토가 더 낮게 뜬다.

6 예 각설탕 열 개를 용해한 용액이 더 진한 용액이고, 용액이 진할수록 방울토마토가 더 높이 뜨기 때문이다. 또는 각설탕 한 개를 용해한 용액이 더 연한 용액이고, 용액이 연할수록 방울토마토가 더 낮게 뜨기 때문이다.

[1~2] 평가 목표 : 용질이 물에 용해되는 과정을 알고 서술할 수 있습니다.

1 소금물처럼 녹는 물질이 녹이는 물질에 골고루 섞여 있는 물질을 용액이라고 합니다. 이때 소금처럼 녹는 물질이 용질이고, 물처럼 녹이는 물질이 용매입니다.

2 어떤 물질이 다른 물질에 녹아 골고루 섞이는 현상을 용해라고 합니다.

채점 기준
소금물이 만들어지는 과정과 관련지어 용해가 무엇인지 바르게 썼다.

더 알기 교과서에 나오는 생활에서 볼 수 있는 용해의 예
• 물에 가루약을 녹여 마십니다.
• 소금을 국물에 녹여 음식의 간을 맞춥니다.
• 분말주스를 물에 녹여 주스를 만들어 마십니다.

평가 목표 : 각설탕이 용해되기 전과 용해된 후의 무게를 비교하여 서술할 수 있습니다.

3 소금이 물에 용해된 후 '빈 시약포지 + 소금물이 담긴 비커'의 무게 142g은 용해되기 전의 '소금이 담긴 시약포지 + 물이 담긴 비커'의 무게와 같습니다. 따라서 소금이 담긴 시약포지의 무게는 $142\,g - 98\,g = 44\,g$입니다.

채점 기준
소금이 담긴 시약포지의 무게를 그렇게 생각한 까닭과 함께 바르게 썼다.

평가 목표 : 따뜻한 물에서 용질이 모두 용해된 용액을 차갑게 할 때의 변화를 알고 서술할 수 있습니다.

4 따뜻한 물에서 모두 용해된 백반 용액을 차갑게 식히면 온도가 낮아져 다 용해되지 못한 백반 알갱이가 생겨 바닥에 가라앉습니다.

채점 기준
따뜻한 물에서 용해된 백반 용액이 든 비커를 얼음물에 넣었을 때의 변화를 바르게 썼다.

[5~6] 평가 목표 : 투명한 용액의 진하기를 비교하는 방법을 알고 서술할 수 있습니다.

5 같은 양의 물에 각설탕을 더 많이 용해한 용액일수록 진한 용액입니다.

채점 기준
진하기가 다른 두 용액에 방울토마토를 넣었을 때 방울토마토가 뜨는 정도를 비교하여 바르게 썼다.

6 용액의 진하기가 진할수록 방울토마토가 더 높이 떠오릅니다.

채점 기준
각설탕 열 개를 용해한 용액이 더 진한 용액이고, 용액이 진할수록 방울토마토가 더 높이 뜨기 때문이라고 바르게 썼다.

4. 다양한 생물과 우리 생활

68~69쪽
이 단원을
들어가기
전에
다양한 생물과 우리 생활을 나타낸
그림입니다. 공원에 숨은
그림을 찾아보세요.
붓
휴지
무지개
케이크
모래시계
은행나무 잎
야구 방망이
정답과 해설은
11쪽에 있어!

| 그림 설명 |

- 벤치에 곰팡이가 피어 있는 모습 → [**70쪽 18 생물? 생물! 곰팡이와 버섯 같은 균류**]에서 곰팡이와 버섯과 같은 균류에 대해 배웁니다.

- 돋보기로 해캄을 관찰하는 모습 → [**72쪽 19 생물? 생물! 짚신벌레와 해캄 같은 원생생물**]에서 짚신벌레와 해캄과 같은 원생생물에 대해 배웁니다.

- 요구르트를 먹고 있는 모습
- 독버섯을 보고 있는 모습

→ [**78쪽 21 이로워? 해로워? 균류, 원생생물, 세균**]에서 균류, 원생생물, 세균 등 다양한 생물이 우리 생활에 미치는 영향에 대해 배웁니다.

재미있는 개념 퀴즈! 76~77쪽

1 ❷ **2** 7

3 예 과학

4

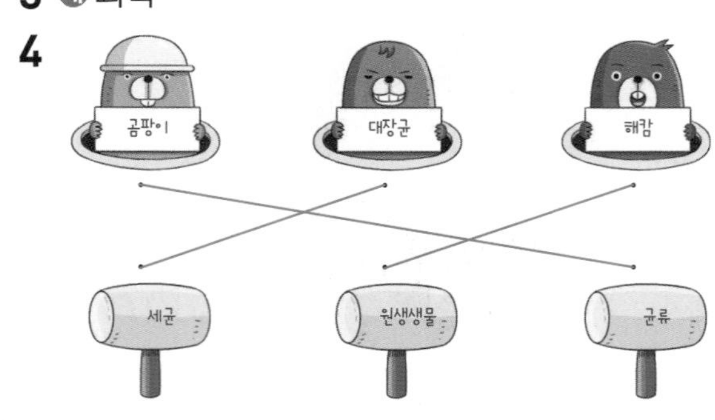

곰팡이
대장균
해캄
세균
원생생물
균류

1 버섯과 곰팡이는 따뜻하고 축축한 곳에서 잘 자라고, 주로 여름철에 많이 볼 수 있습니다.

2 • 짚신벌레: 3 짚신과 모양이 비슷하고, 4 길쭉한 모양으로 바깥쪽에 가는 털이 있습니다.
➡ 3+4=7

• 해캄: 1 대나무와 같이 마디로 나누어져 있고, 2 안쪽에 초록색 알갱이가 있으며, 5 안쪽에 여러 개의 가는 선이 보이며 크기가 작고 둥근 알갱이가 있습니다.

더 알기 교과서에 나오는 해캄 표본 만드는 방법

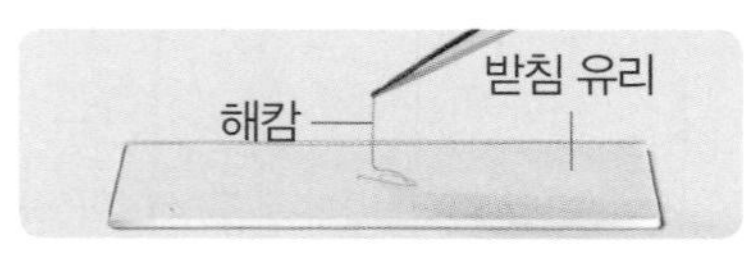

해캄
받침 유리

❶ 해캄을 겹치지 않게 잘 펴서 받침 유리 위에 올려놓습니다.

덮개 유리

❷ 덮개 유리를 비스듬히 기울여 공기 방울이 생기지 않도록 천천히 덮습니다.

3 • ㄱ: 세균은 적절한 조건이 되면 수가 빠르게 늘어납니다.
• ㅛ: 세균은 매우 작아 맨눈으로 볼 수 없습니다.
• ㅎ: 꼬리가 있는 세균도 있습니다.
• ㅏ: 세균은 종류가 매우 많습니다.
• ㄱ: 세균은 다양한 곳에 삽니다.

4 곰팡이는 균류, 대장균은 세균, 해캄은 원생생물에 속합니다.

재미있는 개념 퀴즈! 82~83쪽

1 ❸

2

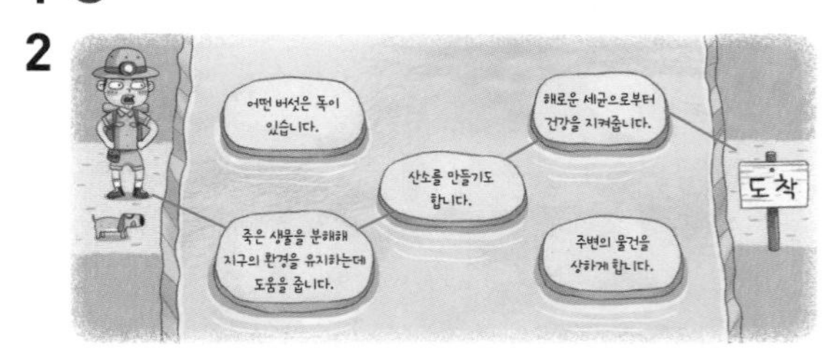

어떤 버섯은 독이 있습니다.
해로운 세균으로부터 건강을 지켜줍니다.
산소를 만들기도 합니다.
죽은 생물을 분해해 지구의 환경을 유지하는데 도움을 줍니다.
주변의 물건을 상하게 합니다.
도착

3 1-㉠ 2-㉢ 3-㉡

4 주원

1 균류나 세균은 된장, 치즈, 요구르트 등의 음식을 만드는 데 활용됩니다. 두부는 균류나 세균을 활용하여 만든 음식이 아닙니다.

2 독이 있는 버섯과 우리 주변의 물건을 상하게 하는 것은 생물이 우리 생활에 미치는 해로운 영향입니다. 죽은 생물을 분해해 지구의 환경을 유지하는 데 도움을 주는 것, 이로운 세균이 해로운 세균을 물리쳐 건강을 지켜주는 것, 원생생물이 산소를 만드는 것은 모두 생물이 우리 생활에 미치는 이로운 영향의 예입니다.

3 세균은 자라지 못하게 하는 균류를 이용하여 질병을 치료하고, 영양소가 풍부한 원생생물을 이용하여 건강식품을 만들고, 플라스틱의 원료를 가진 세균을 이용하여 플라스틱 제품을 만듭니다.

4

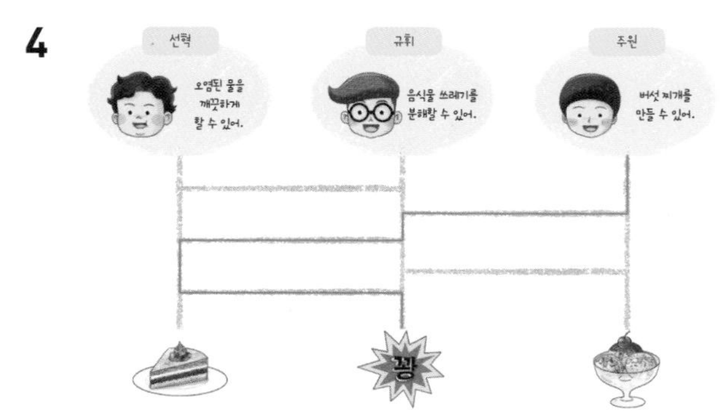

선혁
규휘
주원
오염된 물을 깨끗하게 할 수 있어.
음식물 쓰레기를 분해할 수 있어.
버섯 찌개를 만들 수 있어.
꽝

첨단 생명 과학은 생명 과학 기술이나 연구 결과를 활용하여 일상생활의 다양한 문제를 해결하는 데 도움을 주는 것을 말합니다.
주원: 버섯 찌개를 만들 수 있어. —사다리→ 꽝
➡ 첨단 생명 과학이 우리 생활에 활용되는 예라고 할 수 없습니다.

개념 잡는 생각 그물!

84~85쪽

❶ 균사 ❷ 포자 ❸ 단순
❹ 느린 ❺ 작고 ❻ 다양한
❼ 유지 ❽ 음식 ❾ 질병
❿ 질병

개념 잡는 수행 평가!

86~87쪽

1 예 곰팡이와 버섯은 따뜻하고 축축한 환경에서 잘 자란다. 주로 죽은 생물이나 다른 생물, 물체 등에 붙어서 산다.

2 (1) 예 길쭉한 모양이고, 바깥쪽에 가는 털이 있다. 안쪽에는 여러 가지 다른 모양이 보인다.
(2) 예 대나무와 같이 마디로 나누어져 있다. 여러 개의 가는 선이 보이며 크고 작은 둥근 초록색 알갱이가 있다.

3 예 광학 현미경을 사용해야 자세한 모습을 볼 수 있다. 식물과 동물에 비해 단순한 모양이며, 식물, 동물, 균류와 생김새가 다르다.

4 예 세균은 다양한 곳에서 살며, 모양이 다양하다.

5 (1) 예 유산균과 같은 이로운 세균은 해로운 세균으로부터 건강을 지켜 준다.
(2) 예 공기, 물, 음식, 물건 등을 거쳐 다른 생물로 옮아가 질병을 일으키기도 한다.

6 예 질병을 치료하는 약을 만들고, 예 건강식품을 만드는 데 이용한다.

평가 목표 : 곰팡이와 버섯과 같은 균류가 어떤 환경에서 사는지 알고 서술할 수 있습니다.

1 곰팡이와 버섯은 주로 죽은 생물이나 다른 생물에서 양분을 얻어 살아갑니다.

채점 기준
곰팡이와 버섯이 사는 환경을 바르게 썼다.

[2~3] 평가 목표 : 짚신벌레와 해캄을 광학 현미경으로 관찰했을 때의 특징을 알고 서술할 수 있습니다.

2 이외에도 짚신벌레는 짚신과 모양이 비슷합니다.

채점 기준
짚신벌레와 해캄을 광학 현미경으로 관찰한 결과를 두 가지씩 모두 바르게 썼다.

3 짚신벌레와 해캄은 동물, 식물, 균류로 분류되지 않으며 생김새가 단순한 원생생물입니다.

채점 기준
짚신벌레와 해캄의 공통점을 두 가지 모두 바르게 썼다.

평가 목표 : 세균의 특징을 사는 곳과 모양과 관련지어 서술할 수 있습니다.

4 세균은 우리 주변의 다양한 곳에 삽니다. 또한 종류가 매우 많고 모양도 다양합니다.

채점 기준
세균의 특징을 사는 곳 및 모양과 관련지어 바르게 썼다.

평가 목표 : 세균이 우리 생활에 미치는 이로운 영향과 해로운 영향을 알고 서술할 수 있습니다.

5 세균은 음식을 만드는 데 이용되기도 하며, 죽은 생물을 분해하여 지구의 환경을 유지하는 데 도움을 줍니다. 하지만 세균은 음식이나 주변의 물건을 상하게 합니다.

채점 기준
세균이 우리 생활에 미치는 이로운 영향과 해로운 영향의 예를 한 가지씩 모두 바르게 썼다.

평가 목표 : 우리 생활에 첨단 생명 과학이 활용되는 예를 알고 서술할 수 있습니다.

6 세균은 자라지 못하게 하는 균류의 특성을 이용해 질병을 치료하는 약을 만들고, 영양소가 풍부한 원생생물을 이용해 건강식품을 만듭니다.

채점 기준
첨단 생명 과학이 활용되는 예를 바르게 썼다.

더 알기 교과서에 나오는 첨단 생명 과학이 활용되는 예
- 건강 보조 식품이나 우주 식량을 개발합니다.
- 해캄 등의 생물을 이용하여 기름을 만듭니다.
- 번식이 빠른 세균의 특징을 이용해 약을 대량으로 빠르게 생산합니다.
- 가스를 만드는 세균을 이용하여 연료로 사용합니다.

5. 생물과 환경

90~91쪽
이 단원을
들어가기
전에
생물과 환경을 나타낸 그림입니다.
들판에 숨은 물속에 사는
동물을 찾아보세요.
새우
해마
고래
조개
불가사리
오징어
미꾸라지

| 그림 설명 |

- 생물 요소인 벼가 비생물 요소인 햇빛을 이용하여 양분을 얻고 자라는 모습

[**92쪽 ㉓ 생물 요소+비생물 요소=생태계**]에서 서로 영향을 주고받는 생물 요소와 비생물 요소에 대해 배웁니다.
[**100쪽 ㉖ 생물 요소에 영향을 미쳐, 비생물 요소!**]에서 비생물 요소가 생물에 미치는 영향에 대해 배웁니다.

- 개구리, 메뚜기, 벼의 모습

- 매가 먹이인 뱀을 보고 날아오는 모습

[**94쪽 ㉔ 먹고 먹혀! 먹이 사슬과 먹이 그물**]에서 생태계 생물의 먹고 먹히는 관계에 대해 배웁니다.

재미있는 개념 퀴즈! 98~99쪽

1 은수

2 먹이 사슬

3 ❶

1 스스로 양분을 만들지 못하고 다른 생물을 먹이로 하여 살아가는 생물을 소비자라고 합니다. 소비자에는 배추흰나비, 여우, 뱀, 참새, 배추흰나비 애벌레, 토끼, 개구리 등이 있습니다. 배추, 괭이밥, 느티나무, 민들레는 생산자이고, 세균, 곰팡이, 버섯은 분해자입니다.

- 주원이가 가진 소비자 카드: 배추흰나비, 여우, 뱀 → 3장
- 나리가 가진 소비자 카드: 참새, 배추흰나비 애벌레 → 2장
- 찬영이가 가진 소비자 카드: 참새, 배추흰나비 → 2장
- 은수가 가진 소비자 카드: 뱀, 배추흰나비 애벌레, 토끼, 개구리 → 4장

2 나방 애벌레, 옥수수, 뱀, 다람쥐의 먹고 먹히는 관계는 옥수수(먹) → 나방 애벌레(이) → 다람쥐(사) → 뱀(슬)으로 연결할 수 있습니다.

3 생태계에서 생물의 수는 먹이 단계가 올라갈수록 줄어듭니다. 그래서 먹이 단계별로 생물의 수를 쌓아 올리면 피라미드 모양을 이루는데, 이를 생태 피라미드라고 합니다. 벼는 생산자, 메뚜기는 1차 소비자, 개구리는 2차 소비자, 매는 최종 소비자입니다.

재미있는 개념 퀴즈! 106~107쪽

1

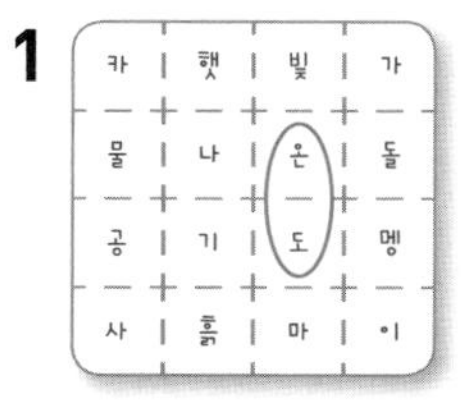

2 ㉡

3 대벌레

4

1 주변의 온도가 낮아지면 식물의 잎에 단풍이 들거나 낙엽이 집니다.

2 서식지 환경과 비슷한 색깔의 털이 있는 여우들이 적에게서 숨기 쉽고, 먹잇감에 접근하기 쉽습니다. 따라서 흰 눈으로 뒤덮여 있는 곳에서는 하얀색 털로 덮여 있는 여우들이 잘 살아남을 수 있습니다.

3 생물은 생김새와 생활 방식 등을 통하여 환경에 적응됩니다. 대벌레는 길쭉한 생김새를 통해 나뭇가지가 많은 환경에서 몸을 숨기기 유리하게 적응되었습니다.

4 합성 세제의 무분별한 사용, 쓰레기나 폐수의 배출, 자동차나 공장의 매연, 유조선의 기름 유출, 농약이나 비료의 지나친 사용 등은 환경 오염의 원인이 됩니다.

더 알기 교과서에 나오는 우리 생활로 인해 환경 오염되어 생물에 해로운 영향을 주는 일: 샴푸 등 합성 세제 사용, 음식물 남기기, 길거리에 쓰레기 버리기, 일회용품 사용, 지나친 난방 및 냉방 등

개념 잡는 생각 그물! 108~109쪽

❶ 양분 ❷ 분해자 ❸ 먹이 사슬
❹ 먹이 그물 ❺ 피라미드 ❻ 생명
❼ 자손 ❽ 서식지 ❾ 사람
❿ 대기 오염(공기 오염)

개념 잡는 수행 평가!

110~111쪽

1 (1) ㉡

(2) 예 햇빛 등을 이용하여 살아가는 데 필요한 양분을 스스로 만든다.

2 예 다람쥐는 벼를 먹고, 매는 다람쥐를 먹는다.

3 예 다른 먹이를 먹고 살 수 있으므로 여러 생물들이 함께 살아가기에 유리하다.

4 (1) 물 (2) 햇빛

5 (1) ㉠

(2) 예 떡잎과 떡잎 아래 몸통이 초록색으로 변했다. 떡잎 아래 몸통은 길고 굵어졌으며, 햇빛을 향하여 굽어 자랐다. 초록색 본잎이 나왔다.

6 예 황사나 미세 먼지 때문에 동물의 호흡 기관에 이상이 생기거나 병에 걸릴 수 있다. 예 자동차의 배기가스 때문에 생물이 성장하는 데 피해를 주기도 한다.

평가 목표 : 생태계 생물 요소를 양분을 얻는 방법에 따라 분류하고 서술할 수 있습니다.

1 생물은 양분을 얻는 방법에 따라 생산자, 소비자, 분해자로 분류합니다. 배추(㉡)와 같이 햇빛 등을 이용하여 살아가는 데 필요한 양분을 스스로 만드는 생물을 생산자라고 합니다. 배추흰나비(㉠)와 배추흰나비 애벌레(㉢)는 양분을 스스로 만들지 못하여 다른 생물을 먹이로 하여 양분을 얻는 소비자입니다.

채점 기준
생산자의 기호를 쓰고, 생산자가 양분을 얻는 방법을 바르게 썼다.

[2~3] 평가 목표 : 생태계 생물들의 서로 먹고 먹히는 관계를 알고 서술할 수 있습니다.

2 생태계 생물은 서로 먹고 먹히는 관계에 있습니다. 벼, 다람쥐, 매의 먹고 먹히는 관계는 벼 → 다람쥐 → 매로 연결할 수 있습니다.

채점 기준
다람쥐는 벼를 먹고 매는 다람쥐를 먹는다는 내용을 쓰거나 벼는 다람쥐에게 잡아먹히고 다람쥐는 매에게 잡아먹힌다는 내용을 바르게 썼다.

3 먹이 사슬에서는 먹을 수 있는 먹이가 하나 밖에 없으므로 그 먹이가 사라진다면 그 먹이를 먹는 생물도 머지 않아 사라지게 될 것입니다.

채점 기준
먹이 그물 형태가 여러 생물들이 살아가기에 유리한 까닭을 바르게 썼다.

[4~5] 평가 목표 : 비생물 요소가 생물에 미치는 영향을 알고 서술할 수 있습니다.

4 ㉠과 ㉡은 물 조건만 다르게 하였고, ㉠과 ㉢은 햇빛 조건만 다르게 하였습니다.

더 알기 교과서에 나오는 햇빛과 물이 콩나물의 자람에 미치는 영향을 알아보기 위한 조건

• 햇빛이 콩나물의 자람에 미치는 영향을 알아볼 때

같게 해야 할 조건	자른 페트병의 크기, 콩나물의 양, 콩나물 굵기와 길이, 물을 주는 양, 물을 주는 횟수 등
다르게 해야 할 조건	콩나물이 받는 햇빛의 양

• 물이 콩나물의 자람에 미치는 영향을 알아볼 때

같게 해야 할 조건	자른 페트병의 크기, 콩나물의 양, 콩나물 굵기와 길이, 콩나물이 받는 햇빛의 양 등
다르게 해야 할 조건	콩나물에 주는 물의 양

5 햇빛이 있는 곳에서 물을 준 콩나물이 가장 잘 자란 것을 통해 콩나물이 자라는 데 햇빛과 물이 영향을 준다는 것을 알 수 있습니다.

채점 기준
가장 잘 자란 콩나물의 기호를 쓰고, 가장 잘 자란 콩나물을 관찰한 결과를 바르게 썼다.

더 알기 교과서에 나오는 우리가 생활에서 먹는 콩나물: 우리가 먹는 콩나물은 떡잎은 노란색이며 떡잎 아래 몸통은 곧고 길쭉한 것으로 보아 햇빛은 받지 못하고 물을 준 조건에서 자란 것입니다.

평가 목표 : 대기 오염이 생물에 미치는 영향을 알고 서술할 수 있습니다.

6 자동차 배기가스, 공장의 매연 등에 의해 공기가 오염되면 생물에 해로운 영향을 줍니다.

채점 기준
대기 오염이 생물에 미치는 영향을 두 가지 모두 바르게 썼다.

6. 날씨와 우리 생활

114~115쪽
이 단원을
들어가기
전에
날씨와 우리 생활을 나타낸 그림입니다.
숨은 그림 7개를 찾고
그중 엄마에게 필요한 것이
무엇인지 알아맞혀 보세요.
답 우산
휘
잉
쏴
아
아뜨뜨

| 그림 설명 |

- 습도가 낮은 날에 빨래를 널고 있는 모습 ⟶ [116쪽 29 공기 중에 포함된 수증기의 양. 습도!]에서 습도와 습도가 우리 생활에 미치는 영향에 대해 배웁니다.

- 비가 오는 모습 ⟶ [120쪽 31 어떻게 만들어져? 구름, 비, 눈]에서 구름, 비, 눈이 만들어지는 과정에 대해 배웁니다.

- 무더운 여름철 모래는 뜨겁고 물 속은 시원한 모습 ⟶ [126쪽 33 데워지고 식는 정도가 달라. 지면과 수면!]에서 지면과 수면의 하루 동안 온도 변화에 대해 배웁니다.

- 바닷가에서 낮에 바람이 바다에서 육지로 부는 모습 ⟶ [127쪽 34 육지와 바다의 데워지고 식는 정도가 달라서 생겨. 해풍과 육풍!]에서 바닷가에서 낮과 밤에 부는 바람에 대해 배웁니다.

재미있는 개념 퀴즈! 122~123쪽

1 ㈑ **2** 규휘

3

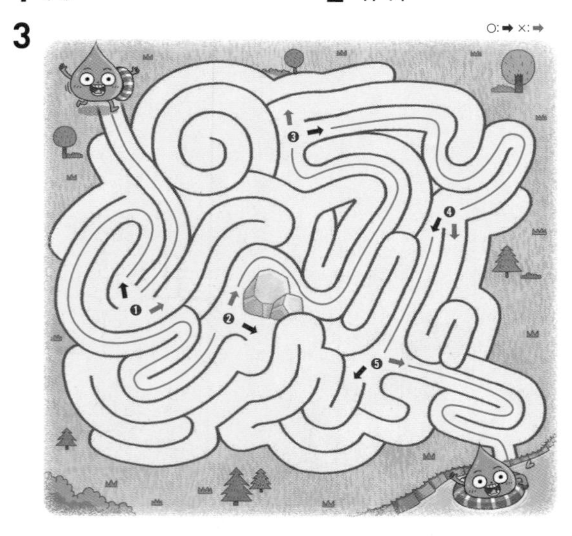

1 헝겊으로 감싼 온도계 아래에 물이 담긴 비커를 놓고 헝겊의 아랫부분이 물에 잠기도록 합니다. 이때 헝겊으로 감싼 온도계의 액체샘이 물에 잠기지 않도록 합니다.

2

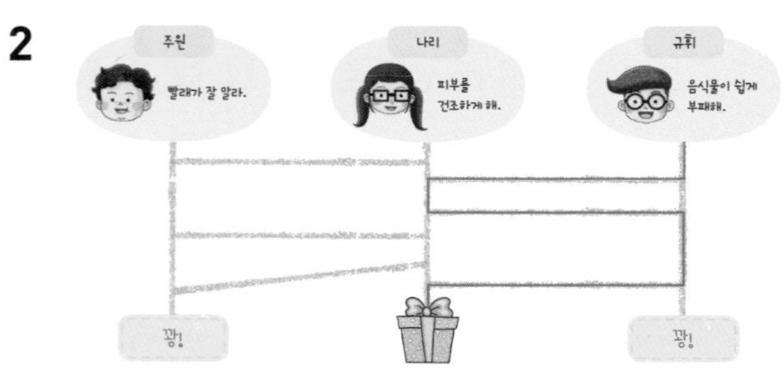

습도가 높으면 음식물이 부패하기 쉽고, 빨래가 잘 마르지 않습니다. 주원 $\xrightarrow{\text{사다리}}$ 꽝(오른쪽), 나리 $\xrightarrow{\text{사다리}}$ 꽝(왼쪽) ➡ 습도가 낮을 때 우리 생활에 미치는 영향입니다.

더 알기 교과서에 나오는 우리가 생활하기에 알맞은 습도: 30~60 % 보다 낮으면 '습도가 낮다.', 그보다 높으면 '습도가 높다.'라고 할 수 있습니다.

3
- 안개는 높은 하늘에 떠 있고, 구름은 지표면 근처에 떠 있습니다.(×) ➡ 안개는 지표면 근처에 떠 있고, 구름은 높은 하늘에 떠 있습니다.
- 구름 속 작은 물방울이 합쳐지면서 무거워져 떨어지는 것을 이슬이라고 합니다.(×) ➡ 비에 대한 설명입니다.

재미있는 개념 퀴즈! 130~131쪽

1 무게, 힘

2

3 ❶ 겨울 ❷ 봄, 가을 ❸ 여름

4 정현

1 공기는 무게가 있으며, 공기의 무게로 생기는 누르는 힘을 기압이라고 합니다.

2 바닷가에서 낮에는 바다에서 육지로 바람이 불며, 밤에는 육지에서 바다로 바람이 붑니다.

3 겨울에는 북서쪽 대륙에서 이동해 오는 차갑고 건조한 공기 덩어리의 영향을 받아 춥고 건조합니다. 봄과 가을에는 남서쪽 대륙에서 이동해 오는 따뜻하고 건조한 공기 덩어리 영향으로 따뜻하고 건조합니다. 여름은 남동쪽 바다에서 이동해 오는 따뜻하고 습한 공기 덩어리 영향으로 덥고 습합니다.

4 덥고 습한 날에는 장시간 야외 활동을 할 경우 열사병이나 탈진이 올 수 있으므로 장시간 야외 활동을 하지 않습니다.

개념 잡는 생각 그물! 132~133쪽

❶ 수증기 ❷ 무게 ❸ 많을수록
❹ 기압 ❺ 방향 ❻ 응결
❼ 지표면 ❽ 구름 ❾ 다른
❿ 춥고 건조

개념 잡는 수행 평가!

134~135쪽

1 예 건구 온도에 해당하는 26.0 ℃, 예 건구 온도와 습구 온도의 차인 2.0 ℃, 85%

2 예 부피가 커지고 온도가 낮아진다. 예 뿌옇게 흐려진다.

3 (1) 구름

(2) 예 공기의 상승으로 공기 중 수증기가 응결해 물방울이 되거나 수증기가 얼음 알갱이 상태로 변해 떠 있는 것이다.

4 예 물은 모래보다 천천히 데워져 온도가 더 낮다. 따라서 물 위 공기는 고기압이 되고, 모래 위 공기는 저기압이 되어 공기가 물 쪽에서 모래 쪽으로 이동한다.

5 (1) 해풍

(2) 예 향 연기가 물 쪽에서 모래 쪽으로 이동하는 것과 같이 해풍은 바다에서 육지로 부는 바람이기 때문이다.

6 (1) ㉠

(2) 예 춥고 건조하다.

평가 목표 : 건구 온도와 습구 온도를 이용해 습도표에서 습도를 구하는 방법을 알고 서술할 수 있습니다.

1 건구 온도인 26.0 ℃를 세로줄에서 찾아 표시하고 건구 온도와 습구 온도의 차인 2.0 ℃를 가로줄에서 찾아 표시하여 만나는 지점의 숫자를 읽습니다.

채점 기준
건구 온도와 습구 온도를 이용해 습도표에서 습도를 구하는 방법을 바르게 썼다.

[2~3] 평가 목표 : 페트병 안에서 일어나는 변화와 비슷한 자연 현상을 알고 서술할 수 있습니다.

2 공기 주입 마개 뚜껑을 열면 페트병 안 공기가 밖으로 나가면서 부피가 커지고 온도가 낮아집니다. 이때 차가워진 공기 중 수증기가 응결해 페트병 안이 뿌옇게 흐려집니다.

채점 기준
페트병 안에서 나타나는 변화를 바르게 썼다.

3 공기는 지표면에서 하늘로 올라가면서 부피가 점점 커지고 온도는 점점 낮아집니다. 이때 공기 중 수증기가 응결해 물방울이 되거나 얼음 알갱이 상태로 변해 하늘에 떠 있을 것을 구름이라고 합니다.

채점 기준
실험 결과와 비슷한 자연 현상이 무엇인지 쓰고, 그 자연 현상이 만들어지는 과정을 바르게 썼다.

[4~5] 평가 목표 : 향 연기의 움직임을 통해 바람이 부는 방향을 알고 서술할 수 있습니다.

4 온도가 낮은 물 위 공기는 고기압이 되고, 온도가 높은 모래 위 공기는 저기압이 됩니다. 공기는 고기압에서 저기압으로 이동하므로 향 연기가 물 쪽에서 모래 쪽으로 이동합니다.

채점 기준
향 연기의 움직임을 기압과 관련지어 바르게 썼다.

5 해풍은 바닷가에서 낮에 바다에서 육지로 부는 바람이고, 육풍은 바닷가에서 밤에 육지에서 바다로 부는 바람입니다.

채점 기준
실험 결과와 비슷한 바람이 무엇인지 쓰고, 그렇게 생각한 까닭을 바르게 썼다.

더 알기 교과서에 나오는 맑은 날 낮에 바닷가에서 바람 자루로 알 수 있는 바람의 방향

바람 자루가 육지 쪽으로 펄럭이고 있으므로 해풍(바다 → 육지)이 불고 있음을 알 수 있습니다.

평가 목표 : 우리나라 계절별 날씨에 영향을 미치는 공기 덩어리의 성질을 알고 서술할 수 있습니다.

6 우리나라 계절별 날씨는 주변 지역에서 이동해 오는 공기 덩어리 영향을 받습니다. 겨울에는 북서쪽 대륙에서 이동해 오는 차갑고 건조한 공기 덩어리의 영향으로 춥고 건조합니다.

채점 기준
겨울 날씨에 영향을 미치는 공기 덩어리의 기호를 쓰고, 겨울 날씨의 특징을 바르게 썼다.

7. 물체의 운동

| 그림 설명 |

- 달리는 사람과 제자리에서 응원하는 사람들의 모습 ⟶ [**140쪽** 36 위치가 변해. 물체의 운동!]에서 운동하는 물체와 운동하지 않는 물체를 구별하고, 물체의 운동을 나타내는 방법에 대해 배웁니다.

- 두 팀이 달리기를 하고 있는 모습 ⟶ [**142쪽** 38 비교해. 일정한 거리를 이동한 물체의 빠르기와 일정한 시간 동안 이동한 물체의 빠르기]에서 물체의 빠르기를 비교하는 방법에 대해 배웁니다.

재미있는 개념 퀴즈! 146~147쪽

1 민들레

2

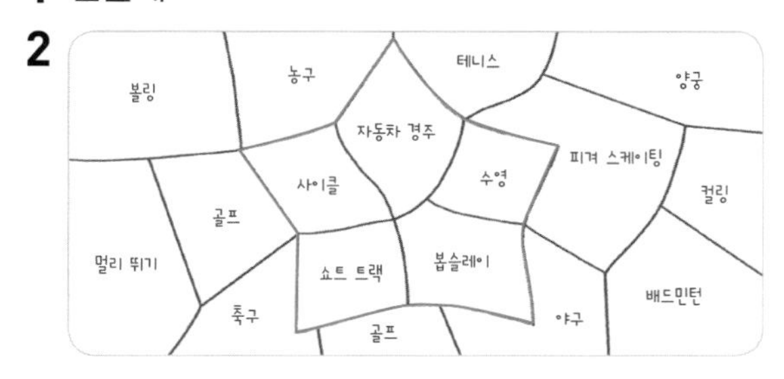

3 무무

4 자동차

1 시간이 지남에 따라 위치가 변한 물체(토끼, 너구리, 달팽이, 개구리)는 운동한 물체, 시간이 지남에 따라 위치가 변하지 않은 물체(민들레)를 운동하지 않은 물체입니다.

2 일정한 거리를 이동하는 데 걸린 시간을 측정해 빠르기를 비교하는 운동 경기에는 수영, 봅슬레이, 쇼트 트랙, 사이클, 자동차 경주, 스피드 스케이팅, 조정, 마라톤, 카약, 카누, 알파인 스키, 100 m 달리기 등이 있습니다.

3 일정한 시간 동안 이동한 물체의 빠르기는 물체가 이동한 거리로 비교할 수 있습니다. 일정한 시간 동안 긴 거리를 이동한 물체가 짧은 거리를 이동한 물체보다 더 빠릅니다.

4

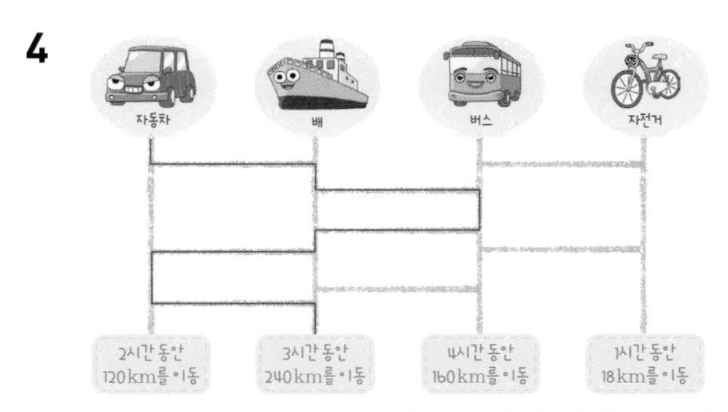

속력은 물체가 이동한 거리를 걸린 시간으로 나누어 구합니다. 속력을 구하면 다음과 같습니다.

- 자동차 $\xrightarrow{\text{사다리}}$ 240 km ÷ 3 h = 80 km/h
- 배 $\xrightarrow{\text{사다리}}$ 160 km ÷ 4 h = 40 km/h
- 버스 $\xrightarrow{\text{사다리}}$ 120 km ÷ 2 h = 60 km/h
- 자전거 $\xrightarrow{\text{사다리}}$ 18 km ÷ 1 h = 18 km/h

재미있는 개념 퀴즈! 150~151쪽

1 (1) 에어백 (2) 과속 방지 턱

2

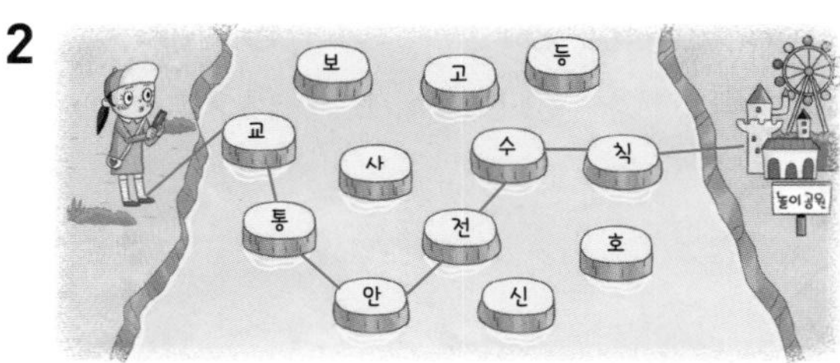

3

O: ➡ X: ➡

1 에어백은 자동차에 설치된 안전장치로, 충돌 사고에서 탑승자의 몸에 가해지는 충격을 줄여줍니다. 과속 방지 턱은 도로에서 설치된 안전장치로, 자동차의 속력을 줄여서 사고를 막습니다.

2 교통안전 수칙은 도로 주변에서 안전을 위해 지켜야 하는 규칙을 말합니다. 도로 주변에서 교통 안전사고가 일어나지 않게 하려면 교통안전 수칙을 잘 지켜야 합니다.

3
- 도로 주변에서 바퀴 달린 신발을 탑니다.(×) ➡ 바퀴 달린 신발은 안전한 장소에서 탑니다.
- 횡단보도를 건널 때 스마트 기기를 봅니다.(×) ➡ 횡단보도에서 좌우를 살피며 길을 건넙니다.
- 횡단보도에서는 자전거를 타고 길을 건넙니다.(×) ➡ 횡단보도에서는 자전거에서 내려 자전거를 끌고 길을 건넙니다.

개념 잡는 생각 그물!

152~153쪽

❶ 위치 ❷ 걸린 시간 ❸ 짧은
❹ 이동한 거리 ❺ 긴 ❻ 큰
❼ 속력 ❽ 80 km/h ❾ 자동차
❿ 도로

개념 잡는 수행 평가!

154~155쪽

1 (1) ㉠, ㉡, ㉣
(2) 예 1초 동안 물체의 위치가 변했기 때문이다.

2 예 ㉠은 1초 동안 2m를 이동했다. 예 ㉡은 1초 동안 7m를 이동했다. ㉣은 1초 동안 1m를 이동했다.

3 예 가장 짧은 시간

4 (1) 기차
(2) 예 배의 속력은 160km÷4h=40km/h, 기차의 속력은 420km÷3h=140km/h, 버스의 속력은 120km÷2h=60km/h이다. 속력이 가장 큰 기차가 가장 빠르다.

5 (가) 예 긴급 상황에서 탑승자의 몸을 고정한다.
(나) 예 학교 주변 도로에서 자동차의 속력을 제한해 어린이들의 교통 안전사고를 막는다.

[1~2] 평가 목표 : 운동한 물체와 운동하지 않은 물체를 구별하고 물체의 운동을 나타내는 방법을 알고 서술할 수 있습니다.

1 시간이 지남에 따라 물체의 위치가 변할 때 물체가 운동한다고 합니다. 1초 동안 위치가 변한 자전거, 자동차, 할머니는 운동한 물체입니다.

채점 기준
운동한 물체의 기호를 모두 골라 쓰고, 그렇게 생각한 까닭을 바르게 썼다.

2 시간이 지남에 따라 물체의 위치가 변할 때 물체가 운동한다고 하고, 물체의 운동은 물체가 이동하는 데 걸린 시간과 이동 거리로 나타냅니다.

채점 기준
물체의 운동을 이동하는 데 걸린 시간과 이동 거리로 나타내 바르게 썼다.

평가 목표 : 일정한 거리를 이동하는 물체의 빠르기를 비교하는 방법을 알고 서술할 수 있습니다.

3 일정한 거리를 이동하는 데 짧은 시간이 걸린 물체가 긴 시간이 걸린 물체보다 더 빠릅니다.

채점 기준
50 m 달리기에서 가장 빠른 사람을 정하는 방법을 바르게 썼다.

평가 목표 : 이동하는 데 걸린 시간과 이동 거리가 모두 다른 물체의 빠르기를 속력으로 나타내어 비교할 수 있습니다.

4 이동하는 데 걸린 시간과 이동 거리가 모두 다른 물체의 빠르기는 속력으로 나타내 비교합니다. 속력이 큰 물체가 더 빠릅니다.

채점 기준
가장 빠른 교통수단을 쓰고, 그렇게 생각한 까닭을 바르게 썼다.

더 알기 교과서에 나오는 '속력이 크다'는 것의 뜻
- 물체가 빠르다는 뜻입니다.
- 일정한 시간 동안 더 긴 거리를 이동한다는 뜻입니다.
- 일정한 거리를 이동하는 데 더 짧은 시간이 걸린다는 뜻입니다.

평가 목표 : 도로와 자동차에 설치된 속력과 관련된 안전장치의 기능을 알고 서술할 수 있습니다.

5 큰 속력으로 달리는 자동차가 충돌하면 큰 피해가 생깁니다. 또 속력이 크면 자동차 운전자가 제동 장치를 밟더라도 자동차를 바로 멈출 수 없어 위험합니다. 따라서 교통 안전사고를 예방하거나 사고가 발생하더라도 피해를 줄일 수 있도록 자동차나 도로에 다양한 안전장치를 설치합니다.

채점 기준
제시된 교통안전 장치인 안전띠와 어린이 보호 구역 표지판의 기능을 모두 바르게 썼다.

8. 산과 염기

158~159쪽
이 단원을
들어가기
전에
산과 염기를 나타낸 그림입니다.
과학 실험실에 숨은 그림을 찾아보세요.
컵
빗
튜브
삼각자
종이배
눈사람
고깔 모자
식초
사이다
석회수

| 그림 설명 |

- 여러 가지 용액을 관찰하는 모습 ⟶ [160쪽 42 분류해. 여러 가지 용액!]에서 여러 가지 용액의 성질과 용액을 분류할 수 있는 기준에 대해 배웁니다.

- 지시약을 이용해 여러 가지 용액을 분류하는 모습 ⟶ [162쪽 43 분류해. 산성 용액과 염기성 용액!]에서 지시약으로 여러 가지 용액을 산성 용액과 염기성 용액으로 분류하는 방법에 대해 배웁니다.

- 지시약으로 요구르트와 치약의 성질을 알아보는 모습 ⟶ [172쪽 46 이용해. 산성 용액과 염기성 용액!]에서 우리 생활에서 산성 용액과 염기성 용액을 이용하는 예에 대해 배웁니다.

재미있는 개념 퀴즈! 166~167쪽

1 6, 4, 2

2

식	빨	사	제	유
리	(레)	오	초	스
세	(몬)	이	렌	사
염	(즙)	산	비	누
석	회	수	산	다

3 분류　　**4** ㉠

1 • 투명한 용액은 식초, 유리 세정제, 사이다, 석회수, 묽은 염산, 묽은 수산화 나트륨 용액으로 6개입니다. ➡ ㉠: 6
• 색깔이 있는 용액은 식초, 레몬즙, 유리 세정제, 빨랫비누 물로 4개입니다. ➡ ㉡: 4
• 흔들었을 때 거품이 3초 이상 유지되는 용액은 유리 세정제, 빨랫비누 물로 2개입니다.
➡ ㉢: 2

더 알기 교과서에 나오는 용액의 또 다른 분류의 예

분류 기준: 냄새가 나는가?

그렇다.	그렇지 않다.
식초, 레몬즙, 유리 세정제, 사이다, 빨랫비누 물, 묽은 염산	석회수, 묽은 수산화 나트륨 용액

2 레몬즙, 식초, 사이다, 묽은 염산 등은 푸른색 리트머스 종이를 붉은색으로 변화시킵니다.

3 염기성 용액에서는 붉은색 리트머스 종이가 푸른색으로 변하고(분), 페놀프탈레인 용액의 색깔이 붉은색으로 변합니다(류).

4 자주색 양배추 지시약은 사이다와 같은 산성 용액에서는 붉은색 계열의 색깔로 변하고, 석회수나 유리 세정제와 같은 염기성 용액에서는 푸른색이나 노란색 계열의 색깔로 변합니다.

더 알기 교과서에 나오는 자주색 양배추 지시약을 만드는 또 다른 방법
• 자주색 양배추를 자른 뒤 물을 넣고 가열한 다음, 체로 걸러서 만들 수 있습니다.
• 자주색 양배추를 잘게 잘라 믹서에 넣고 간 뒤 천 또는 거름망에 걸러서 만들 수 있습니다.

재미있는 개념 퀴즈! 174~175쪽

1 산성 용액　　**2** (가), (라), (나), (다)

3 ㉡　　**4** 식초

1

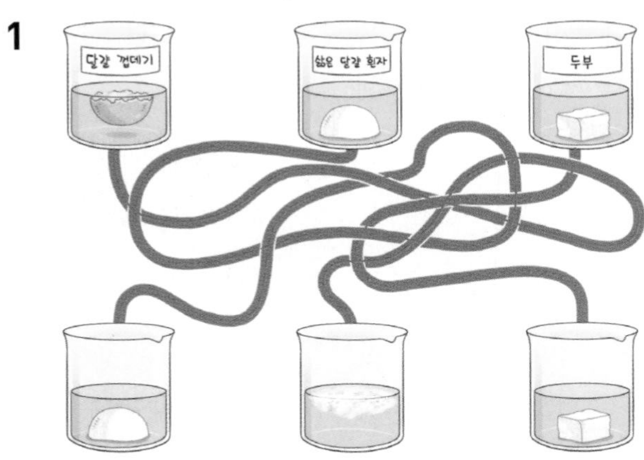

산성 용액에 달걀 껍데기를 넣으면 기포가 발생하면서 바깥쪽 껍데기가 녹아 없어집니다. 하지만 산성 용액에 넣은 삶은 달걀 흰자와 두부는 아무런 변화가 없습니다.

2 묽은 수산화 나트륨 용액에 묽은 염산을 넣을수록 점차 푸른색 계열의 색깔에서 붉은색 계열의 색깔로 변합니다.

3 요구르트를 마시면 입안이 산성 환경이 되는데 염기성인 치약으로 양치질을 하면 입안의 산성 물질을 없애 세균의 활동을 억제하는 효과가 있습니다.

4 생선을 손질한 도마를 닦을 때 산성 용액인 식초를 사용합니다.

개념 잡는 생각 그물! 176~177쪽

❶ 성질　❷ 변화　❸ 푸른색
❹ 붉은색　❺ 산성　❻ 염기성
❼ 산성　❽ 염기성　❾ 산성
❿ 염기성

개념 잡는 수행 평가! 178~179쪽

1 예 무색이고 투명하다. 흔들었을 때 거품이 3초 이상 유지되지 않는다.

2 예 ㉠은 붉은색으로 변하고, ㉡과 ㉢은 색깔이 변하지 않는다.

3 예 산성 용액이므로 자주색 양배추 지시약을 떨어뜨리면 붉은색 계열의 색깔로 변한다.

4 (1) 염기성 용액

(2) 예 두부가 녹아 흐물흐물해지면서 용액이 뿌옇게 흐려질 것이다.

5 (1) 예 약해진다.

(2) 예 섞은 용액 속에 있는 산성을 띠는 물질과 염기성을 띠는 물질이 서로 짝을 맞추면서 각각의 성질을 잃어버리기 때문이다.

6 예 요구르트는 산성 용액이고, 물에 녹인 치약은 염기성 용액이다.

[1~2] 평가 목표 : 여러 가지 용액의 성질을 관찰한 뒤 분류 기준을 세우고 분류 기준에 따라 용액을 분류하고 서술할 수 있습니다.

1 석회수, 사이다, 묽은 염산은 무색이고 투명합니다. 흔들었을 때 거품이 3초 이상 유지되지 않습니다. 석회수와 묽은 염산은 냄새가 나고 석회수는 냄새가 나지 않습니다.

채점 기준
㉠~㉢ 용액의 공통점을 바르게 썼다.

2 염기성 용액인 석회수에 페놀프탈레인 용액을 떨어뜨리면 붉은색으로 변하고, 산성 용액인 사이다와 묽은 염산에 페놀프탈레인 용액을 떨어뜨리면 색깔 변화가 없습니다.

▲ 페놀프탈레인 용액을 떨어뜨렸을 때의 색깔 변화

채점 기준
㉠~㉢ 용액에 페놀프탈레인 용액을 떨어뜨렸을 때의 결과를 바르게 썼다.

평가 목표 : 지시약으로 산성 용액과 염기성 용액을 분류하는 방법을 알고 서술할 수 있습니다.

3 푸른색 리트머스 종이를 붉은색으로 변하게 하는 용액은 산성 용액입니다. 자주색 양배추 지시약은 산성 용액에서는 붉은색 계열의 색깔로 변하고, 염기성 용액에서는 푸른색이나 노란색 계열의 색깔로 변합니다.

채점 기준
리트머스 종이의 색깔 변화를 통해 산성 용액이므로 자주색 양배추 지시약을 떨어뜨리면 붉은색 계열의 색깔로 변한다고 바르게 썼다.

평가 목표 : 염기성 용액에 여러 가지 물질을 넣었을 때의 변화를 알고 서술할 수 있습니다.

4 삶은 달걀 흰자가 녹아 흐물흐물해지는 용액은 염기성 용액입니다. 따라서 이 용액에 두부를 넣으면 시간이 지남에 따라 두부가 녹아 흐물흐물해지면 용액이 뿌옇게 흐려질 것입니다.

채점 기준
용액의 성질을 바르게 쓰고, 용액에 두부를 넣었을 때의 변화를 바르게 썼다.

평가 목표 : 산성 용액에 염기성 용액을 넣을수록 산성 용액의 성질이 약해진다는 것을 알고 서술할 수 있습니다.

5 산성 용액에 염기성 용액을 넣을수록 산성이 점점 약해집니다.

채점 기준
산성 용액의 성질 변화를 쓰고, 그렇게 생각한 까닭을 바르게 썼다.

평가 목표 : 요구르트와 치약의 성질을 알고 서술할 수 있습니다.

6 푸른색 리트머스 종이를 붉은색으로 변화시키고 페놀프탈레인 용액의 색깔을 변하지 않게 하는 요구르트는 산성 용액이고, 붉은색 리트머스 종이를 푸른색으로 변화시키고 페놀프탈레인 용액을 붉은색으로 변화시키는 물에 녹인 치약은 염기성 용액입니다.

채점 기준
실험 결과로 알 수 있는 요구르트와 치약의 성질을 바르게 썼다.

단원 평가

1. 온도와 열

1회 190~191쪽

1 ② 2 ㉢

3 예 물질의 온도는 물질이 놓인 장소, 측정 시각, 햇빛의 양 등에 따라 다르기 때문이다.

4 ①, ③ 5 ㉡

6 예 고체 물질의 종류에 따라 열이 이동하는 빠르기가 다르기 때문에 열 변색 붙임딱지의 색깔이 구리판, 철판, 유리판 순으로 빠르게 변한다.

7 ① 8 ㉡ 9 ㉣

10 ④

1 몸의 온도는 체온이라고 하고, 기온은 공기의 온도를 말합니다.

2 ㉠은 주로 액체나 기체의 온도를 측정하는 알코올 온도계로, 액체샘을 물질에 넣고 빨간색 액체가 움직이지 않을 때 액체 기둥의 끝이 닿은 부분의 눈금을 읽습니다. ㉡은 체온을 측정하는 귀 체온계로 체온계의 끝을 귀에 넣고 측정 버튼을 누르면 온도 표시 창에 온도가 나타납니다.

3 물질의 온도는 물질이 놓인 장소, 측정 시각, 햇빛의 양 등에 따라 다르기 때문에 온도계로 측정해야 정확하게 알 수 있습니다.

채점 기준
물질이 놓인 장소, 측정 시각, 햇빛의 양 등에 따라 다르기 때문이라는 내용을 바르게 썼다.

4 온도가 다른 두 물질이 접촉할 때 온도가 높은 물질에서 온도가 낮은 물질로 열이 이동합니다. 따라서 온도가 낮은 물질은 온도가 높아지고, 온도가 높은 물질은 온도가 낮아집니다.

5 고체에서 열은 온도가 높은 곳에서 온도가 낮은 곳으로 고체 물질을 따라 이동하고, 고체 물질이 끊겨 있으면 열은 그 방향으로 이동하지 않습니다.

6 고체 물질의 종류에 따라 열이 이동하는 빠르기가 다릅니다. 구리판 → 철판 → 유리판 순으로 열이 빠르게 이동하므로 열 변색 붙임딱지의 색깔이 변하는 빠르기도 구리판 → 철판 → 유리판 순입니다.

채점 기준
열 변색 붙임딱지의 색깔이 변하는 빠르기를 그렇게 생각한 까닭과 함께 바르게 썼다.

7 뜨거운 물에 의해 데워진 파란색 잉크가 위로 올라갑니다.

8 알코올램프에 불을 붙이지 않았을 때에는 비눗방울이 아래로 떨어집니다. 그런데 알코올램프에 불을 붙였을 때에는 알코올램프 주변의 뜨거워진 공기가 위로 올라가기 때문에 비눗방울이 위로 올라갑니다.

9 액체와 기체에서 온도가 높아진 물질이 위로 올라가고, 위에 있던 물질이 아래로 밀려 내려오는 과정을 대류라고 합니다.

10 난방 기구를 한 곳에만 켜 놓아도 뜨거워진 공기가 대류하면서 집 안 전체의 공기가 따뜻해집니다.

2회 192~193쪽

1 ㉠ 온도 ㉡ ℃(섭씨도) 2 ③, ⑤

3 ①

4 예 온도가 높은 프라이팬에서 온도가 낮은 달걀로 열이 이동한다.

5 ㉠ 6 ㉠, ㉢, ㉡ 7 ③

8 예 가열되어 온도가 높아진 물이 위로 이동하고, 위에 있던 물은 아래로 밀려 내려오는 과정이 반복되기 때문이다.

9 ② 10 ㉢

1 물질의 차갑거나 따뜻한 정도는 온도로 나타내고, 숫자에 단위 ℃(섭씨도)를 붙여 나타냅니다.

2 알코올 온도계는 주로 액체나 기체의 온도를 측정할 때 사용합니다. 주변보다 따뜻한 물에 알코올 온도계를 넣으면 액체샘에 있는 빨간색 액체가 몸체 속의 관을 따라 위로 올라갑니다.

3 같은 물질이라도 물질이 놓인 장소, 측정 시각, 햇빛의 양 등에 따라 온도가 다릅니다.

4 온도가 다른 두 물질이 접촉하면 온도가 높은 물질에서 온도가 낮은 물질로 열이 이동하여 시간이 지나면 두 물질의 온도는 같아집니다.

채점 기준
온도가 높은 프라이팬에서 온도가 낮은 달걀로 열이 이동한다는 내용을 바르게 썼다.

5 고체에서 열은 온도가 높은 부분에서 온도가 낮은 부분으로 고체 물질을 따라 이동하고, 고체 물질이 끊겨 있으면 열은 그 방향으로 이동하지 않습니다.

6 구리판, 철판, 유리판의 순서로 열이 빠르게 이동하므로, 구리판에 붙인 버터가 가장 먼저 녹고 유리판에 붙인 버터가 가장 나중에 녹습니다.

7 빵 굽는 틀은 열이 이동하는 빠르기가 빠른 물질로 만듭니다.

8 가열되어 온도가 높아진 물은 위로 올라가고 위에 있던 물은 아래로 밀려 내려오며, 시간이 지나면 이 과정이 반복되면서 주전자 물 전체의 온도가 높아집니다.

채점 기준
가열되어 온도가 높아진 물이 위로 이동하기 때문이라는 내용을 바르게 썼다.

9 온도가 높은 물체 주변의 공기는 가열되어 온도가 높아집니다. 온도가 높아진 공기는 위로 올라가고, 위에 있던 공기는 아래로 밀려 내려옵니다.

10 ㉠과 ㉡ 같이 액체나 기체에서는 주로 대류를 통해 열이 이동합니다. ㉢은 고체에서 전도에 의해 열이 이동하는 경우입니다.

2. 태양계와 별

1회 194~195쪽

1 태양 **2** ④ **3** 화성
4 ①, ④
5 예 거리가 너무 멀어 km로 거리를 표현하기 복잡하고, 실제 거리로 나타내면 쉽게 비교하기 어렵기 때문이다.
6 ④ **7** ㉡ **8** ①
9 카시오페이아자리, 예 카시오페이아자리의 바깥쪽 두 선을 연장해 만나는 점(㉠)과 중앙의 별(㉡)을 연결하고, 그 거리의 다섯 배만큼 떨어진 곳에 있는 별을 찾는다.
10 행성

1 태양은 지구에 여러 가지 영향을 미치며, 우리가 살아가는 데 필요한 대부분의 에너지는 태양에서 얻습니다.

2 태양계에서 유일하게 스스로 빛을 내는 천체는 태양이고, 위성은 행성의 주위를 도는 천체입니다.

3 화성은 표면이 지구의 사막처럼 암석과 흙으로 이루어져 있고, 대기가 있으나 지구보다 훨씬 적습니다.

4 ②, ③ 토성은 천왕성보다 크고, 지구와 크기가 가장 비슷한 행성은 금성입니다. ⑤ 목성, 토성은 상대적으로 크기가 큰 행성에 속하고, 화성은 상대적으로 크기가 작은 행성에 속합니다.

5 태양에서 행성까지의 거리가 너무 멀어 km로 거리를 표현하면 복잡하기 때문에 상대적인 거리로 비교합니다.

채점 기준
태양에서 행성까지의 거리를 비교할 때 상대적인 거리로 비교하는 까닭을 바르게 썼다.

6 태양에서 거리가 가장 먼 행성은 해왕성이고, 태양에서 거리가 가장 가까운 행성은 수성입니다. 태양에서 거리가 멀어질수록 행성 사이의 거리도 멀어집니다.

7 별자리는 별의 무리를 구분해 사람이나 동물 또는 물건의 모습으로 떠올리고 이름을 붙인 것입니다.

8 북극성은 정확한 북쪽에 항상 있는 별입니다.

9 북쪽 밤하늘에서 볼 수 있는 카시오페이아자리는 엠(M)자나 더블유(W)자 모양입니다. 카시오페이아자리의 바깥쪽 두 선을 연장해 만나는 점과 중앙의 별을 연결하고 그 거리의 다섯 배만큼 떨어진 곳에서 북극성을 찾을 수 있습니다.

채점 기준
별자리 ㈎가 무엇인지 쓰고, 이 별자리를 이용하여 북극성을 찾는 방법을 바르게 썼다.

10 여러 날 동안 같은 밤하늘을 관측하면 행성은 조금씩 위치가 변하지만 별은 위치가 변하지 않는 것처럼 보입니다.

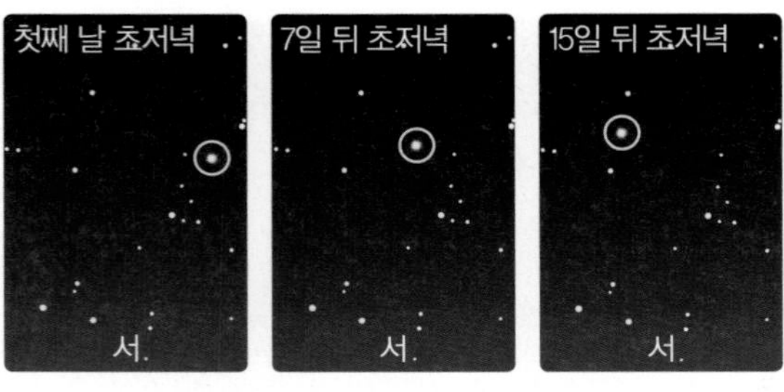

▲ 여러 날 동안 같은 밤하늘을 관측했을 때 위치가 변한 천체가 행성, 위치가 변하지 않는 천체가 별입니다.

2회 196~197쪽

1 ㉠　**2** ①
3 예 ㉠ 행성은 표면에 땅이 있고, ㉡ 행성은 표면이 기체로 되어 있다.
4 ①　**5** 수성, 금성
6 ㉢　**7** ㉠ 별 ㉡ 별자리
8 ⑤　**9** ⑤
10 행성, 예 여러 날 동안 밤하늘에서 보이는 위치가 변하기 때문이다.

1 태양은 지구에 있는 물이 순환하는 데 필요한 에너지를 끊임없이 공급해 줍니다.

2 ②와 ⑤는 태양에 대한 설명입니다. 고리가 있는 행성도 있고, 고리가 없는 행성도 있습니다. 그리고 달처럼 행성의 주위를 도는 천체를 위성이라고 합니다.

3 수성, 금성, 화성은 지구처럼 표면에 땅이 있습니다. 반면에, 목성, 토성, 천왕성, 해왕성은 땅이 없으며 표면이 기체로 되어 있습니다.

채점 기준
㉠과 ㉡행성의 표면의 상태를 비교하여 어떤 점이 다른지 바르게 썼다.

4 수성, 금성, 화성은 지구보다 크기가 작은 행성이고, 목성, 토성, 천왕성, 해왕성은 지구보다 크기가 큰 행성입니다.

5 태양에서 가장 가까운 행성은 수성이고, 지구에서 가장 가까운 행성은 금성입니다.

6 수성, 금성, 지구, 화성과 같은 행성은 목성, 토성, 천왕성, 해왕성과 같은 행성에 비해 상대적으로 태양 가까이에 있습니다.

7 태양처럼 스스로 빛을 내는 천체를 별이라고 하고, 별의 무리를 구분해 이름을 붙인 것을 별자리라고 합니다.

8 북극성은 정확한 북쪽에 있어 나침반의 역할을 하므로 중요합니다.

9 ㈎는 북두칠성, ㈏는 카시오페이아자리로 모두 북쪽 밤하늘에서 볼 수 있습니다. 북극성은 ㈎의 ❶과 ❷를 연결하고 그 거리의 다섯 배만큼 떨어진 곳에서 찾을 수 있습니다.

10 여러 날 동안 같은 밤하늘을 관측하면 별은 위치가 거의 변하지 않지만, 행성은 위치가 조금씩 변합니다.

채점 기준
위치가 변한 천체를 행성이라고 쓰고, 그렇게 생각한 까닭을 밤하늘에서 별과 행성의 위치 변화와 관련지어 바르게 썼다.

3. 용해와 용액

1회 198~199쪽

1 소금, 설탕 **2** (1) – ㉡ (2) – ㉠ (3) – ㉢
3 ③, ⑤ **4** ⑤
5 142 g, 예 물에 용해된 용질(각설탕)이 없어진 것이 아니라 매우 작게 변해 용매(물) 속에 남아 있기 때문이다.
6 설탕, 소금, 베이킹 소다 **7** ②
8 예 백반 알갱이가 다시 생겨 바닥에 가라앉는다.
9 ③ **10** ㉠

1 소금과 설탕은 물에 녹고, 멸치 가루는 물에 녹지 않습니다.

▲ 소금

▲ 설탕

▲ 멸치 가루

2 녹는 물질(용질)이 녹이는 물질(용매)에 용해되어 골고루 섞여 있는 물질을 용액이라고 합니다.

3 어떤 물질은 물에 용해되어 용액이 되고, 어떤 물질은 물에 용해되지 않습니다. 용액은 물 위에 뜨거나 가라앉는 것이 없습니다.

4 각설탕을 물에 넣으면 부스러지면서 크기가 작아지고, 작아진 설탕은 더 작은 크기의 설탕으로 나뉘어 물에 골고루 섞여 완전히 용해되어 눈에 보이지 않게 됩니다. 맛을 보면 단맛이 나므로 물속에 설탕이 용해되어 있음을 알 수 있습니다.

5 물에 완전히 용해된 각설탕이 눈에 보이지는 않지만, 없어진 것이 아니라 매우 작게 변하여 물 속에 골고루 섞여 있기 때문에 각설탕이 물에 용해되기 전과 용해된 후의 무게는 같습니다.

채점 기준
㉠에 알맞은 무게를 쓰고, 무게가 ㉠과 같이 나타난 까닭을 바르게 썼다.

6 표를 보면 온도와 양이 같은 물에서 설탕>소금>베이킹 소다 순으로 용질이 많이 용해된다는 것을 알 수 있습니다.

7 물의 온도 이외에 다른 조건은 모두 같게 하여 물의 온도에 따라 백반이 용해되는 양을 비교하는 실험입니다.

8 따뜻한 물에서 모두 용해된 백반 용액이 든 비커를 얼음물에 넣으면 물의 온도가 낮아져 다 용해되지 못한 백반이 바닥에 가라앉습니다.

채점 기준
백반 알갱이가 다시 생겨 바닥에 가라앉는다는 내용을 바르게 썼다.

9 온도와 양이 같은 물에 황색 각설탕을 많이 용해할수록 용액의 진하기가 진하므로 ㉠<㉡<㉢의 순으로 용액이 진합니다. 황설탕 용액은 진하기 진할수록 맛이 달고, 높이가 높으며, 색깔이 진하고 무게가 무겁습니다.

10 용액이 진할수록 방울토마토가 더 높이 떠오르므로, ㉠이 더 진한 용액입니다.

2회 200~201쪽

1 ⑤
2 예 용질인 소금이 용매인 물에 용해되어 소금물 용액이 된다.
3 = **4** ⑤ **5** 설탕
6 ③ **7** ④ **8** ㉠, ㉢
9 예 용액이 진할수록 방울토마토가 더 높이 떠오르므로 ㉠보다 ㉡이 더 진한 용액(설탕물)이다.
10 물

1 물에 넣은 설탕은 물에 용해되어 점점 투명해지고, 시간이 지나도 뜨거나 가라앉는 것이 없습니다. 반면에 물에 넣은 멸치 가루는 물과 섞여 뿌옇게 흐려지고, 시간이 지날수록 물과 분리되어 물 위에 뜨거나 바닥에 가라앉습니다.

2 소금이 물에 녹아 소금물이 될 때 소금이 물에 녹는 현상을 용해라고 하고, 이때 만들어진 소금물을 용액이라고 합니다.

채점 기준
소금이 물에 녹아 소금물이 만들어지는 현상을 용질, 용매, 용해라는 용어를 사용하여 바르게 썼다.

3 각설탕이 물에 용해되기 전과 용해된 후의 무게는 같습니다.

4 물에 용해된 각설탕이 눈에 보이지는 않지만 없어진 것이 아니라 매우 작게 변하여 물속에 골고루 섞여 있습니다.

5 50 mL의 물에서보다 100 mL의 물에서 더 많은 양의 용질이 녹지만, 용질이 녹는 순서는 50 mL와 같이 설탕, 소금, 베이킹 소다 순으로 많이 녹습니다.

6 물의 온도가 높을수록 용질이 더 많이 용해됩니다.

7 코코아 가루가 더 이상 용해되지 않고 바닥에 남았을 때 코코아 가루를 더 용해시키려면 물의 양을 늘리거나 온도를 높여야 합니다.

8 황설탕을 더 많이 녹여 더 진한 용액은 색깔과 맛이 진하고 무거우며 용액의 높이가 높습니다.

9 색깔로 용액의 진하기를 비교할 수 없을 때에는 방울토마토와 같은 물체를 띄워 더 높이 떠오른 용액이 더 진한 용액입니다.

채점 기준
용액이 진할수록 방울토마토가 더 높이 떠오르므로 ㉠보다 ㉡이 더 진한 용액(설탕물)이라고 쓰거나 용액이 연할수록 방울토마토가 더 낮게 떠오르므로 ㉡보다 ㉠이 더 연한 용액(설탕물)이라는 내용을 바르게 썼다.

10 용액에 물을 더 넣어 용액을 묽게 만들면 용액에 넣은 물체가 가라앉습니다.

4. 다양한 생물과 우리 생활

1회 202~203쪽

1 ㉠ 회전판 ㉡ 초점 조절 나사 **2** ⑤
3 예 생물이며 자라고 번식한다. 살아가는 데 물과 공기 등이 필요하다.
4 ㉣, 미동 나사 **5** ③ **6** ㉡
7 예 주로 논, 연못과 같이 물이 고인 곳이나 도랑, 하천과 같이 물살이 느린 곳에서 산다.
8 ① **9** ⑤ **10** 다율

1 회전판을 돌려 대물렌즈의 배율을 가장 낮게 하고, 초점 조절 나사로 대물렌즈를 물체에 최대한 가깝게 내린 뒤 대물렌즈를 천천히 올리면서 초점을 맞추어 관찰합니다.

2 곰팡이와 버섯은 보통 식물에서 볼 수 있는 줄기와 잎과 같은 모양이 없습니다.

3 식물과 균류는 생물이며 모두 자라고 번식하며, 살아가는 데 물과 공기가 필요합니다. 그러나 균류와 식물은 크기, 살아가는 방법, 번식 방법, 색깔 등은 서로 다릅니다.

균류	식물
• 줄기, 잎과 같은 모양이 없음. • 보통의 식물보다 작은 편임. • 전체가 균사로 이루어져 있고 주로 포자로 번식함. • 죽은 생물, 다른 생물, 물체 등에 붙어서 삶. • 푸른색, 하얀색, 검은색 등 색깔이 다양함.	• 대체로 뿌리, 줄기, 잎 등이 있음. • 균류에 비해 큰 편임. • 주로 꽃이 피고 씨로 번식함. • 잎의 색깔은 대부분 초록색임.

채점 기준
균류와 식물의 공통점 두 가지를 모두 바르게 썼다.

4 ㉠은 눈으로 보는 렌즈인 접안렌즈, ㉡은 물체의 상을 확대해 주는 대물렌즈, ㉢은 표본의 상에 대한 대강의 초점을 맞출 때 사용하는 조동 나사입니다.

5 짚신벌레는 길쭉한 모양이고 바깥쪽에 가는 털이 있습니다. 안쪽에는 여러 가지 다른 모양이 보이고, 짚신과 모양이 비슷합니다.

6 해캄은 여러 가닥이 서로 뭉쳐 있으며, 머리카락과 같은 모양입니다. 해캄 한 가닥은 매우 가늘며 안쪽에 초록색 알갱이들이 보이고, 이 알갱이 때문에 해캄이 초록색을 띱니다. 균사로 이루어져 있고 포자로 번식하는 것은 곰팡이, 버섯 같은 균류입니다.

7 짚신벌레, 아메바, 종벌레 등의 원생생물은 주로 논, 연못과 같이 물이 고인 곳이나 도랑, 하천과 같이 물살이 느린 곳에서 삽니다.

채점 기준
주로, 논, 연못과 같이 물이 고인 곳이나 도랑, 하천과 같이 물살이 느린 곳에서 산다는 내용을 바르게 썼다.

8 세균은 균류나 원생생물보다 크기가 더 작고 생김새가 단순한 생물로, 종류가 다양합니다. 또 매우 작아서 맨눈으로 볼 수 없지만 우리 주변에 있는 땅이나 물, 다른 생물의 몸, 컴퓨터 자판이나 연필 같은 물체 등 다양한 곳에 삽니다. 세균은 주변에서 양분을 얻고 자라며 번식하는 등의 생명 현상으로 하므로 생물입니다.

9 적조는 원생생물의 수가 급격하게 늘어나 바다와 강, 호수 등의 색깔이 붉은색으로 변하는 현상으로 적조가 일어나면 다른 생물이 살 수 없는 환경이 됩니다. 따라서 다양한 생물이 우리 생활에 미치는 해로운 영향입니다. ①, ②, ③, ④는 다양한 생물이 우리 생활에 미치는 이로운 영향입니다.

10 첨단 생명 과학은 생명 과학 기술이나 연구 결과를 활용하여 일상생활의 다양한 문제를 해결하는 데 도움을 주는 것입니다. 해캄과 같은 원생생물(㉠)은 자동차의 연료나 전기를 만드는 등 생물 연료로 활용합니다. 또, 영양소가 풍부한 원생생물(㉡)은 건강식품이나 건강 보조 식품, 우주 식량을 생산하는 데 활용합니다. 플라스틱 원료를 가진 세균(㉢)을 이용하여 플라스틱 제품을 만들기도 합니다.

2회 204~205쪽

1 ③
2 예 몸 전체가 실과 같은 균사로 이루어져 있고, 포자로 번식한다.
3 ㉣ 4 ㉠, ㉡, ㉢, ㉣
5 ② 6 ㉢ 7 ②, ④
8 ㉣
9 예 죽은 생물을 분해하여 자연으로 되돌려 보낸다. 우리 몸에 이로운 유산균과 같은 세균은 해로운 세균으로부터 건강을 지켜 준다.
10 ①

1 ㉠은 눈으로 보는 렌즈인 접안렌즈, ㉡은 대상에 초점을 정확히 맞출 때 사용하는 초점 조절 나사, ㉢은 물체의 상을 확대해 주는 대물렌즈, ㉣은 관찰 대상을 올려놓은 곳인 재물대, ㉤은 조명을 켜고 끄며 밝기를 조절하는 조명 조절 나사입니다.

2 곰팡이와 버섯 같은 균류는 몸 전체가 가늘고 긴 모양의 균사로 이루어져 있고, 포자로 번식합니다. 곰팡이의 포자는 돋보기 등으로 관찰되지만 버섯의 포자는 갓에 들어 있기 때문에 관찰하기 어렵습니다.

채점 기준
몸 전체가 균사로 이루어져 있고 포자로 번식한다는 내용을 바르게 썼다.

3 식물은 광합성을 해 스스로 양분을 만들지만, 균류는 다른 생물이나 죽은 생물에서 양분을 얻습니다. 또 균류는 줄기, 잎과 같은 모양이 없고, 전체가 균사로 이루어져 있습니다. 하지만 균류와 식물 모두 생물이며 살아가는 데 물과 공기 등이 필요하다는 공통점이 있습니다.

4 회전판을 돌려 대물렌즈의 배율을 가장 낮게 하고 재물대에 영구 표본을 올립니다. 조동 나사로 영구 표본과 대물렌즈의 거리를 최대한 가깝게 한 뒤, 조동 나사와 미동 나사로 초점을 맞춥니다.

5 짚신벌레와 해캄 같이 동물이나 식물, 균류로 분류되지 않으며 생김새가 단순한 생물을 원생생물이라고 합니다.

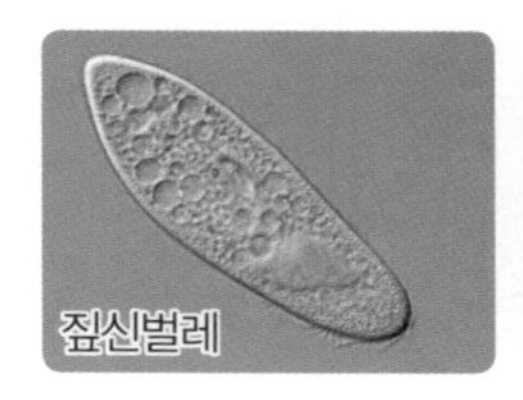

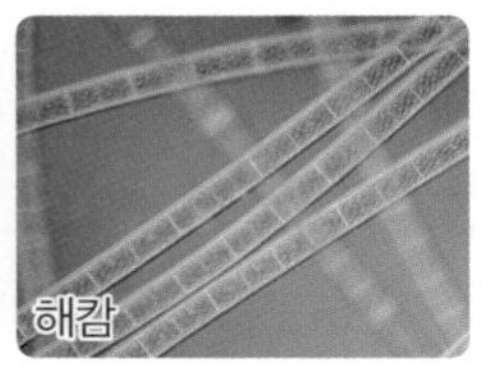

6 우리 주변에 살고 있는 원생생물에는 아메바, 유글레나, 종벌레, 해캄, 짚신벌레, 반달말 등이 있습니다. 푸른곰팡이는 균류에 속합니다.

7 세균은 균류나 원생생물보다 크기가 더 작고 생김새가 단순한 생물로, 종류가 매우 많고 모양도 다양합니다. 세균은 우리 주변 어디에나 있으며 살기에 알맞은 조건이 되면 짧은 시간 안에 많은 수로 늘어납니다.

8 세균은 매우 작아서 맨눈으로 볼 수 없지만 우리 주변에 있는 땅이나 물, 다른 생물의 몸, 컴퓨터 자판이나 연필 같은 물체 등에도 삽니다.

9 세균, 곰팡이, 균류 등과 같은 다양한 생물은 우리 생활에 해로운 영향뿐만 아니라 이로운 영향도 미칩니다. 세균이 우리 생활에 주는 이로운 영향에는 일부 세균은 여러 가지 음식을 만드는 데 도움을 주고 오염된 토양을 복원하는 데에도 세균을 이용합니다.

채점 기준
세균이 우리 생활에 미치는 이로운 영향을 두 가지 모두 바르게 썼다.

10 해캄 등의 생물을 이용하여 기름을 만들고, 플라스틱의 원료를 가진 세균을 이용하여 플라스틱 제품을 생산합니다.

▲ 플라스틱의 원료를 가진 세균을 이용한 플라스틱 제품 생산

5. 생물과 환경

1회 206~207쪽

1 (1) ㉡, ㉣, ㉥ (2) ㉠, ㉢, ㉤
2 ② **3** 분해자
4 먹이 그물, ㉠ 어느 한 종류의 먹이가 부족해지더라도 다른 먹이를 먹고 살 수 있으므로 여러 생물들이 함께 살아가기에 유리하다.
5 ④
6 ㉠ 늑대가 사슴을 사냥하면서 늑대와 사슴의 수는 적절하게 유지되고, 강가의 풀과 나무도 잘 자라게 되어 비버의 수도 늘어난다.
7 ⑤ **8** 햇빛, 물 **9** ③
10 ㉠, ㉡

1 뱀, 여우, 감나무와 같이 살아 있는 것을 생물 요소라고 하고, 흙, 공기, 온도와 같이 살아 있지 않은 것을 비생물 요소라고 합니다.

2 부들, 민들레, 배추와 같이 햇빛 등을 이용하여 살아가는 데 필요한 양분을 스스로 만드는 생물을 생산자라고 합니다. 토끼는 다른 생물을 먹이로 하여 살아가는 소비자입니다.

3 세균이나 곰팡이 등과 같은 분해자는 주로 죽은 생물이나 배출물을 분해하여 양분을 얻습니다. 분해자가 없어진다면 죽은 생물과 생물의 배출물이 분해되지 않아서 우리 주변이 죽은 생물과 생물의 배출물로 가득 차게 될 것입니다.

4 먹이 사슬에서는 먹을 수 있는 먹이가 하나 밖에 없기 때문에 그 먹이가 사라진다면 그 먹이를 먹는 생물도 머지않아 사라지게 될 것입니다. 반면에 먹이 그물에서는 생물의 먹고 먹히는 관계가 여러 방향이기 때문에 먹이를 다양하게 먹을 수 있습니다.

채점 기준
유리한 먹이 관계를 먹이 그물로 고르고, 먹이 그물에서는 먹을 수 있는 먹이가 다양하기 때문에 유리하다는 내용을 쓰거나 먹이 사슬에서는 먹이가 하나 밖에 없기 때문에 불리하다는 내용을 바르게 썼다.

5 ㉠은 최종 소비자, ㉡은 2차 소비자, ㉢은 1차 소비자, ㉣은 생산자입니다. 생태 피라미드에서 어느 한 단계 생물의 수나 양이 갑자기 늘어나면 다른 단계 생물의 수나 양도 일시적으로 변합니다.

6 늑대를 다시 풀어놓으면 오랜 시간에 걸쳐 국립 공원의 생태계는 점점 평형을 되찾을 것입니다. 만약 국립 공원에 늑대를 다시 풀어놓지 않았다면 사슴 수는 줄지 않았을 것입니다. 그리고 사슴은 계속해서 강가의 풀과 나무를 먹어 치웠을 것입니다. 강가의 나무로 집을 만들고 나뭇가지 등을 먹는 비버는 풀과 나무가 자라지 못하면 살아가기 어려우므로 국립 공원에 사는 비버의 수는 계속 줄어들었을 것입니다.

채점 기준
늑대가 사슴을 사냥하면서 늑대와 사슴의 수는 적절하게 유지되고 강가의 풀과 나무도 잘 자라게 되어 비버의 수도 늘어난다는 내용을 바르게 썼다.

7 ㉠은 떡잎이 초록색으로 변했고, ㉡은 떡잎이 초록색이고, 떡잎 아래 몸통이 가늘어지고 시들었으며, ㉢은 떡잎이 노란색입니다. ㉣은 떡잎이 노란색이고 떡잎 아래 몸통이 매우 가늘어지고 시들었습니다.

햇빛 ○ 물 ○	햇빛 ○ 물 ×	햇빛 × 물 ○	햇빛 × 물 ×

8 햇빛이 잘 드는 곳에서 물을 준 콩나물이 가장 잘 자란 것을 통해 식물이 자라는 데 햇빛과 물이 영향을 준다는 것을 알 수 있습니다.

9 공벌레는 몸을 오므리는 행동(생활 방식)을 통해 적(포식자)의 공격에서 몸을 보호하기 유리하게 적응되었습니다.

10 음식을 남기거나 샴푸와 같은 합성 세제를 많이 사용하면 환경이 오염되어 생물에 해로운 영향을 줍니다. 따라서 생태계를 보전하려면 일회용품 사용 줄이기, 쓰레기 분리배출하기, 짧은 거리는 자전거 이용하기, 나무 심기 등을 해야 합니다.

2회 208~209쪽

1 ② **2** 승아
3 ㉣, ㉠, ㉡, ㉢ **4** ①
5 예 1차 소비자의 먹이가 되는 생산자의 수나 양은 늘어나고, 1차 소비자를 먹는 2차 소비자의 수나 양은 줄어들며, 2차 소비자를 먹는 최종 소비자의 수나 양도 줄어든다.
6 생태계 평형 **7** 햇빛 **8** ②
9 ㉠, 예 서식지 환경과 털 색깔이 비슷하면 적에게서 몸을 숨기거나 먹잇감에 접근하기 유리하기 때문이다.
10 ④

1 살아 있는 공벌레, 다람쥐, 감나무, 세균은 생물 요소이고, 살아 있지 않은 햇빛은 비생물 요소입니다. 생물 요소는 양분을 얻는 방법에 따라 생산자, 소비자, 분해자로 분류하는 데 감나무는 생산자, 공벌레와 다람쥐는 소비자, 세균은 분해자입니다.

2 생산자가 없어진다면 생산자를 먹는 소비자는 먹이가 없어서 죽게 되고, 그다음 단계의 소비자도 먹이가 없어서 죽게 될 것입니다. 결국 생태계의 모든 생물이 멸종될 것입니다.

3 메뚜기는 벼를 먹고, 개구리를 메뚜기를 먹으며, 뱀은 개구리를 먹습니다. 사슬의 시작은 잡아먹히는 생물이며, 화살표의 왼쪽은 잡아먹히는 생물, 오른쪽은 잡아먹는 생물을 나타냅니다.

4 먹이 그물에서는 생물의 먹고 먹히는 관계가 여러 방향이기 때문에 먹이를 다양하게 먹을 수 있어 여러 생물이 함께 살아가기에 유리합니다.

▲ 먹이 그물

5 1차 소비자의 수가 줄어들면 생산자, 2차 소비자, 최종 소비자의 수나 양은 일시적으로 변하지만, 오랜 시간이 지나면 생태계는 다시 평형을 되찾습니다.

채점 기준
1차 소비자의 수가 줄어들었을 때 생태계 구성 요소(생산자, 2차 소비자, 최종 소비자)의 수나 양의 일시적인 변화에 대해 바르게 썼다.

6 어떤 지역에 살고 있는 생물의 종류와 수 또는 양이 균형을 이루며 안정된 상태를 유지하는 것을 생태계 평형이라고 합니다. 특정 생물의 수나 양이 갑자기 늘어나거나 줄어들면 생태계 평형이 깨지기도 합니다.

7 콩나물이 받는 햇빛의 양을 다르게 하여 햇빛이 콩나물의 자람에 미치는 영향을 알아보기 위한 실험 조건입니다. 콩나물이 받는 햇빛의 양 이외의 모든 조건은 같아야 합니다.

8 온도, 햇빛, 물 등과 같은 비생물 요소는 생물이 살아가는 데 영향을 줍니다. 온도는 생물의 생활에 영향을 줍니다. 추운 계절이 다가오면 개나 고양이는 털갈이를 하고, 철새는 먹이를 구하거나 새끼를 기르기에 적절한 장소를 찾아 먼 거리를 이동합니다. 또 온도의 영향으로 식물의 잎에 단풍이 들거나 낙엽이 집니다. 흙이 없다면 민들레와 같은 식물은 잘 자라지 못합니다.

9 서식지 환경과 비슷한 색깔의 털이 있는 여우들이 적에게서 숨기 쉽고, 먹잇감에 접근하기도 쉽습니다. 따라서 흰 눈으로 뒤덮여 있는 북극에서는 몸 전체가 하얀색 털로 덮여 있는 여우들이 살아남기에 유리합니다.

채점 기준
흰 눈으로 뒤덮여 있는 서식지 환경에서 잘 살아남을 수 있는 여우 가족을 골라 기호를 쓰고, 그렇게 생각한 까닭을 바르게 썼다.

10 물이 오염되면 물이 더러워지고 물고기가 죽거나 생물의 서식지가 파괴되기도 합니다. 공기가 오염되면 동물이 병에 걸리거나 생물의 성장에 피해를 주기도 합니다.

6. 날씨와 우리 생활

1회 210~211쪽

1 ③ **2** ②

3 예 페트병 안의 온도가 낮아지고, 페트병 안이 뿌옇게 흐려진다.

4 비 **5** 무겁고, 높습니다

6 ① **7** ②, ④

8 예 온도가 낮은 물 위 공기는 고기압, 온도가 높은 모래 위 공기는 저기압이 되므로, 향 연기가 고기압인 물 쪽에서 모래 쪽으로 이동한다.

9 ㉡ **10** (1) – ㉡ (2) – ㉢ (3) – ㉠

1 ㉠은 건구 온도계, ㉡은 습구 온도계입니다. 건구 온도에 해당하는 22.0℃를 세로줄에서 찾고, 건구 온도와 습구 온도의 차인 3.0℃를 가로줄에서 찾아 만나는 지점(76%)이 현재 습도를 나타냅니다.

2 물과 조각 얼음을 넣은 집기병 바깥에 있는 공기 중 수증기가 응결해 집기병 표면에서 물방울로 맺힙니다. 이와 비슷한 자연 현상은 이슬입니다.

3 공기 주입 마개 뚜껑을 열면 페트병 안 공기가 밖으로 나가면서 부피가 커지고 온도가 낮아집니다. 이때 차가워진 공기 중 수증기가 응결해 페트병 안이 뿌옇게 흐려집니다.

채점 기준
페트병 안의 온도는 낮아지고, 페트병 안이 뿌옇게 흐려진다는 내용을 바르게 썼다.

4 구름 속 작은 물방울이 무거워져 떨어지면 비가 되고 구름 속 얼음 알갱이가 커지면서 무거워져 떨어질 때 기온이 높은 지역을 지나면 녹아서 빗방울이 됩니다.

5 차가운 공기는 따뜻한 공기보다 일정한 부피에 들어 있는 공기 알갱이의 양이 더 많아 무겁고 기압이 더 높습니다.

6 어느 두 지점 사이에 기압 차가 생기면 공기는 고기압에서 저기압으로 이동합니다.

7 낮에는 지면이 수면보다 빠르게 데워지므로 지면의 온도가 수면의 온도보다 높고, 밤에는 지면이 수면보다 빠르게 식으므로 지면의 온도가 수면의 온도보다 낮습니다.

8 물은 모래보다 천천히 데워져 온도가 더 낮으므로 물 위 공기는 고기압이 되고 모래 위 공기는 저기압이 됩니다. 또 공기는 고기압에서 저기압으로 이동하므로 향 연기가 물 쪽에서 모래 쪽으로 이동합니다.

채점 기준
향 연기가 물 쪽에서 모래 쪽으로 움직이는 까닭을 기압과 관련지어 바르게 썼다.

9 겨울에는 북서쪽 대륙에서 이동해 오는 공기 덩어리(㉠)의 영향을, 봄과 가을에는 남서쪽 대륙에서 이동해 오는 공기 덩어리(㉡)의 영향을, 여름에는 남동쪽 바다에서 이동해 오는 공기 덩어리(㉢)의 영향을 받습니다.

10 비가 내리는 날은 우산 등이 필요하고, 습도가 낮은 날에는 습도를 높일 수 있는 가습기가 필요하며, 황사가 있는 날에는 외출할 때에 마스크를 착용합니다.

2회 212~213쪽

1 ㉠, ㉣

2 (1) 예 뿌옇게 흐려진다.

(2) 예 집기병 안 따뜻한 수증기가 조각 얼음 때문에 차가워져 응결하기 때문이다.

3 ③ **4** ① **5** ㉡

6 ④ **7** ㉢

8 예 낮에는 육지가 바다보다 온도가 높아 바다 위가 고기압이 되고, 밤에는 바다가 육지보다 온도가 높아 육지 위가 고기압이 되기 때문이다.

9 여름 **10** ④

1 습도가 높으면 곰팡이가 잘 피고, 습도가 낮으면 감기와 같은 호흡기 질환이 생기기 쉽습니다.

2 따뜻하게 데운 집기병 위에 조각 얼음이 담긴 페트리 접시를 올려놓으면 집기병 안의 온도가 낮아지면서 수증기가 응결해 집기병 안이 뿌옇게 흐려집니다.

채점 기준
집기병 안에서 나타나는 변화와 그렇게 생각한 까닭을 모두 바르게 썼다.

3 공기 주입 마개 뚜껑을 열면 페트병 안 공기가 밖으로 나가면서 부피가 커지고 온도가 낮아지며, 이때 차가워진 공기 중 수증기가 응결해 물방울이 되어 페트병 안이 뿌옇게 흐려집니다. 이는 구름이 만들어지는 현상과 비슷합니다.

4 이슬, 안개, 구름 모두 공기 중 수증기가 응결해 나타나는 현상입니다. ③은 이슬, ④는 구름, ⑤는 안개에 대한 설명입니다.

5 어느 두 지점 사이에 기압 차가 생기면 공기는 고기압에서 저기압으로 이동합니다.

6 전등을 껐을 때 모래는 빨리 식고, 물은 천천히 식습니다.

7 물은 모래보다 천천히 데워져 온도가 더 낮으므로 물 위 공기는 고기압, 모래 위 공기는 저기압이 됩니다. 따라서 향 연기가 고기압인 물 쪽에서 저기압인 모래 쪽으로 이동합니다.

8 육지와 바다의 상대적인 온도에 따라 기압 차가 생기므로, 낮과 밤에 부는 바람의 방향이 달라집니다. 낮에 바다에서 육지로 부는 바람을 해풍이라고 하고, 밤에 육지에서 바다로 부는 바람을 육풍이라고 합니다.

채점 기준
바닷가에서 낮과 밤에 바람의 방향이 다른 까닭을 육지와 바다의 기압과 관련지어 바르게 썼다.

9 우리나라 여름에는 남동쪽 바다에서 이동해 오는 공기 덩어리의 영향으로 덥고 습합니다.

10 무덥고 습한 날에는 장시간 야외 활동을 할 경우 열사병이나 탈진이 올 수 있습니다.

7. 물체의 운동

1회 214~215쪽

1 ⑤ **2** ㉠, ㉡
3 예 결승선까지 달리는 데 가장 짧은 시간이 걸린 친구를 찾는다.
4 ② **5** ㉡, ㉢, ㉠ **6** 자전거, 배
7 예 물체가 이동한 거리를 걸린 시간으로 나누어 속력을 구해 비교한다.
8 ㉢ **9** ② **10** ③

1 시간이 지남에 따라 위치가 변한 ㉠, ㉡, ㉣은 운동한 물체이고, 시간이 지나도 제자리에 있는 ㉢은 운동하지 않은 물체입니다. ㉠은 1초 동안 2 m를 이동했고, ㉡은 1초 동안 7 m를 이동했고, ㉣은 1초 동안 1 m를 이동했습니다.

2 케이블카와 자동계단은 빠르기가 일정한 운동을 하는 물체이고, 롤러코스터와 배드민턴공은 빠르기가 변하는 운동을 하는 물체입니다.

3 일정한 거리를 이동한 물체의 빠르기는 물체가 이동하는 데 걸린 시간으로 비교합니다. 일정한 거리를 이동하는 데 짧은 시간이 걸린 물체가 긴 시간이 걸린 물체보다 더 빠릅니다.

채점 기준
결승선까지 달리는 데 가장 짧은 시간이 걸린 친구를 찾는다는 내용을 바르게 썼다.

4 수영 경기는 일정한 거리를 이동하는 데 걸린 시간을 측정해 빠르기를 비교하는데, 짧은 시간이 걸릴수록 더 빠릅니다.

5 일정한 시간 동안 이동한 물체의 빠르기는 물체가 이동한 거리로 비교합니다. 일정한 시간 동안 긴 거리를 이동한 물체가 짧은 거리를 이동한 물체보다 더 빠릅니다.

6 3시간 동안 180 km를 이동한 시내버스다 더 짧은 거리를 이동한 자전거와 배는 시내버스보다 더 느린 교통수단입니다.

7 이동하는 데 걸린 시간과 이동 거리가 모두 다른 물체의 빠르기는 속력으로 나타내 비교할 수 있습니다. 속력은 물체가 이동한 거리를 걸린 시간으로 나누어 구하며, 속력이 큰 물체가 더 빠릅니다.

채점 기준
이동하는 데 걸린 시간과 이동 거리가 모두 다른 물체의 빠르기는 속력으로 나타내 비교한다는 내용을 바르게 썼다.

8 (속력)=(이동 거리)÷(걸린 시간)이므로 ㉠의 속력은 80 m÷10 s=8 m/s, ㉡의 속력은 60 m÷4 s=15 m/s, ㉢의 속력은 44 m÷2 s=22 m/s입니다. 따라서 ㉢, ㉡, ㉠ 순으로 빠릅니다.

9 안전띠는 자동차에 설치된 안전장치이고, 과속 방지 턱은 도로에 설치된 안전장치입니다.

10 도로 주변에서 공은 공 주머니에 넣고, 버스는 인도에서 기다리며, 바퀴 달린 신발은 안전한 장소에서 탑니다.

2회 216~217쪽

1 ㉢ **2** ③ **3** 은우
4 ②
5 예 일정한 시간(3시간) 동안 가장 긴 거리를 이동했기 때문에 기차가 가장 빠르다.
6 ㉠ 예 걸린 시간 ㉡ 예 이동한 거리
7 ③, ⑤ **8** ㉡ **9** ①
10 영준, 예 길을 건널 때 횡단보도로 건너고, 횡단보도를 건널 때에는 좌우를 살피며 길을 건넌다.

1 물체의 운동은 물체가 이동하는 데 걸린 시간과 이동 거리로 나타냅니다.

2 비행기는 컬링 스톤보다 빠르게 운동하고, 비행기와 컬링 스톤 모두 빠르기가 변하는 운동을 합니다.

3 일정한 거리를 이동한 물체의 빠르기는 물체가 이동하는 데 걸린 시간으로 비교합니다. 일정한 거리를 이동하는 데 가장 짧은 시간이 걸린 소은이가 가장 빠르고, 가장 긴 시간이 걸린 은우가 가장 느립니다.

4 일정한 거리를 이동하는 데 걸린 시간을 측정해 빠르기를 비교하는 운동 경기에는 수영, 조정, 봅슬레이, 스피드 스케이팅, 마라톤, 쇼트 트랙, 알파인 스키 등이 있습니다.

5 일정한 시간 동안 긴 거리를 이동한 물체가 짧은 거리를 이동한 물체보다 더 빠릅니다.

채점 기준
일정한 시간(3시간) 동안 가장 긴 거리를 이동했기 때문에 기차가 가장 빠르다는 내용을 바르게 썼다.

6 일정한 거리를 이동하는 데 걸린 시간이 짧을수록 빠른 물체이고, 일정한 시간 동안 이동한 거리가 길수록 빠른 물체입니다.

7 7 m/s는 1초 동안 7 m를 이동한 물체의 속력을 나타내고, '칠 미터 퍼 세컨드' 또는 '초속 칠 미터'라고 읽습니다.

8 ㉠의 속력은 150 km÷3 h=50 km/h, ㉡의 속력은 120 km÷2 h=60 km/h, ㉢의 속력은 250 km÷5 h=50 km/h입니다.

9 에어백은 충돌 사고에서 탑승자의 몸에 가해지는 충격을 줄여 주기 위해 자동차에 설치된 안전장치입니다.

10 길을 건널 때에는 스마트 기기를 보지 않습니다. 길을 건널 때에는 횡단보도로 건너며, 횡단보도를 건널 때에는 자동차가 멈췄는지 확인하고 좌우를 살피며 건너야 합니다.

채점 기준
위험한 행동을 한 어린이의 이름을 쓰고, 안전한 행동으로 바르게 고쳐 썼다.

8. 산과 염기

1회 218~219쪽

1 ② **2** ① **3** 지시약

4 (1) – ㉠ (2) – ㉡ (3) – ㉠

5 예 페놀프탈레인 용액을 붉은색으로 변화시킨 용액은 염기성 용액이므로, 이 용액에 자주색 양배추 지시약을 떨어뜨리면 푸른색이나 노란색 계열의 색깔로 변한다.

6 ㉠, ㉢ **7** ② **8** ㉡

9 예 염기성 용액에 산성 용액을 넣을수록 염기성이 점점 약해진다.

10 ④

1 식초는 투명하고, 석회수는 무색이며, 유리 세정제는 냄새가 나고, 묽은 수산화 나트륨 용액은 무색입니다.

2 유리 세정제와 묽은 염산은 투명하지만, 레몬즙과 빨랫비누 물은 불투명합니다.

3 어떤 용액을 만났을 때에 그 용액의 성질에 따라 눈에 띄는 변화가 나타나는 물질을 지시약이라고 합니다.

4 푸른색 리트머스 종이를 붉은색으로 변하게 하는 레몬즙과 사이다는 산성 용액이고, 붉은색 리트머스 종이를 푸른색으로 변하게 하는 석회수는 염기성 용액입니다.

5 페놀프탈레인 용액을 떨어뜨렸을 때 붉은색으로 변하는 용액은 염기성 용액입니다. 염기성 용액에 자주색 양배추 지시약을 떨어뜨리면 푸른색이나 노란색 계열의 색깔로 변합니다.

채점 기준
페놀프탈레인 용액을 떨어뜨렸을 때 붉은색으로 변하는 용액에 자주색 양배추 지시약을 떨어뜨렸을 때의 색깔 변화를 바르게 썼다.

6 식초나 묽은 염산과 같은 산성 용액에 대리석 조각을 넣으면 기포가 발생하면서 대리석 조각이 녹습니다.

7 염기성 용액은 두부와 삶은 달걀 흰자는 녹이지만, 달걀 껍데기와 대리석 조각은 녹이지 못합니다.

8 산성 용액인 묽은 염산에 염기성 용액인 묽은 수산화 나트륨 용액을 넣을수록 점차 붉은색 계열의 색깔에서 푸른색 계열의 색깔로 변합니다.

9 묽은 수산화 나트륨 용액에 묽은 염산을 넣을수록 점차 푸른색 계열의 색깔에서 붉은색 계열의 색깔로 변합니다. 이를 통해 염기성 용액에 산성 용액을 넣을수록 염기성이 점점 약해진다는 것을 알 수 있습니다.

채점 기준
염기성 용액에 산성 용액을 넣을수록 염기성이 점점 약해진다는 내용을 바르게 썼다.

10 푸른색 리트머스 종이가 붉은색으로 변한 요구르트는 산성 용액입니다. 붉은색 리트머스 종이가 푸른색으로 변한 물에 녹인 치약은 염기성 용액입니다. 산성 용액인 요구르트에 페놀프탈레인 용액을 넣으면 색깔이 변하지 않습니다.

2회 220~221쪽

1 유리 세정제
2 ㉠ 식초, 레몬즙, 유리 세정제, 사이다, 빨랫비누 물, 묽은 염산은 냄새가 나지만, 석회수, 묽은 수산화 나트륨 용액은 냄새가 나지 않는다.
3 ⑤ **4** ㉡, ㉢ **5** ②
6 ㉠ 산성 용액은 달걀 껍데기를 녹이지만 삶은 달걀 흰자는 녹이지 못한다.
7 ⑤ **8** 산성, 염기성
9 ② **10** ㉡, ㉢

1 연한 푸른색이고 투명하며, 흔들었을 때 거품이 3초 이상 유지되는 용액은 유리 세정제입니다.

2 냄새, 투명한 정도, 색깔, 흔들었을 때 거품이 3초 이상 유지되는지 여부 등에 따라 용액을 분류할 수 있습니다.

채점 기준
분류 기준에 따라 용액을 분류하여 바르게 썼다.

3 페놀프탈레인 용액을 식초, 레몬즙, 사이다, 묽은 염산에 떨어뜨리면 색깔이 변하지 않지만, 페놀프탈레인 용액을 빨랫비누 물에 떨어뜨리면 붉은색으로 변합니다.

4 푸른색 리트머스 종이를 붉은색으로 변하게 하고, 페놀프탈레인 용액의 색깔을 변하지 않게 하는 용액을 산성 용액이라고 합니다.

5 자주색 양배추 지시약은 산성 용액에서는 붉은색 계열의 색깔로 변하고, 염기성 용액에서는 푸른색이나 노란색 계열의 색깔로 변합니다.

6 묽은 염산과 같은 산성 용액에 달걀 껍데기를 넣으면 기포가 발생하면서 바깥쪽 껍데기가 녹아 없어집니다. 하지만 산성 용액에 삶은 달걀 흰자를 넣으면 아무런 변화가 없습니다.

채점 기준
산성 용액은 달걀 껍데기를 녹이지만 삶은 달걀 흰자는 녹이지 못한다는 내용을 바르게 썼다.

7 염기성 용액은 두부와 삶은 달걀 흰자를 녹이지만, 달걀 껍데기와 대리석 조각은 녹이지 못합니다.

8 산성 용액과 염기성 용액을 섞으면 섞은 용액 속에 있는 산성을 띠는 물질과 염기성을 띠는 물질이 서로 짝을 맞추면서 각각의 성질을 잃어버립니다.

9 산성 용액인 염산에 염기성을 띤 소석회를 뿌리면 산성이 점차 약해지기 때문에 염산이 누출된 사고 현장에서 소석회를 사용하는 것입니다.

10 변기를 청소할 때 사용하는 변기용 세제(㉠), 생선을 손질한 도마를 닦아 낼 때 사용하는 식초(㉣)는 산성 용액입니다. 욕실을 청소할 때 사용하는 표백제(㉡), 속이 쓰릴 때 먹는 제산제(㉢)는 염기성 용액입니다.

MEMO

MEMO